En dépit des conventions

Du même auteur
aux Éditions J'ai lu

Un amant de rêve, *J'ai lu* 4848
Flamboyante lady, *J'ai lu* 6850

Virginia Henley

En dépit des conventions

Traduit de l'américain
par Élisabeth Luc

Titre original :

UNDONE
Published by New American Library,
a division of Penguin Group, New York

Je dédie ce roman à toutes les femmes qui ont réussi à se remettre d'un mariage malheureux.

Je tiens à remercier Karen Arasimowicz, bibliothécaire à Meriden, dans le Connecticut, qui m'a reconnue lors de mes vacances en Floride et est venue me saluer. Je lui ai confié que j'espérais écrire un roman sur Elizabeth Gunning, mais que je peinais à trouver de la documentation sur le sujet. Joanne Pfluger, amie de Karen et documentaliste à la retraite, m'a proposé ses services. Je lui remercie des efforts qu'elle a fournis malgré la difficulté de la tâche. Je remercie également mon fils, Sean Henley, véritable génie quand il s'agit de trouver des informations sur Internet.

1

Comté de Roscommon, Irlande, 1751

Ébloui par le reflet du soleil sur l'eau, il cligna des yeux. Soudain, une apparition surgit devant lui. S'agissait-il d'une femme ou de quelque esprit magique ? En Irlande, tout était possible.

La jeune fille était svelte et délicate, presque éthérée. Il l'observa sous le soleil qui formait une auréole au-dessus de sa tête. Ses cheveux soyeux cascadaient en boucles dorées jusqu'à sa taille. Elle se tenait parmi les hautes herbes de la rive entourées de papillons et de nuées d'insectes, au milieu des fleurs sauvages. Il n'osait esquisser le moindre mouvement, de peur que cette vision féerique ne disparaisse comme par enchantement.

Fasciné, John Campbell ne put s'empêcher de citer *Le Songe d'une nuit d'été*, de Shakespeare :

— Fâcheuse rencontre au clair de lune, fière Titania !

La reine des fées se tourna vers lui pour l'observer.

— Quoi, jaloux Obéron ? répondit-elle en chassant une libellule d'un geste gracieux. Fées, envolons-nous d'ici : j'ai abjuré son lit et sa société.

Il fit un pas en avant et déclama la tirade d'Obéron :

— Arrête, impudente coquette ! Ne suis-je pas ton seigneur ?

Titania sourit et esquissa une révérence.

— Alors, que je sois ta dame !

En deux enjambées, il la rejoignit, lui prit les mains en riant et la fit se relever.

— Que diable fait une superbe jeune fille anglaise toute seule en pleine campagne irlandaise ?

Il avait un air canaille un peu inquiétant, mais elle se rassura vite en remarquant sa nasse et sa canne à pêche.

— Je vis ici. Je pêche le saumon, tout comme vous, monsieur. Venez, je vais vous montrer un coin très poissonneux.

Subjugué, il la suivit sous les saules pleureurs qui bordaient la rive, puis il s'assit à côté d'elle et lança sa ligne. Cette créature enchanteresse était un mystère. Elle était pieds nus et portait une robe ordinaire qui révélait honteusement ses chevilles, mais elle s'exprimait avec élégance et était manifestement cultivée.

— Je ne décèle aucune trace d'accent irlandais dans votre façon de parler, lui dit-il.

Feignant une assurance qui était loin d'être sienne, elle croisa les jambes, pencha la tête sur le côté et se mit à chantonner un air populaire :

— Dans la bonne ville de Dublin, où les filles sont belles,

« J'ai un jour rencontré Molly Malone

« Elle poussait sa brouette dans les ruelles

« En pleurant à chaudes larmes !

Elle imitait à merveille l'accent chantant des faubourgs irlandais, puis elle adopta des inflexions écossaises :

— Je crois déceler un léger accent dans votre parler, jeune homme. Auriez-vous séjourné en Écosse ?

John n'aurait pu affirmer le contraire. Son père avait été envoyé dans l'ouest de l'Écosse, à la tête de l'armée chargée de rétablir l'ordre et étouffer la rébellion contre la Couronne. Le jeune homme avait combattu auprès de son père et du fils du roi, le duc de Cumberland, à Inveraray, puis à Perth, et enfin lors de la sanglante bataille de Culloden, qui avait permis d'écraser définitivement les rebelles.

Chassant de son esprit ces souvenirs de guerre, John sourit à la jeune fille.

— Ma mère est écossaise.

Elle lui raconta alors une plaisanterie sur deux Écossais et ce qu'ils portaient sous leur kilt. Une histoire un peu osée, au point que John eut envie de la prendre dans ses bras et de la dévorer à belles dents.

Elle sourit et leva enfin les yeux vers lui, de sorte qu'il reçut de plein fouet le choc de ses prunelles violettes.

— J'ai pris des cours de théâtre.

Dès qu'elle se mettait dans la peau d'un personnage, elle oubliait toute timidité.

— Un jour, je serai une grande actrice ! clama-t-elle non sans fierté.

John Campbell poussa un soupir de soulagement. Par saint Patrick, ce n'était pas une dame, mais une actrice, dont la raison de vivre était de séduire !

— Quel âge avez-vous ?

— Seize ans, presque dix-sept. Je suis assez grande, assura-t-elle. Et vous, monsieur, quel âge avez-vous donc ?

Face à cette question impertinente, il esquissa un sourire, mais répondit tout de même :

— J'ai vingt-huit ans et toutes mes dents.

— Avez-vous un nom, monsieur ? demanda-t-elle en reprenant ses airs de grande dame.

— Je m'appelle John. Comme vous l'avez deviné, je suis en Irlande pour m'adonner à la pêche... et à la chasse.

Il insista sur ce dernier point tandis que son regard s'attardait sur ses seins généreux, puis il leva les yeux vers ses lèvres.

— Enchantée, John. Je me nomme Beth. La région est réputée pour son gibier. Faisans, perdrix, canards... Je n'ai toutefois jamais mangé de perdrix.

— Vraiment ? Il se trouve que j'ai une perdrix rôtie et bien dodue, ainsi qu'une bouteille de vin dans ma musette. Souhaitez-vous les partager avec moi ?

— Je n'ai pas faim. Toutefois, il serait impoli de refuser votre proposition. Je goûterai donc un peu de perdrix, monsieur, mais je ne boirai pas de vin.

— Pourquoi pas ? s'enquit-il, amusé.

— On dit qu'il tourne la tête. Voulez-vous que je tienne votre gaule, John ?

L'espace d'un instant, ces paroles à double sens eurent le don de l'étourdir. Puis il se secoua. Elle lui proposait simplement de tenir sa canne à pêche pendant qu'il sortait les provisions de son panier. Il lui tendit donc l'objet et sortit un torchon en lin qui enveloppait le gibier.

— Vite ! s'exclama-t-elle soudain. Reprenez-la ! Je crois qu'un saumon vient de mordre à l'hameçon !

Il tira sur la canne à pêche et plongea une épuisette dans l'eau pour ramener le poisson frétillant sur la rive.

Avec un peu de chance, songea le jeune homme, je ferai une autre prise de choix...

Ses yeux de braise scrutèrent la beauté blonde qui se tenait à son côté.

— Dites-moi, Beth, comment comptez-vous prendre un saumon sans canne à pêche ?

Elle mordit avec gourmandise dans un pilon de perdrix.

— Ce sont les hommes qui ont besoin d'un équipement sophistiqué. Une femme se débrouille très bien sans.

John écarquilla les yeux. Cette ensorceleuse venait-elle de faire un commentaire licencieux pour susciter son désir charnel ? Il la regarda choisir une aile et se lécher les babines. Pour quelqu'un qui prétendait ne pas avoir faim ! En la voyant poser les os et se lécher les doigts, il sentit son membre se gonfler d'excitation. Il lui tendit le reste du gibier.

— Vous n'avez pas faim, John ?

Il secoua négativement la tête. Certes, il avait faim, mais pas de nourritures terrestres. Pour l'heure, il n'avait qu'une envie : la regarder manger avec cette grâce si féminine, mordre dans la chair rôtie et s'en délecter, les yeux mi-clos. Savait-elle savourer tous les plaisirs de la vie avec une telle intensité ?

Quand elle eut terminé son festin, elle s'essuya les doigts sur une serviette en lin. Puis elle s'allongea dans l'herbe, près de lui, et fixa les eaux de la rivière. Sous la surface, Beth décela une ombre furtive. Elle attendit qu'elle s'approche. Hélas, dès qu'elle glissa une main dans l'eau, le poisson s'éloigna.

— Nous faisons trop de bruit, murmura-t-elle en posant un index sur ses lèvres purpurines.

John se pencha au-dessus d'elle, leurs corps se touchaient presque. Seigneur, il aurait tout donné pour qu'elle s'intéresse à autre chose qu'à ce maudit poisson. Il se garda toutefois d'exprimer son désir à voix haute. Il observa son beau visage en forme de cœur. Elle avait un teint de porcelaine, une peau si fine qu'il distinguait les petites veines bleutées de ses paupières. Elle suivit du regard la fuite du saumon dans les eaux claires, et s'humecta lentement les lèvres.

John succomba.

Ivre de désir, il tendit les bras vers elle et l'enlaça pour la maintenir prisonnière, plaqué contre son corps viril. Sans attendre, sa bouche s'empara de la sienne avec avidité. Jamais il n'avait rien goûté de plus délicieux.

Choquée par ce comportement cavalier, Beth lui mordit la lèvre et se releva d'un bond. Il l'imita.

— Comment osez-vous, monsieur ?

Indignée, le souffle court, elle se hissa sur la pointe des pieds et le gifla. Puis elle tourna les talons et s'enfuit en courant.

— Beth, attendez…

Elle s'arrêta, fit volte-face et revint sur ses pas. Sans le quitter de ses yeux violets, qui lançaient des éclairs, elle ramassa le poisson qu'il avait pêché.

— *Mon* saumon ! conclut-elle.

En rentrant chez elle, la jeune fille ne put s'empêcher de penser à ce monstre d'une beauté ravageuse qu'elle venait de rencontrer. Un grand brun ténébreux dont elle aurait dû se méfier. En vérité, elle n'avait ressenti aucune peur, jusqu'à ce qu'elle sente la puissance de son corps musclé contre le sien.

Cependant, elle redoutait bien davantage d'arriver à la maison sans le moindre saumon pour le dîner. Jamais elle n'aurait osé affronter sa mère en rentrant bredouille.

Bridget Gunning était une femme d'une grande beauté, dont la chevelure rousse reflétait le tempérament de feu. Elle dirigeait la maisonnée d'une poigne de fer, au point que nul n'osait la contredire, surtout pas son mari. Elle rappelait sans cesse aux siens qu'elle avait sacrifié une carrière d'actrice très prometteuse sur la scène londonienne pour épouser Jack Gunning et lui donner deux filles superbes. Elle traitait volontiers son mari d'incapable – ce qui, dans une certaine mesure, n'était pas faux. Toutefois, Beth adorait son père, que tous appelaient Jack, un homme facile à vivre et souriant de nature.

Jack Gunning était issu d'une famille de propriétaires terriens assez fortunés de la région de Cambridge. Hélas, étant le fils cadet, il ne pouvait prétendre ni à la richesse ni à un titre. Il était devenu une sorte d'aventurier, doublé d'un joueur invétéré. En épousant une actrice, il avait scellé son destin de mouton noir de la famille. La naissance de deux filles avait mis fin à la carrière de Bridget. Jack installa donc les siens à St. Ives, près de Cambridge, où ils vécurent de la charité familiale, et où leur présence était à peine tolérée. Pendant ce temps, il hantait les tripots de la capitale.

Un jour, il eut de la chance – c'est du moins ce qu'il se dit sur le moment. Il gagna Castlecoote aux cartes. Le couple fit immédiatement ses bagages pour partir s'installer dans son château irlandais. En réalité, ce n'était guère plus qu'un manoir délabré. Toutefois, il ne manquait pas de prestige et se dressait en pleine campagne, dans le comté de Roscommon. La famille fit contre mauvaise fortune bon cœur. Si Jack Gunning avait pour voisins de riches fermiers et éleveurs, lui-même n'avait rien au départ d'un paysan. Il gagnait sa vie tant bien que mal grâce à quelques chèvres, en vendant du lait et des fromages.

Maria et Elizabeth, ses filles, étaient d'une grande beauté. Désireuse de réaliser son rêve à travers elles, Bridget avait décidé d'en faire des actrices. Elle ne doutait pas de leur succès, dès qu'elles seraient en âge de monter sur les planches. En attendant, elles apprenaient à chanter, à danser, et répétaient une scène de théâtre chaque soir. Bridget était très exigeante, mais se montrait moins stricte avec Maria, qui avait deux ans de plus que sa sœur. Celle-ci sentait que Maria était sa préférée, mais n'en éprouvait aucun ressentiment. Sa beauté la rendait exceptionnelle.

— Elizabeth, où étais-tu passée ? tonna sa mère dès que la jeune fille eut franchi le seuil de la cuisine.

Impressionnée par la colère de sa mère, Beth n'osa dire un mot et se contenta de brandir le saumon.

— Qu'est-ce qui te prend ? Tu nous fais un numéro de mime ? Ne crois pas que ce saumon te dispense d'aller puiser de l'eau à St. Brigid. Maria a dû se débarbouiller à l'eau ordinaire, ce matin, à cause de ton oubli.

— Arrête un peu, Bridget, intervint Jack. De l'eau, c'est de l'eau.

Il prit le poisson des mains de sa fille, à qui il adressa un clin d'œil complice.

— Pas du tout ! s'insurgea sa femme. Si tes filles ont un teint de porcelaine, c'est grâce à l'eau de Holywell House.

— Beth n'a qu'à aller en puiser un broc pendant que je prépare le saumon, répondit-il.

— Cesse de l'appeler Beth. Elle se prénomme Elizabeth. J'ai choisi pour nos filles des prénoms qui seront un atout pour leur carrière artistique.

Beth faillit s'emparer brutalement du broc, mais elle se ravisa face au regard menaçant de sa mère. Esquissant une révérence, elle prit l'objet d'un geste gracieux.

— Je me ferai un plaisir d'aller chercher de l'eau sur-le-champ, madame.

— C'est mieux, Elizabeth. N'oublie jamais que les jeunes filles moins gâtées par la nature doivent redoubler d'efforts.

— Pourquoi ne lui parles-tu pas de la lettre ? demanda Jack dès qu'elle eut quitté la pièce.

— Pour gâcher la surprise de Maria ? Je le leur dirai ce soir, quand elles auront travaillé leur scène...

Elizabeth croisa sa sœur qui sortait de Holywell House. Ensemble, elles se dirigèrent vers le puits de St. Brigid.

— Je suis désolée, Beth. J'ai dit à maman que c'était ton tour d'aller chercher de l'eau. Tu me pardonnes ?

— Bien sûr. Aujourd'hui, j'ai rencontré un homme. Il pêchait dans la rivière.

— Un homme comme il faut ? s'enquit Maria, curieuse.

— Eh bien, il n'était pas irlandais, si c'est à cela que tu songes.

Maria s'esclaffa.
— Était-il riche et distingué ?
— Oui. Un aristocrate anglais, je suppose. Il est venu pour chasser et pêcher.
— Vraiment ? Il séjourne sans doute à l'auberge royale de Ballyclare. Est-il séduisant ?
— Extrêmement séduisant, répliqua Beth avec un soupir.
— A-t-il tenté de t'embrasser ? demanda Maria d'un air entendu.
— Comment as-tu deviné ?
— Oh, Beth, tu es si innocente ! Aucun homme ne pourrait te résister.
— Eh bien moi, je lui ai résisté, je peux te le garantir !
— Tu n'es qu'une oie blanche. Il ne fallait pas ! Si tu lui plais, il t'emmènera peut-être en Angleterre avec lui. Demain, je t'accompagnerai pour tenter ma chance.
Beth tira sur la corde et versa l'eau du seau dans le broc. Maria se montrait toujours directe et n'hésitait pas à exprimer à voix haute ses pensées les plus farfelues.
— Tu permettrais à un homme de t'embrasser ? s'enquit Beth.
— Je le laisserais faire ce que bon lui semblerait, pour peu qu'il m'emmène à Londres. À condition qu'il soit riche, bien sûr.

Durant l'après-midi, John Campbell prit plusieurs saumons, l'esprit hanté par la jeune fille qu'il avait rencontrée. Jamais il n'avait vu plus belle femme, mais ce n'était pas là son unique attrait. Elle était franche, directe, et il appréciait beaucoup cette qualité. Elle se montrait naturelle et semblait ne pas avoir conscience de son charme, car elle ne jouait en rien les coquettes.
De retour au manoir, il constata que ses compagnons de séjour étaient rentrés de leur partie de chasse. Il confia ses saumons au cuisinier avant de rejoindre les autres.
Henry, son frère cadet, leva son verre de whisky en guise de salut.

— Tu as manqué une sacrée partie de chasse, mon vieux. J'ai tué un chevreuil.

— Tu as fait de bonnes prises ? s'enquit son ami William Cavendish.

— Nous dégusterons du saumon au souper, annonça John avec un large sourire. Je ne regrette pas de ne pas vous avoir accompagnés. Je me suis amusé à tel point que je compte tenter à nouveau ma chance dès demain.

— À propos de dîner, intervint Michael Boyle en fronçant les sourcils, nous avons tous besoin d'un bon bain avant de passer à table. Les femmes de chambre sont si accueillantes ici, grâce à Cavendish, notre hôte. Qu'attendons-nous pour nous adonner à des jeux plus aquatiques ?

Tous les jeunes hommes présents appartenaient à la noblesse. Michael Boyle était le neveu du riche comte de Burlington, William Cavendish était l'héritier du duché de Devonshire, et John Campbell celui du prestigieux duché d'Argyll.

— C'est mon père qu'il faut remercier de la gentillesse des femmes de chambre. Que serait un pavillon de chasse sans distractions ? Cela dit, il a passé l'âge, le pauvre. De nos jours, il ne trouve le réconfort que dans l'alcool.

Le père de William n'était autre que le gouverneur d'Irlande, nommé à ce poste par Robert Walpole, ancien Premier ministre britannique.

— Il boit vraiment beaucoup, reprit William. On dit même qu'il a tué deux aides de camp qui cherchaient à boire autant que lui.

John s'esclaffa.

— Quel gâchis ! Je préférerais mourir dans les bras d'une femme.

— Vu le nombre de femmes qui se jettent à ton cou, vieux frère, je ne doute pas que cela se produise un jour, commenta Henry en vidant son verre d'une traite. Bon ! Je vais me détendre un peu. Qu'en dites-vous ?

Les autres le suivirent avec enthousiasme, à une exception près.

— Tu viens, John ? lui lança son frère.

— Non, répondit le jeune homme en se servant un verre de vin. Si je monte, vous n'aurez plus aucune chance.

Sans se laisser impressionner par les commentaires ironiques de ses camarades, John songea que sa rencontre au bord de la rivière lui avait ôté toute envie de batifoler avec les domestiques.

Après le souper, Beth enfila une paire de hauts-de-chausses appartenant à son père. Jack sortit deux petits sabres tandis que Bridget ouvrait la malle des costumes pour tendre à Maria un éventail. Ils allaient répéter une scène où deux rivaux se battent en duel pour une demoiselle pure et innocente.

— Pourquoi ne puis-je pas jouer le rôle de l'homme ? Je meurs d'envie de manier l'épée. C'est toujours Elizabeth qui s'amuse le plus.

De rage, elle jeta son éventail.

— Il n'en est pas question ! rétorqua sa mère. Il ne faut prendre aucun risque. Si par malheur la pointe acérée de cette arme effleurait ton visage, ta beauté serait ternie à jamais !

— C'est donc parce que je suis plus belle qu'Elizabeth.

Beth et son père échangèrent un regard amusé. De toute évidence, Bridget s'inquiétait moins pour le visage de sa cadette.

— Non, déclara Jack, c'est parce que Elizabeth excelle au sabre. Je lui ai tout appris, et j'ai moi-même été formé par un maître d'armes de Cambridge.

— Maria, reprit sa mère, tu joueras à la perfection la jeune héroïne. Les spectateurs tomberont tous amoureux de toi. Un jour, tu seras une grande vedette, à Londres.

Maria ramassa son éventail et récita son texte. Il ne lui fallait aucun talent pour être belle. Il lui suffisait d'être elle-même.

Jack incarnait le triste sire ayant donné un rendez-vous secret à l'infortunée jeune fille dans le dessein de la séduire. Quant à Elizabeth, elle jouait le noble héros qui, ayant mis au jour le complot, provoque le scélérat en duel et sauve la réputation de la jeune fille. Dès le début du combat, la supériorité du père fut flagrante, mais Elizabeth compensait sa plus petite taille grâce à une agilité et une rapidité remarquables. Elle maniait l'épée avec brio, esquivant les attaques et prenant des risques, cherchant à mettre son public en haleine.

D'abord, elle donna l'impression que le méchant allait gagner, pour gagner le soutien du public en endossant le rôle de la victime. Puis, au moment où tout semblait perdu, elle passa à la contre-attaque. Avec un plaisir évident, elle chargea, feinta avec brio. Au moment de porter le coup de grâce, elle se permit même de désarmer son adversaire d'un geste assuré du poignet. L'arme fut projetée sur la scène. Enfin, elle salua.

— Bravo ! Bien joué ! À présent, votre mère a une surprise pour vous.

Curieuses, les deux jeunes filles se tournèrent vers Bridget.

— J'ai reçu une lettre, annonça-t-elle d'un air espiègle en sortant une enveloppe de son décolleté.

— De Peg ? s'enquit Maria avec un cri d'enthousiasme, tandis que Beth retenait son souffle.

— Absolument. Une lettre de ma chère amie Peg Woffington !

La simple évocation de ce nom avait le don de faire rêver toute la famille. Peg était une grande vedette du théâtre de Drury Lane, à Londres. Bridget et elle avaient débuté ensemble, enchaînant tous les petits rôles qui se présentaient. Ensuite, Bridget s'était retrouvée enceinte. Peg avait décroché un rôle dans *L'Opéra du gueux*. La pièce remporta un tel succès qu'elle fut représentée au théâtre de Smoke Alley à Dublin. Peu à peu, elle devint une actrice confirmée. À Londres, elle joua avec le grand David Garrick et devint sa maîtresse. Depuis, elle était l'actrice fétiche du prestigieux théâtre londonien.

Bridget déplia les quelques feuilles de papier avec déférence. Elle ne leur lut pas le texte, se contentant de résumer son contenu.

— Peg est à Dublin ! Elle revient pour une tournée triomphale et insiste pour que nous allions la voir à Smoke Alley.

Les deux jeunes filles ne cachèrent pas leur joie.

— Je lui avais parlé de vous dans une lettre, et de la beauté extraordinaire de Maria. Peg veut vous voir toutes les deux et promet d'essayer de vous obtenir des rôles !

Les sœurs Gunning partageaient la même chambre à coucher. Ce soir-là, elles chuchotèrent jusque tard dans la nuit. En allant à Dublin, elles auraient enfin une chance de jouer sur une vraie scène.

La nuit, Elizabeth rêvait souvent de beaux textes, de costumes superbes.

Cette fois, pourtant, son sommeil fut envahi par d'autres images…

Devant elle étaient disposés des mets délectables, gibier rôti, gigot d'agneau, saumon poché, tourtes à la viande, pâtisseries, entremets, pain croustillant, pommes rouges et fraises à la crème. Hélas, tout cela était destiné à John, ce brun ténébreux qu'elle avait rencontré au bord de la rivière.

— Voulez-vous vous joindre à moi ? lui proposa-t-il en désignant les plats.

Le regard de la jeune fille passa du copieux festin au jeune homme. Pouvait-elle lui faire confiance ? La gourmandise finit par l'emporter sur la méfiance.

— Volontiers, répondit-elle.

Il insista pour la faire manger avec ses doigts. Elle savoura chaque bouchée comme s'il s'agissait de l'ambroisie des dieux. Tandis qu'il la nourrissait, elle sentit toutes ses craintes s'envoler et apprécia sa compagnie tout autant que les plats.

Elle s'humecta les lèvres et, audacieuse, lui lécha les doigts.

2

Le lendemain, pendant que John Campbell pêchait le saumon, Elizabeth Gunning alla chercher un seau d'eau du puits de St. Brigid puis lava les cheveux blonds de sa sœur. Au soleil, elle brossa avec soin les boucles dorées et laissa quelques mèches encadrer son visage d'un ovale parfait.

Bridget s'affaira à repriser leurs bas et défit les ourlets de leurs robes de coton. Pas question de montrer ses chevilles à Dublin. À quoi bon susciter un scandale ?

— Je vais faire un saut à Longacre pour voir si Tully est disposé à acheter les chèvres, annonça Jack.

Sa femme le foudroya du regard.

— Nous avons besoin d'un moyen de transport pour gagner Dublin. Ne rentre pas sans avoir réglé le problème.

En voyant son père attacher leurs six chèvres, Beth sentit son cœur se serrer.

— Tu les emmènes déjà ? demanda-t-elle.

— J'espère que Tully voudra bien me les acheter.

Cette perspective soulagea un peu la jeune fille. Longacre était un vaste domaine, et Tully prenait grand soin de ses bêtes.

— Je vais t'aider, papa. Je porterai le chevreau.

Elle souleva le petit et déposa un baiser sur son museau. Elle l'avait vu naître et l'avait veillé toute la nuit.

À Longacre, elle laissa les deux hommes parler affaires et s'aventura dans la grange. Elle y découvrit une chienne de berger et une portée de chiots noir et blanc. Elle caressa la mère, regrettant de ne pouvoir adopter l'un de ses petits. C'était hélas impossible. La famille Gunning comptait suffisamment de bouches à nourrir. Résignée, elle regagna la cour de la ferme.

— Je lui ai échangé les bêtes contre une charrette de navets. Il faudra lui rendre la mule, bien sûr, mais nous pourrons toujours vendre les navets à Dublin.

— La charrette et la mule tombent à pic. Nous n'allions tout de même pas gagner la ville à pied... Et nous aurons les navets en prime.

Elle espérait tout de même que sa mère ne les accueillerait pas à coups de remontrances.

— Le seul problème, reprit Jack en passant une main dans ses cheveux blonds, c'est que les navets se trouvent encore dans les champs.

— Je vais t'aider, papa, proposa-t-elle en tressant ses longs cheveux blonds. Les navets sont gros. Nous ne mettrons guère de temps à remplir la charrette. Va la chercher. Je cours aux champs pour commencer à les arracher.

Le labeur se révéla ardu et salissant, car le terrain était humide. Jack n'osa approcher la charrette, de peur de l'embourber. Beth dut se pencher pour arracher les légumes de la boue tandis que son père les portait vers le véhicule, garé à l'extrémité du champ. Quand ils eurent enfin terminé, le soleil se couchait.

— Tu es crottée de la tête aux pieds, déclara Jack à sa fille. Ta mère va piquer une de ces colères !

Beth appréhendait son retour à la maison.

— Rentre seul. Je vais me baigner dans la rivière, histoire de me nettoyer un peu. Pendant ce temps, tu persuaderas maman que tu as fait une bonne affaire.

Elle longea la rive jusqu'à une sorte de lac, paysage dont elle appréciait particulièrement la beauté. Face au soleil rougeoyant de cette fin de journée, elle poussa un soupir, songeant qu'il n'existait sans doute pas de lieu plus enchanteur. À l'abri des branches d'un saule, elle se dévêtit et entra dans l'eau jusqu'à la poitrine. La fraîcheur de l'eau sur sa peau délicate la fit frissonner. Près de la rive, elle crut voir une loutre. Elle l'avait déjà aperçue plusieurs fois auparavant. Sans réfléchir, elle décida de s'en approcher.

Elle emplit d'air ses poumons et plongea sous l'eau. Sans faire de bruit, elle émergea près de la rive et croisa bientôt une paire d'yeux bruns et scintillants. Ce n'étaient pas les yeux d'une loutre.

— Obéron ! s'exclama-t-elle.

— Seigneur ! J'ai pensé à vous si fort que je vous ai fait venir à moi.

Campbell avait peine à croire que la créature de ses rêves venait d'apparaître devant lui, telle une sirène. Avant qu'elle ne puisse replonger, il l'attrapa par les poignets.

— Vous êtes bien réelle !

— En effet, et mes problèmes le sont tout autant, monsieur. Veuillez me lâcher.

Face à la force de sa poigne, elle se sentit faiblir. Un étrange frisson la parcourut tout entière au contact de ses doigts puissants. Elle ne pensait plus qu'à ses lèvres sur les siennes. Allait-il essayer de l'embrasser à nouveau ?

Quelle pensée indigne ! Il ne faut surtout pas qu'il recommence !

— Je vous ai attendue toute la journée. Pas question de vous laisser repartir de sitôt.

— Pourquoi m'attendiez-vous ? Parce que je vous ai volé un saumon ?

Parce que vous m'avez enflammé les sens, songea-t-il.

— Si vous me payez, je ne pourrai pas vous accuser de vol, n'est-ce pas ?

— Mais je n'ai pas d'argent, monsieur.

Elle tenta, en vain, de se dégager de son emprise.

— Je sais, répondit-il avec un sourire satisfait. Mais, entre un homme et une femme, il existe d'autres monnaies d'échange.

Elle posa sur lui un regard grave.

— Oui. Il y a le pardon, la générosité.

— Précisément ! Si je vous pardonne, il faut vous montrer généreuse.

— Que voulez-vous de moi ?

Il leva les yeux au ciel, faisant mine de réfléchir.

— Je veux simplement parler.

L'eau claire révélait en partie ses seins ronds et fermes.

— C'est impossible, monsieur. Nous sommes nus.

Cette réflexion ingénue le fit rire.

— Si nous ne pouvons pas parler, je me contenterai d'un baiser.

— Je ne le donnerai pas, murmura Beth.

— C'est inutile. Je le prendrai.

Elle se savait prise au piège. Il ne la lâcherait pas avant d'avoir obtenu satisfaction. Et encore. Il insisterait peut-être pour en exiger davantage. L'actrice qui sommeillait en elle prit le dessus. Elle écarquilla les yeux, qui s'emplirent de larmes.

— J'ai cru, à tort, que vous étiez un gentleman. Je voyais en vous un homme décent, honorable...

— Je le suis, Beth. Je ne vous ferai aucun mal.

— Dans ce cas, donnez-moi votre parole d'honneur que vous me laisserez partir.

Il hésita longuement, la dominant de sa hauteur. Entre eux, la tension était palpable. Il imaginait son corps entièrement nu émergeant de la rivière, telle la *Vénus* de Botticelli. Il la vit s'allonger dans l'herbe, près de lui. Cette pensée lui était insupportable. Il mourait d'envie de la toucher, de la humer, de goûter sa saveur. Pourquoi le fascinait-elle à ce point ?

— Après le baiser, répondit-il enfin.

— Très bien, concéda-t-elle à contrecœur.

Il lâcha ses poignets et la prit par les épaules. En l'attirant vers lui, il la sentit trembler et lut une certaine appréhension dans son regard. Soudain, il fut saisi d'un doute. Peut-être était-elle aussi sage et virginale qu'elle le semblait ? Son désir le rendait fou, mais son instinct de protection prit le dessus. Il ne se sentait pas le droit de briser cette innocence.

Il effleura donc ses lèvres d'un chaste baiser qui lui coupa le souffle, un baiser aussi délicat que le battement d'ailes d'un papillon, mais qui le frappa de plein fouet.

— Partez ! ordonna-t-il en ôtant les mains de ses épaules. Partez... *vite !*

Elizabeth arriva chez elle à la tombée de la nuit. Si les autres avaient déjà soupé, elle avait au moins échappé à la violente querelle entre ses parents à propos de la charrette de navets.

Avant d'aller se coucher, elle aida son père à charger la malle renfermant costumes, perruques et autres masques accumulés au fil des années. Elle enveloppa sa petite harpe dans une cape de velours et posa dessus les rapières dans leur fourreau, avant d'attacher la malle à l'aide d'une corde.

Dans sa chambre, elle fit ses bagages et assista sa sœur. Chacune emporta une robe de coton, une chemise façonnée dans de vieux sacs de farine, une paire de bas noirs, une culotte de rechange et un châle de laine. Elles partageaient une brosse à cheveux, une serviette et une savonnette.

Maria se glissa sous l'édredon.

— Tu as raté une sacrée bataille, ce soir, dit-elle à sa sœur. Papa a bien résisté, mais maman a fini par l'insulter.

— Je t'en prie, ne m'en parle pas. Ces querelles me rendent malade. J'espère que maman sera calmée, demain matin.

— Certainement. Papa parvient toujours à l'amadouer durant la nuit… Beth, je suis si impatiente d'être à Dublin ! Cela fait des années que je n'y suis pas retournée.

Beth souffla sur la chandelle et ôta son sarrau, toujours trempé, car elle avait dû le frotter longuement pour en ôter la boue. La fraîcheur lui donna la chair de poule. Elle se coucha en s'efforçant de ne pas trembler.

— Tu fais bouger le lit, se plaignit Maria.

— Désolée. Je vais tâcher de penser à quelque chose de chaud.

Aussitôt, le beau brun ténébreux qu'elle avait rencontré au bord de l'eau apparut à son esprit. Elle revit son torse musclé, ses cheveux ondulés effleurant sa nuque. Elle se rappela sa bouche sur la sienne. Malgré la chaleur qui envahit son corps tout entier, elle ne put réprimer un frisson.

Dès qu'elle sombra dans le sommeil, ses tremblements se calmèrent et elle se mit à rêver...

Elle était une loutre et nageait avec son mâle, une bête superbe, brune et lisse, aux yeux étincelants, très courageux et joueur, qui ne songeait qu'à la protéger. Chaque soir, à la tombée du jour, il plongeait dans les eaux claires et l'entraînait dans son sillage. Incapable de lui résister, elle le suivait, consciente de l'emprise qu'il avait sur elle. Ce soir-là, il se montrait taquin. Il l'entraîna dans les hautes herbes. Soudain, Elizabeth se rendit compte qu'ils n'étaient pas des loutres, mais un homme et une femme qui s'amusaient à faire semblant. Quand il la souleva dans ses bras puissants, elle éclata de rire et laissa ses boucles blondes cascader sur son torse musclé. Il la fit glisser le long de son corps, très lentement, jusqu'à ce que ses pieds touchent à nouveau le sol. Sa bouche se posa sur la sienne. Son baiser était si tendre qu'il emplit le cœur de la jeune fille de désir...

Au chant du coq, Beth se réveilla et son rêve s'évanouit. Il faisait encore nuit. Elle prit son sarrau, qui n'était pas tout à fait sec, et enfila ses bas noirs et ses bottines.

Dans la cuisine, elle vit son père entrer, portant des œufs.

— Je suis allé les récupérer, histoire de ne pas les gâcher. Prends vite une poêle.

Les voyageurs se mirent en route le ventre plein. Pendant quatre jours, ils ne se nourriraient que de navets bouillis.

Le premier jour, ils sillonnèrent avec entrain les routes, sous le soleil de cette fin d'été. Ils n'avaient pas les moyens de descendre à l'auberge et durent passer la première nuit sous le porche d'une église. Jack détacha la mule pour la laisser se nourrir de l'herbe du cimetière.

Les jeunes filles durent se contenter de leur sac en guise d'oreiller. Par chance, Elizabeth avait pensé à prendre leur édredon.

À Ballyclare régnait une grande effervescence. Les domestiques s'affairaient à préparer les bagages de leurs maîtres, qui avaient apporté plusieurs tenues pour chaque circonstance : tenue de soirée, tenue de chasse, capes et chapeaux, bottes et pantoufles, jusqu'aux sous-vêtements les plus raffinés. Non seulement les jeunes nobles avaient amené leurs propres montures, meutes de chiens et tout le matériel nécessaire, mais ils étaient venus avec leurs draps, édredons et oreillers. Dans l'entrée, les malles s'amoncelaient parmi les boîtes et armes diverses. Pourtant, il restait encore beaucoup de travail. Quinze jours plus tôt, le groupe était arrivé au domaine à bord de trois voitures tirées chacune par un attelage de quatre chevaux.

— Tu es bien silencieux ce soir, cher frère. Ne me dis pas que ces terres fort mal acquises t'ont envoûté.

John Campbell sourit.

— Je pensais à une créature croisée au bord de la rivière. Une créature bien trop belle pour être capturée...

— À propos de créature, intervint Michael Boyle, ma cousine lady Charlotte doit être présentée au père de William, le gouverneur, au château de Dublin la semaine prochaine. Elle est d'un rang suffisamment élevé pour prendre place sur l'estrade avec Son Excellence. Tu pourras l'admirer à loisir, Will.

— Rappelle-moi quelles sont ses qualités ? s'enquit William Cavendish avec enthousiasme.

— Voyons... son frère et sa sœur sont morts très jeunes, faisant d'elle l'unique héritière d'un oncle très riche, le troisième comte de Burlington. Non seulement elle héritera du manoir de Piccadilly et de la villa du bord de la Tamise, à Chiswick, mais elle aura également les domaines de Boyle à Londesborough et Bolton Abbey, dans le Yorkshire. Inutile de préciser l'ampleur du domaine de Waterford, autour du superbe château de Lismore...

— Je sais. Le joyau de l'Irlande, renchérit William, la mine gourmande. Je crois que je suis déjà amoureux.

— L'amour ! railla John Campbell. Chacun sait que cela n'existe pas. C'est une idée idiote. Seules les femmes sont assez stupides pour y croire !

— Eh bien, j'espère que mon valet n'a pas oublié mes chaussures de danse. Je pourrai ainsi me faire remarquer par lady Charlotte et l'inviter à croire en cette idée idiote.

— À Dublin, la soirée ne sera pas trop formelle, j'espère, fit Henry Campbell, non sans appréhension.

— Elle sera en tout point semblable à celle de la cour du palais de St. James, je le crains, répondit William avec un clin d'œil. Cependant, puisque le mandat de père au poste de gouverneur d'Irlande prend fin, il fermera sans doute les yeux sur les excès de son ultime soirée. Le champagne va couler à flots et la nuit promet d'être agitée.

— À la bonne heure ! Il n'est pas question que je reste seul dans mon lit pour ma dernière soirée en Irlande, plaisanta Henry.

— Tu auras le choix parmi les belles dames, les jolies filles de notaire, de médecin, qui sont de rang modeste. Toutefois, les débutantes sont absolument inaccessibles. Elles n'acceptent que les propositions de mariage, dit John Campbell à son jeune frère.

— Mère deviendrait folle et père me déshériterait si j'osais leur ramener une fiancée irlandaise. Pour toi, c'est encore plus grave, car tu es l'héritier, John. Parfois, je me demande qui ils jugeront digne d'un Argyll, à part une jeune fille de sang royal.

— Tu ne crois tout de même pas que le sang des Hanovre soit à la hauteur des ambitions de Sa Seigneurie ! Écossais et Allemands partagent peut-être les champs de bataille, mais jamais le lit conjugal, je te le garantis.

— Ma sœur Rachel a le béguin pour toi, John. Tu pourrais faire pire, tu sais. En tant que première fille, elle héritera d'une belle fortune et de terres, précisa William Cavendish.

— Lors de mon dernier séjour à Londres, lady Rachel était courtisée par lord Oxford, répondit John.

— Elle ne va tout de même pas attendre éternellement que tu lui déclares ta flamme, plaisanta William.

— Notre mère a toute une liste de jeunes aristocrates qu'elle juge dignes d'épouser John. Il y a Mary Montagu, la fille du duc de Buccleuch, Dorothy Howard, la fille du comte de Carlisle, et Henrietta Neville, celle du comte du Westmoreland.

Les jeunes gens demandèrent s'il y avait une favorite parmi ces candidates. John s'esclaffa et secoua négativement la tête.

— En tout cas, je ne risque pas de rester célibataire, se moqua-t-il.

Il savait que son devoir était de faire un beau mariage. Sa famille ne manquait pas une occasion de le lui rappeler.

William se leva et s'étira.

— Si nous partons de bonne heure demain matin, nous pourrons nous arrêter au Black Bull. Ils ont des écuries très vastes et du personnel en nombre suffisant.

— Va pour le Black Bull, approuva Michael. Ils ont aussi une excellente cave et rôtissent leur propre gibier. Il suffit de mettre le prix.

Grâce à l'efficacité de leurs domestiques, les voyageurs se mirent en route dès l'aube. Les jeunes gens chevauchèrent au-devant du convoi.

Le deuxième jour, au bout de six heures de route, les Gunning avaient perdu leur enthousiasme. La fatigue commençait à se faire sentir. Les repas constitués de navets, la lenteur de leurs progrès ne faisaient rien pour apaiser le tempérament irascible de Bridget Gunning.

Elizabeth avait de la peine pour la malheureuse mule, de sorte qu'elle préférait marcher à côté d'elle et l'encourager à avancer. Elle savait dès le départ qu'elle effectuerait la majeure partie du trajet à pied et avait enfilé ses bottes de cuir à cet effet.

Dans l'après-midi, la pluie se mit à tomber. En général, ce crachin durait des jours et des jours. Stoïque, Beth se couvrit la tête de son châle et poursuivit son chemin vers Dublin.

Ces longues heures en selle ne troublaient guère John Campbell et son frère, qui avaient un passé de militaires.

En fin de journée, toutefois, ils furent heureux de rejoindre leurs amis dans leur berline, pour se protéger de la pluie glaciale.

Le convoi se vit ralenti par une charrette tirée par une mule. Le cocher fit plusieurs tentatives pour la dépasser, mais la route n'était pas assez large. William Cavendish finit par ouvrir la fenêtre :

— Dites à ce type de quitter la route pour nous laisser passer ! Nous n'avons pas toute la nuit, nom de Dieu !

— Bien, monsieur, répondit le cocher en arrêtant le véhicule.

Sous la pluie, il s'approcha de la charrette.

— Écoute, mon brave ! Ta charrette de navets nous empêche de passer. Ces messieurs sont attendus au Black Bull. À ce rythme-là, ils n'arriveront pas avant minuit.

— Je suis avec eux de tout mon cœur, répliqua Jack Gunning.

— Tu ne comprends pas. Tu dois quitter la route et nous laisser passer.

Jack regarda sa fille, qui tenait la mule en la caressant.

— C'est vous qui ne comprenez pas. Nous avons la priorité.

Beth remonta son châle et se mordit les lèvres pour ne pas rire. Son père se moquait ouvertement du cocher.

— Ces voitures appartiennent à son excellence le vice-roi d'Irlande. Tu dois t'effacer.

— Le vice-roi est un homme généreux, dit-on. Il me verserait certainement une petite compensation en échange de ce service.

À contrecœur, le cocher lui tendit une pièce de monnaie.

— Un shilling, ça te suffit ?

Jack mordit la pièce.

— Un shilling, ça me va. Et qu'est-ce que vous me donnez pour cette mule ?

Le visage écarlate, le cocher lui tendit un souverain et retourna en direction de son véhicule, sous les rires de la famille Gunning et ceux des jeunes aristocrates.

— Cela m'a coûté un souverain, maugréa-t-il, furieux.

— C'est bien ce qui nous amuse. Vous n'avez même pas eu la présence d'esprit de nous apporter un navet !

Une heure plus tard, les quatre jeunes gens étaient assis au coin du feu, à savourer du vin chaud, pendant qu'on faisait rôtir leur gibier en cuisine. Les douze chevaux avaient été menés aux écuries où les palefreniers prenaient grand soin d'eux. Les chiens de chasse étaient au chenil. Quant aux domestiques, ils dégustaient un ragoût de mouton à l'office.

Ce n'est que deux heures plus tard qu'une mule épuisée pénétra dans la cour du Black Bull. Sur le seuil des cuisines, Jack Gunning échangea des navets contre un abri pour la nuit dans la grange. Sa femme déboursa ostensiblement deux pence pour des pommes de terre chaudes. Toute la famille s'écroula dans la paille pour dîner.

Au contraire des autres, Elizabeth ne dévora pas sa pomme de terre tout de suite. Elle s'en servit pour se réchauffer les mains. Puis elle en huma l'arôme. Son ventre se mit à gargouiller et sa bouche à saliver. Elle dégusta la chair farineuse, gardant la peau pour la fin. Elle mastiqua lentement jusqu'à l'ultime bouchée.

— On sera bien ici, mes beautés, déclara Jack.

— C'est un trou à rats ! se plaignit Bridget.

Tandis qu'elle étalait les châles trempés pour tenter de les faire sécher, Maria sortit l'édredon. Redoutant la colère de sa mère, Beth alla voir les chevaux. Malgré leur taille imposante, elle n'eut aucune appréhension à les flatter, à leur parler. Elle aimait beaucoup les animaux, qui lui rendaient son affection.

Elle revint avec un sac contenant le trésor qu'elle avait découvert.

— De l'avoine ! s'exclama-t-elle. C'est incroyable ! Ils donnent de l'avoine aux chevaux !

Elle souleva le sac au-dessus de la mule.

— De l'avoine ? répéta Bridget. Ne laisse surtout pas la mule la manger, pauvre sotte ! Demain, nous ferons de la bouillie.

— Je t'en prie ! Laisse la mule en manger. Il en reste beaucoup, là-bas. J'irai en chercher d'autre.

Jack se leva.

— Bon. Puisque vous êtes bien installées, je vais aller faire un tour dans la salle.

— Avant que tu n'ailles jouer, je prends le souverain, déclara Bridget.

Elle lui laissa le shilling.

— Ce sera une maigre mise, grommela-t-il.

— Si ce maudit cocher est là, tu risques gros, prévint-elle.

Elizabeth frissonna. Sa mère avait toujours le dernier mot. Elle ôta ses bottes et se glissa sous l'édredon avec sa sœur. Au bout de quelques minutes à peine, elle s'endormit, trop épuisée pour rêver.

3

Au château de Dublin, les quatre jeunes aristocrates furent logés dans des appartements voisins de ceux du vice-roi. Sans grand intérêt sur le plan architectural, les chambres donnaient cependant sur la Liffey et la mer d'Irlande. Le château était bondé, mais les valets purent s'installer dans une remise. Les autres domestiques durent séjourner dans les dépendances.

Le vice-roi en personne, le duc de Devonshire, vint les accueillir. Avant même de défaire les bagages, ils dégustèrent un bon whisky.

— Votre Grâce, permettez-moi de vous présenter mes félicitations pour votre nomination au poste de premier intendant à la Cour, déclara John en saluant le père de William.

— Merci, John. Argyll, votre grand-père, occupait le même poste auprès du roi George Ier, si je me souviens bien.

— En effet, Votre Grâce. Quant à mon père, il dirige le château du roi d'Écosse.

— Vous hériterez un jour de ce poste, n'est-ce pas, John ? Les titres héréditaires sont bien plus intéressants.

Il vida son verre avant de reprendre :

— La soirée de vendredi s'annonce sous les meilleurs auspices. Nous aurons un spectacle de David Garrick et Peg Woffington au théâtre de Smoke Alley. Les voitures partiront à sept heures précises. Cette Peg est une femme formidable. Elle séjourne ici, au château. Si Garrick ne la surveillait pas d'aussi près, je tenterais bien ma chance !

Il prit la carafe.

— Ensuite, samedi soir, pour finir en beauté, il y aura un grand bal, ainsi que la passation de pouvoirs. N'hésitez pas à solliciter le personnel si vous avez besoin de quoi que ce soit.

En prenant congé du vice-roi, Henry Campbell ne put s'empêcher de plaisanter.

— Je me demande comment réagirait ledit personnel si j'exigeais une petite gâterie.

— Tu n'obtiendrais aucune réaction particulière. Ils te donneraient simplement l'adresse de la maison close la plus proche, murmura William en lui faisant un clin d'œil.

— Il se trouve qu'il s'agit de l'Audacieuse, dans Trollop Street, indiqua Michael. Les Irlandais savent trouver des noms explicites…

— Puisque nous n'allons au théâtre que vendredi, autant profiter de cette soirée, suggéra Henry.

En arrivant enfin à Dublin, les Gunning franchirent le pont O'Connell pour gagner le centre-ville que surplombait le château. Ils s'engagèrent dans le labyrinthe de ruelles étroites et sinueuses du quartier de Temple Bar. Ils prirent une chambre non loin de Dame Street, au bord de la Liffey. Il n'y avait que deux lits, une table et deux chaises, une table de toilette avec un broc et un petit poêle.

Les jeunes filles posèrent leurs sacs sur un lit.

— Qu'est-ce que vous attendez ? lança Bridget en tendant le broc à Maria et un seau à Elizabeth. Il y a une pompe au coin de la rue. Vous pourrez faire votre toilette, puis l'eau nous servira pour la lessive. Nous n'avons plus rien de propre.

— Mon amour, les filles sont épuisées, protesta Jack. Laisse-les au moins dormir avant de les mettre au travail.

— Je tiens à ce qu'elles soient impeccables, qu'elles aient des vêtements propres et les cheveux soyeux pour aller au théâtre. Elles ne trouveront jamais de travail si elles ne se présentent pas sous leur meilleur jour.

— Comme toujours, tu as raison, Bridget chérie. Mais elles ne seront pas à leur avantage si elles ont les yeux cernés et le teint fatigué. Reposez-vous donc toutes les trois, mes beautés. Pendant ce temps, j'irai vendre les navets, histoire de gagner un peu d'argent. J'ai payé une semaine d'avance pour cette chambre. À mon retour, je réglerai une semaine supplémentaire. Inutile de faire la lessive avant demain, pour la visite chez ton amie Peg.

Deux jours plus tard, Bridget Gunning accompagna ses filles au prestigieux théâtre de Smoke Alley. Elle demanda la loge de Mlle Woffington. Les deux sœurs étaient parées de leurs plus beaux atours. La mine radieuse, elles mouraient d'impatience de rencontrer la grande actrice.

Quand l'habilleuse de Peg ouvrit la porte, celle-ci se leva d'un bond en poussant un cri de joie.

— Bridget Gunning ! Je t'aurais reconnue entre mille ! Tu n'as pas changé !

Bridget se rengorgea. Prenant sa fille aînée par la main, elle l'attira au milieu de la pièce.

— Voici Maria, annonça-t-elle fièrement.

— Vous êtes aussi grande qu'un homme ! s'exclama la jeune fille.

Peg s'esclaffa, sincèrement amusée.

— Eh bien, je n'ai pas grandi depuis notre dernière rencontre. Toi, si.

Elizabeth rougit de la bourde de sa sœur. Peg était très élancée. Sa beauté n'avait rien de classique, mais ses cheveux blond vénitien, ses yeux verts et expressifs, sa personnalité, faisaient d'elle un personnage au charisme extraordinaire.

— Tu dois être Elizabeth, dit-elle en tendant les mains vers elle. La dernière fois que je t'ai vue, tu étais une vraie petite poupée.

Elle la fit tourner pour mieux l'observer, puis approcha une chaise pour Bridget. Elle envoya Dora, son habilleuse, chercher du thé et des gâteaux, avant de reporter son attention sur les sœurs Gunning.

— C'est tout bonnement incroyable !

Rejetant la tête en arrière, elle éclata de rire.

— Il est déjà rare d'avoir une fille d'une grande beauté, mais deux !

— Je savais que c'était plus que de la fierté maternelle, Peg, car les gens se retournent sur elle dans la rue.

— La haute société ne manque pas de jolies jeunes filles. En général, leur charme est proportionnel à leur dot. Tes filles, elles, ont une beauté naturelle, sans artifice, ni maquillage, ni fortune. Pas étonnant que les gens se retournent sur elles. Elles ressortent comme deux pur-sang parmi les mulets. Enfin, disons comme deux verres en cristal parmi de vulgaires timbales.

— Je suis très fière des cheveux de Maria. Je n'en ai jamais vu de plus soyeux.

— C'est vrai, elle a la beauté classique d'un visage à l'ovale parfait, cet air angélique qui plaît tant, dans notre société. Mais je considère qu'Elizabeth possède une beauté plus originale, plus saisissante. Ses cheveux ont la couleur de l'or, et ses yeux violets dans un visage en forme de cœur suggèrent le feu qui brûle en elle.

— Je veux qu'elles bénéficient de la chance que je n'ai jamais eue de jouer sur scène, déclara Bridget. Elles savent chanter, danser, jouer la comédie. Chaque soir, elle répète un extrait d'une pièce de théâtre. D'ailleurs, chacune a préparé une tirade de Shakespeare à ton intention.

— Quelle ambition ! Tu me sidères !

L'habilleuse revint, portant un plateau chargé de victuailles.

— Prenons d'abord le thé. Ensuite, vous me montrerez ce que vous savez faire, suggéra Peg.

Maria prit un gâteau qu'elle dévora avidement, puis elle en prit un autre. Elizabeth contempla le plateau d'un œil gourmand. Le simple fait de regarder les sucreries lui suffisait pour éprouver du plaisir. Enfin, elle tendit la main vers une pâtisserie de petite taille, mais dont le glaçage rose était très délicat. Dès la première bouchée, elle se rendit compte que Peg l'observait et rougit, intimidée.

Lorsque l'actrice servit le thé et distribua les tasses, elle remarqua que les filles Gunning semblaient avoir fréquenté les meilleurs salons londoniens. Elles avaient des manières irréprochables. Peg félicita son amie, qui avait su élever ses filles de façon admirable. Ensuite, elle plia sa serviette.

— Maintenant que nous avons repris des forces, vous pouvez me dire vos textes, mais n'y voyez surtout pas une audition. Essayez de prendre du plaisir !

Sur un signe de sa mère, Maria se leva et fit une révérence.

— J'aimerais vous interpréter un extrait du rôle de Juliette.

Sous le regard attentif de l'actrice, elle joignit les mains et récita :

— Ô Roméo, Roméo ! Pourquoi es-tu Roméo ?
« Renie ton père, refuse ton nom ;
« Ou si tu ne le fais pas, sois mon amour juré
« Et moi je ne serai plus une Capulet.
« C'est seulement ton nom qui est mon ennemi.
« Tu es toi-même, tu n'es pas un Montaigu.
« Qu'est ce un Montaigu ? Ce n'est ni pied ni main
« Ni bras ni visage, ni aucune partie
« Du corps d'un homme. Oh, sois un autre nom !
« Qu'y a-t-il en un nom ? Ce que nous nommons rose
« Sous un tout autre nom sentirait aussi bon ;
« Et ainsi Roméo, s'il ne s'appelait pas
« Roméo, garderait cette chère perfection
« Qu'il possède sans titre. Oh, retire ton nom,
« Et pour ton nom qui n'est aucune partie de toi
« Prends-moi tout entière !

La prestation n'était pas remarquable, mais Peg devait admettre que Maria Gunning était la plus ravissante Juliette qu'elle ait jamais vue. Sur scène, elle ne manquerait pas d'attirer tous les regards.

— Même Shakespeare admettrait que tu es sa Juliette, commenta-t-elle.

Elizabeth remarqua la fierté de sa mère. Elle semblait si bien disposée que la jeune fille osa renoncer à son extrait du rôle d'Ariel remettant le calice dans *La Tempête*. Elle se leva et s'inclina solennellement.

— J'aimerais interpréter Henry V ralliant ses hommes à Azincourt.

Elle préféra détourner les yeux pour ne pas voir la colère de sa mère et s'adresser directement à Peg :

— Cette histoire, l'homme de bien l'apprendra à son fils,

« Et la Crépin Crépinien ne reviendra jamais

« À compter de ce jour jusqu'à la fin du monde

« Sans que de nous on se souvienne,

« De nous, cette poignée, cette heureuse poignée d'hommes

« Cette bande de frères.

« Car quiconque aujourd'hui verse son sang avec moi

« Sera mon frère ; si humble qu'il soit,

« Ce jour anoblira sa condition.

« Et les gentilshommes anglais aujourd'hui dans leur lit

« Se tiendront pour maudits de ne pas s'être trouvés ici,

« Et compteront leur courage pour rien quand parlera

« Quiconque aura combattu avec nous le jour de la Saint-Crépin.

Pendant un long moment, Peg demeura sans voix tant l'émotion lui nouait la gorge. Cette superbe jeune fille aux cheveux dorés s'était muée en un fier et jeune roi appelant ses hommes à se battre pour l'Angleterre. Elle était noble, passionnée et vulnérable à la fois. Peg ne put s'empêcher d'applaudir.

— Je suis ravie que tu n'hésites pas à endosser un rôle masculin. Souvent, ce sont les plus beaux. Moi-même, je joue ce soir le rôle de sir Harry Wildair, dans *Le Couple constant*. C'est un vrai plaisir ! Il faut absolument que vous assistiez à la représentation !

— Avec plaisir. Cela fait dix ans que je ne vous ai pas vue sur scène, mais je n'ai pas oublié votre prestation. Pourrions-nous visiter le théâtre ? s'enquit Elizabeth avec enthousiasme.

— Bien sûr. Il est important que vous appreniez à connaître les lieux, si vous devez vous produire ici.

Peg griffonna quelques mots sur une carte qu'elle tendit à Bridget.

— C'est un petit mot pour la direction, indiquant que vous êtes mes invitées et que vous devrez être placées au premier rang. Ensuite, nous irons souper ensemble !

Familière des coulisses, Bridget entraîna ses filles dans les couloirs pour découvrir l'envers du décor. Elle leur décrivit les issues, le côté cour, le côté jardin, l'éclairage. Elles découvrirent les loges, les produits de maquillage, les poudres et autres fards. Il flottait une odeur particulière de peinture. Les comédiens finirent par reprendre possession des lieux pour se préparer. Bridget et ses filles traversèrent le vestiaire et descendirent dans la fosse d'orchestre pour voir les musiciens accorder leurs instruments.

Elles déambulèrent dans la salle, parmi les rangées de sièges. L'acoustique était exceptionnelle. Elles montèrent au balcon, s'aventurèrent dans une loge privée. Maria se voyait déjà vedette, tandis qu'Elizabeth rêvait de pouvoir assister à un spectacle depuis un fauteuil en velours. Enfin, elles montèrent au poulailler, réservé aux moins fortunés.

Le théâtre commençait à se remplir de spectateurs. Les yeux écarquillés, Elizabeth contempla les somptueuses toilettes des Dublinoises. Elle se sentait misérable, avec sa robe en coton et son châle de laine. Par chance, les lumières commençaient à se tamiser tandis qu'on leur désignait leurs places, situées comme convenu au premier rang. Dès le lever de rideau, Elizabeth oublia tout pour se laisser transporter dans l'univers de la pièce.

La salle rit aux éclats des frasques de sir Harry Wildair. Naturellement, nul n'ignorait que le rôle était interprété par Peg Woffington, tragédienne de talent, qui excellait également dans la comédie. Ce soir là, il s'agissait d'une farce. Pleine d'esprit et de vitalité, Peg n'avait pas son pareil pour entraîner le public où elle le voulait. Séduisante et élégante, elle n'hésitait pas à s'enlaidir ou à se ridiculiser, ce que le public appréciait beaucoup.

Fascinée, Elizabeth observa chaque nuance de son jeu, le moindre geste, le moindre clin d'œil, le ton, les silences, la diction parfaite. Elle écouta les mots, la musique, les rires. Elle huma l'odeur de maquillage, de sueur, elle s'imprégna de la magie du spectacle. C'était sans doute la plus belle soirée de sa vie…

Ensuite, Peg emmena ses amies souper dans un restaurant de Fishamble Street, où elle les autorisa à commander tout ce qui leur plaisait. Dans un premier temps, Elizabeth hésita, mais en entendant sa mère commander une bisque suivie d'une truite fumée, elle opta pour des huîtres et des crevettes, tandis que sa sœur choisissait du crabe. Peg et Bridget burent de la bière servie dans une immense chope en étain. Pour la première fois de leur vie, les deux jeunes filles furent autorisées à boire un petit verre de bière. Elizabeth passa un très agréable moment, riant de bon cœur tout en savourant des mets délicieux. La vie semblait si belle quand on avait l'estomac plein !

— Figurez-vous que je séjourne au château de Dublin. Je suis invitée par le vice-roi, raconta Peg en commandant une autre bière. Il m'a commandé une représentation privée pour demain soir. Toute la Cour sera présente. Un cortège de huit à dix voitures partira du château, selon le protocole, avec une escorte de la cavalerie en tenue d'apparat, pour se rendre au théâtre.

— La salle sera comble, commenta Bridget.

— Le vice-roi sera dans la loge que nous avons visitée ! s'exclama Elizabeth, les yeux écarquillés.

— Absolument, confirma Peg en contenant son amusement. Ces gens de la Cour assurent le spectacle, eux aussi. Le directeur du théâtre ouvrira la marche, en costume de satin, avec une paire de chandeliers. Ensuite, ce sera au tour du gouverneur de faire son entrée, en grande tenue, puis les autres, en uniforme, un costume à boutons dorés, avec un plastron de satin bleu et une ceinture blanche. Guindés, ils écouteront l'orchestre jouer *God save the King,* et chacun s'efforcera d'ignorer les réflexions vulgaires et les critiques des pauvres installés au poulailler.

Bridget se tenait le ventre, tant elle riait.

— Tu as une façon si amusante de décrire la scène ! Je l'imagine déjà.

— Si seulement nous pouvions venir au château pour voir le gouverneur et la Cour, dit Maria d'un air songeur.

— Pourquoi pas ? répondit Peg tandis qu'une idée lui germait dans la tête. Samedi, il y aura un grand bal. Ce sera le clou de la saison. Toutes les débutantes seront de la fête. Pourquoi ces deux beautés ne feraient-elles pas leurs débuts dans le monde ?

— Vraiment ? s'exclama Maria, ravie. Tu crois que c'est possible, maman ?

— C'est impossible, intervint Elizabeth. Nous n'avons pas de robes.

— C'est vrai, admit Peg, désolée. Je n'y avais pas songé... Mais le théâtre regorge de robes et de perruques. Venez demain. Nous trouverons quelque chose. Toi aussi, Bridget. En attendant, je vous ferai inscrire sur la liste des invités.

Elizabeth se prit à rêver à ce qui lui semblait inaccessible. C'était décidément une soirée magique. Peg Woffington devait être leur ange gardien ou leur bonne fée !

De retour à Dame Street, elles trouvèrent Jack, qui avait passé son temps dans un cercle de jeu. Enthousiastes, les jeunes filles lui racontèrent leur visite du théâtre, le spectacle, le souper au restaurant. Gardant le meilleur pour la fin, elles finirent par lui annoncer que Peg allait essayer de les faire présenter au gouverneur d'Irlande, au château de Dublin.

— Tout cela est-il bien vrai ? s'enquit leur père.

Bridget opina.

— Je t'avais bien dit que la chance allait tourner, répondit-elle. Peg a été très impressionnée par la beauté de nos filles et par leur talent. Elle ne voit pas pourquoi elles n'obtiendraient pas un petit rôle pour débuter leur apprentissage au théâtre de Smoke Alley.

— Mais cette audience avec le gouverneur, au château ? Il faut être quelqu'un pour figurer sur la liste, non ?

— Mais nous ne sommes pas n'importe qui ! N'es-tu pas le fils de lord Gunning ? Et nous vivons à Castlecoote. Cela évoque un château, même si ce n'est pas le cas. Nul ne le saura. Les filles, allez vous coucher. Il est très tard.

Maria et Elizabeth furent incapables de s'endormir. À voix basse, elles échangèrent leurs impressions sur le bal.

— Demain, il faudra nous entraîner à danser, au cas où un jeune homme nous inviterait, déclara Maria.

— Personne ne nous invitera. Nous ne connaissons personne, murmura Beth.

La jeune fille ne se voyait vraiment pas en robe de bal. Pourtant, quand elle s'assoupit enfin, elle rêva d'une robe somptueuse. À son grand étonnement, un jeune homme l'invitait à danser. Dans ce rêve, il n'avait pas de visage. Pourtant, il avait quelque chose d'étrangement familier.

Le lendemain matin, les jeunes filles et leur mère passèrent des heures à fouiller les malles du théâtre. Jamais elles n'auraient soupçonné que se préparer pour un bal serait si compliqué. Les sous-vêtements avaient autant d'importance que la robe elle-même, voire davantage.

D'abord, les bas. Elizabeth regarda avec fascination la costumière ouvrir d'innombrables boîtes. Il y avait des bas de toutes les couleurs de l'arc-en-ciel et de toutes les matières. La jeune fille opta pour de la dentelle écrue au motif fleuri. La costumière ouvrit une malle pleine de jarretières. Là encore, Elizabeth n'eut que l'embarras du choix. Certaines étaient ornées de rubans, d'autres brodées ou incrustées de perles. D'autres, encore, arboraient de grosses fleurs ou des oiseaux aux tons vifs. Maria choisit sans hésiter des coquelicots. Beth mit un peu plus de temps à se décider pour un modèle en ruban vert pâle avec un motif de perce-neige.

En remontant les bas le long de ses jambes fines pour les fixer à l'aide de ces jarretelles, elle se sentit envahie d'un sentiment étrange. Ces bas faisaient d'elle non plus une jeune fille, mais une femme. Elle aurait voulu les garder pour toujours.

Ensuite, il fallut essayer des corsets, ce qui était une grande première pour elle. Certes, sa mère en possédait un, mais il était bien modeste comparé à ces splendeurs ornées de fine dentelle, avec leurs baleines. Bridget entreprit de nouer les lacets de Maria. Pour Elizabeth, Peg sélectionna un corset en soie blanche qui remontait jusque sous les seins.

Quand elle eut terminé de le serrer, elle appela sa costumière.

— Dora, apportez un mètre, vite ! Jamais je n'ai vu de taille aussi fine. Elle ne peut mesurer plus de cinquante centimètres !

— Un peu moins, madame, confirma Dora en s'exécutant.

— Chérie, ta silhouette est parfaite. Toutes les femmes du monde vont t'envier ou te détester. C'est formidable !

— Peg, je ne veux pas que les femmes me détestent, protesta Beth.

— Eh bien, c'est le sort qui t'attend, hélas. Ton seul visage suffit à faire naître les jalousies. Cherchons vite une robe à ta taille. Il faut qu'elle soit blanche, ce qui réduit les possibilités.

Les deux sœurs se retrouvèrent habillées de robes assez ressemblantes, avec un décolleté plongeant, des manches courtes, une taille marquée et de nombreux jupons. Du brocart de satin blanc pour Maria et du tulle pour Elizabeth.

Elles se dévêtirent avec précaution. Dora leur fournit des housses et pendit les robes sur un portant qu'elles rangèrent dans la loge de Peg en attendant le bal.

— N'oubliez pas d'arriver tôt samedi, le temps de vous maquiller, de vous coiffer de perruques. Voici votre mère. Voyons ce qu'elle a trouvé.

Bridget avait opté pour de la dentelle bleu roi.

— Excellent. Tu seras très élégante, ce qui est indispensable, car tu figures sur la liste d'invités en tant que fille du vicomte de Mayo. J'ignore d'ailleurs de qui il s'agit.

— Le vicomte de Mayo ? répéta Bridget, soudain inquiète.

— Son nom usuel est Theobald Burke. Burke est ton nom de jeune fille, non ? Ne t'en fais pas. Le comté de Mayo se trouve à l'autre extrémité de l'île.

Face aux mines alarmées de ses amies, elle conclut :

— Vous vous en sortirez… Vous êtes actrices !

4

Les sœurs Gunning passèrent des heures à répéter des pas de danse, à faire la révérence, à se rappeler les bonnes manières, sous l'œil critique de leur mère. Bridget leur procura des éventails et leur enseigna le langage de cet accessoire.

— N'oubliez pas de vous adresser au gouverneur en l'appelant « Votre Excellence ». Un duc ou une duchesse sera « Votre Grâce ». Quant aux autres, essayez « Votre Seigneurie » ou tout simplement « monsieur » ou « madame ». Des questions ?

— Comment va-t-on nous présenter ? s'enquit Beth.

Cette question prit Bridget au dépourvu. Elle dut se tourner vers Jack.

— Moi, je serai simplement M. Jack Gunning, de Castlecoote. Étant d'un rang plus élevé, votre mère sera l'honorable Bridget Gunning, fille du vicomte de Mayo. Tout dépend de ce qui sera imprimé sur l'invitation. Tu seras peut-être Elizabeth Gunning, petite-fille du vicomte de Mayo et de lord Gunning du Cambridgeshire – ce qui est vrai, d'ailleurs.

Bridget le foudroya du regard.

— Maria est l'aînée. Elle sera présentée la première. Elizabeth, ne t'impose pas !

— J'en ai les jambes qui tremblent, répondit la jeune fille, la main sur le cœur.

— Cesse tout de suite ces bêtises ! Tu n'as qu'à considérer cette soirée comme un rôle à interpréter. Vous êtes deux jeunes filles de bonne famille que l'on va présenter au gouverneur. Vous faites preuve de vos bonnes manières, vous multipliez les révérences, vous battez des cils si on vous adresse la parole et surtout, vous n'ouvrez pas la bouche.

— Sauf pour manger, railla Maria.

— Une dame se doit d'avoir un appétit d'oiseau. Tu n'as donc rien retenu de ce que je t'ai enseigné ? Si on te propose un rafraîchissement, tu ouvres ton éventail, tu baisses les yeux en murmurant : « Non merci, madame. »

— Vous êtes prêtes à partir, mes beautés ? Il fait doux, ce soir. Vous n'aurez pas besoin de vos châles de laine.

Dans la rue, une bourrasque de vent souleva le bas de la robe d'Elizabeth, révélant ses chevilles. Elle s'empressa de rabattre le tissu et se tourna vers sa mère, un peu inquiète.

— Je vois que jouer les jeunes filles de bonne famille va te demander certains efforts, commenta Bridget. Comment espères-tu avoir du succès sur scène ? Fais comme ta sœur. Elle parvient à maintenir sa robe à la perfection.

— Bien, madame, murmura Beth.

Si seulement sa mère pouvait se montrer fière d'elle, ne serait-ce qu'une fois...

Ils se rendirent au théâtre à pied, espérant que, une fois parés de leurs plus beaux atours, ils trouveraient un moyen de se faire conduire au château de Dublin. De plus en plus impatiente, Beth ne put contenir un gloussement nerveux. Son père serra sa main dans la sienne. Cette soirée serait sans doute un tournant dans sa vie.

Au théâtre, Bridget s'affaira à préparer Maria, avant de s'habiller elle-même. Dora serra le corset d'Elizabeth, puis l'aida à enfiler ses jupons et sa robe.

— Vous avez un teint de porcelaine, déclara-t-elle. Il serait dommage de vous maquiller à outrance. Je me contenterai des sourcils et des cils, avec un peu de rouge sur les lèvres, peut-être. Ensuite, il ne manquera plus que la perruque.

Dora en choisit une qui frisait.

— Vos véritables cheveux sont bien plus beaux que ce postiche, mais la perruque poudrée est en vogue, surtout dans les grandes occasions.

Elle releva les tresses dorées d'Elizabeth et les couvrit de la perruque. Puis elle s'éloigna du miroir afin que la jeune fille puisse s'admirer.

— Je n'arrive pas à croire qu'il s'agit bien de moi !

Beth lissa le tulle blanc des jupons et les souleva pour contempler ses bas et ses pantoufles.

— Merci beaucoup, Dora !

— Voici l'éventail assorti à la robe. Glissez bien le ruban autour de votre poignet pour ne pas le perdre.

Beth contempla l'éventail en soie.

— Je vous promets de ne pas le perdre.

Soudain, elle aperçut sa sœur.

— Maria, murmura-t-elle, subjuguée. Tu ressembles à une princesse...

— Nos princesses sont si laides ! Je préfère ressembler à un ange.

La perruque de Maria était ornée de perles et son éventail était argenté. Elle avait le visage maquillé de blanc et les joues fardées.

— C'est vrai, tu es un ange.

— Comment ? Ces élégantes seraient mes filles ! plaisanta Jack en s'inclinant.

— Papa, tu as l'allure d'un vrai lord !

Face à l'élégance de son père, les yeux de Beth se mirent à pétiller de fierté. Il portait un costume en satin bleu foncé avec un col et des manchettes en dentelle.

— Attends un peu de voir ta mère.

Son invitation officielle à la main, Bridget entra dans la pièce, toute en dentelle bleu roi. Elle n'avait jamais manqué d'assurance, mais cette toilette et ces bijoux fantaisie lui donnaient une prestance digne d'une reine.

— Peg nous prête sa voiture. N'oubliez pas d'être irréprochables, ce soir.

La voiture les attendait devant le théâtre. Lorsque Jack voulut ouvrir la portière, sa femme l'en empêcha et leva les yeux vers le cocher.

— La portière, je vous prie, mon brave ! Dépêchez-vous, avant que ce maudit vent ne nous pousse jusqu'au port de Dublin.

Le véhicule gravit rapidement Cork Hill, mais la cour grouillait déjà de voitures qui déversaient les invités en grande tenue, si bien qu'une foule se pressait à l'entrée.

— Si nous nous perdons, recommanda Bridget, retrouvons-nous près des appartements officiels.

En moins d'une minute, Elizabeth se retrouva encerclée. Dans cette marée humaine, elle ne reconnut aucun visage, mais ne céda pas à la panique. De toute évidence, d'autres jeunes filles en robe blanche seraient elles aussi présentées au gouverneur.

Soudain, une demoiselle qui se trouvait près d'elle poussa un cri après qu'une bourrasque de vent eut emporté sa perruque. Sans hésiter, Beth se lança à la poursuite de la perruque, mais celle-ci lui échappa et roula sous les roues d'une voiture.

Elle se pencha pour la ramasser. Hélas, elle était pleine de boue. Elle ne retrouva sa propriétaire dans la foule que parce qu'elle était en larmes.

— Je vous en prie... ne pleurez pas.

— Charlie ! Je devrais te frapper ! Comment as-tu pu te montrer aussi négligente ?

Elizabeth devina qu'il s'agissait de la mère de la malheureuse. Ne sachant que trop bien ce que l'on ressentait face aux réprimandes familiales, elle eut de la peine pour la petite brune.

— Ce n'est pas de sa faute, madame, intervint-elle. Le vent a emporté la perruque. Je n'ai pas réussi à la rattraper avant qu'elle ne roule dans la boue.

— Elle est abîmée. Charlie, tu ne peux être présentée au gouverneur sans perruque. Tu serais ridicule !

La jeune fille se remit à pleurer. Elle semblait si vulnérable que Beth en eut le cœur brisé.

— Ne pleurez pas... tout va s'arranger. Prenez donc ma perruque, dit-elle sans réfléchir.

Sur ces mots, elle ôta le précieux objet et le tendit à la mère de l'infortunée Charlie.

— Mais... ma chère, et vous ? s'enquit la dame, éberluée.

— Je m'en passerai. Je n'en ai jamais porté, de toute façon.

Pleine de gratitude, la dame fixa les boucles blondes de Beth.

— Vous avez en effet des cheveux superbes, en plus d'un cœur généreux.

Elle posa la perruque sur les cheveux bruns de sa fille. Puis elle sécha ses larmes à l'aide d'un mouchoir en dentelle.

— Allons, mon petit, remets-toi. Tu es ravissante, à nouveau.

Charlie sourit à sa mère et prit la main de Beth.

— Vous êtes un ange ! Merci de tout cœur. Quel est votre nom ?

— Elizabeth Gunning. Ma famille est présente, mais je ne la trouve plus...

— Restez donc avec nous, Elizabeth. Nous allons retrouver votre mère.

Beth imagina la fureur de Bridget en la voyant sans perruque.

Main dans la main, les deux jeunes filles avancèrent en direction des appartements officiels, dont les plafonds étaient ornés de fresques. La galerie extérieure grouillait d'invités, de jeunes aristocrates, de débutantes. Au bout de dix minutes à peine, Beth se retrouva face à sa mère.

— Elizabeth ! Pourquoi diable as-tu enlevé ta perruque ? Remets-la immédiatement ! ordonna Bridget.

Les yeux écarquillés d'appréhension, la jeune fille voulut s'exprimer, mais pas un mot ne sortit de sa bouche.

— Permettez-moi de me présenter, intervint la mère de Charlie en tendant la main. Je suis Dorothy Boyle, comtesse de Burlington. Je tiens à vous féliciter pour l'excellente éducation d'Elizabeth. Ma fille, Charlotte, a eu un accident malencontreux qui la prive de perruque, et Elizabeth est venue à son secours. Votre fille a les plus beaux cheveux que j'aie jamais vus. Elle est bien plus jolie sans perruque.

Bridget prit une profonde inspiration, puis parvint à saisir la main de la comtesse sans défaillir.

— Je suis enchantée de faire votre connaissance, lady Burlington. Je suis Bridget Gunning, fille du vicomte de Mayo.

— Theobald de Mayo ? C'est incroyable ! Avant mon mariage, j'ai maintes fois rencontré Theobald. C'était un ami de ma défunte mère. Le monde est petit. Cette rencontre est providentielle. Nos filles sont déjà les meilleures amies du monde.

L'huissier commença à énumérer les noms des débutantes sur le point d'être présentées au gouverneur.

— Vite, Charlotte, la lettre B ne va pas tarder. N'oublie pas de te tenir bien droite. À plus tard, ajouta-t-elle à l'adresse de Bridget.

— Elizabeth ! Te rends-tu compte de qui il s'agit ? La comtesse de Burlington ! Elle est richissime. Elle possède un véritable palais sur Pall Mall. Charlotte Boyle est l'une des héritières les plus recherchées du royaume !

— Tu ne m'en veux pas de lui avoir donné ma perruque ?

— Au contraire. Comme toujours, tu n'en as fait qu'à ta tête.

Bridget rit de sa propre plaisanterie.

— Tu dois absolument présenter Charlotte à Maria. Rien n'est plus important que des amis bien placés. Allez, les filles, approchons-nous de l'entrée.

— Où est papa ? s'enquit Maria. Si mon nom est annoncé, j'entrerai avec lui.

Bridget s'efforça de voir ce qui se passait dans la prestigieuse galerie.

— Apparemment, nous n'aurons pas besoin de lui. Les jeunes filles se présentent seules.

Elizabeth remarqua que la galerie était bordée de parents. Elle se rendit compte qu'elle allait monter sur scène, se donner en spectacle. Elle entendait les murmures, le bruissement des robes. Certains retenaient leur souffle.

— Lady Fiona Gower, fille du comte et de la comtesse de Granville ! annonça l'huissier.

— Maria est la suivante, souffla Bridget. Tiens-toi bien !

Elle tendit à l'huissier son carton d'invitation. Il attendit que le gouverneur ait fini de s'entretenir avec lady Fiona Gower. Puis il s'éclaircit la voix et clama :

— Mlle Maria Gunning, fille de M. Jack Gunning de Castlecoote, et de l'honorable Bridget Gunning, fille du vicomte de Mayo.

Maria s'avança dans la galerie d'un pas lent. Soudain, les murmures se turent. Le silence s'installa dans l'assistance. La jeune fille avait le charisme d'une princesse et l'allure d'une déesse. Quand elle fit sa révérence, le public poussa un soupir et les murmures reprirent.

— Mlle Elizabeth Gunning, fille de M. Jack Gunning de Castlecoote, et de l'honorable Bridget Gunning, fille du vicomte de Mayo, poursuivit l'huissier.

Elizabeth redressa fièrement la tête et s'avança à son tour. À peine avait-elle fait trois pas que le silence se fit à nouveau parmi les spectateurs. Beth prit peu à peu confiance en elle. Ses jambes ne tremblaient plus, les battements de son cœur se calmèrent. Elle put ainsi afficher un sourire serein qui captiva l'assistance. À l'autre extrémité de la galerie, elle entendit une voix masculine lancer :

— Deux beautés !

Elle fit la révérence au gouverneur. Aussitôt, la foule applaudit.

— J'ai grand plaisir à accueillir une ravissante jeune fille, déclara-t-il avec un regard bienveillant.

— Tout le plaisir est pour moi, Votre Excellence, répondit-elle avec un sourire radieux. C'est un grand honneur.

Elle gagna ensuite la salle suivante, où se tenait le bal.

Elle s'attendait à rejoindre Maria, mas c'est Charlotte Boyle qui l'accueillit.

— Je devais prendre place sur l'estrade, derrière le gouverneur, mais j'étais si nerveuse que je suis venue directement dans la salle de bal, avoua Charlotte en s'esclaffant.

— Votre mère va vous gronder ? demanda Beth avec quelque inquiétude.

— Oh non ! Elle va sc moquer de moi et de ma timidité. Mon père me consolera en disant : « Ne l'écoute pas, ma fille. Tu es l'élite de l'Irlande. »

Beth rit en l'écoutant imiter son père.

— Vous vivez en Irlande ?

— Non. Nous séjournons dans notre château de Lismore. On nous traite parfois de fous, mais nous n'irions tout de même pas jusqu'à venir en Irlande en dehors du mois d'août !

— Il pleut parfois pendant des jours, concéda Beth. Je voulais vous présenter ma sœur Maria mais j'ai l'impression qu'elle a disparu...

Beth scruta la foule des dames en tenue de soirée, des élégants messieurs et des militaires en uniforme d'apparat.

— Maria et moi avons déjà fait connaissance. Ensuite, elle s'est éloignée au bras d'un officier de cavalerie.

Avant qu'Elizabeth puisse répondre, un jeune homme roux prit Charlotte par la taille.

— Te voilà, petite cousine ! Je te cherchais partout. Mon ami William me supplie de te le présenter. Or je lui avais dit que tu serais sur l'estrade, avec son père. Tu me fais mentir, Charlie.

— Tu n'as pas besoin de moi pour être un menteur, Michael. Tu mens comme tu respires. Je te présente mon amie Elizabeth Gunning. Elizabeth, voici mon cousin Michael Boyle. Il fait partie de ceux qui nous valent notre réputation de fous.

Michael prit la main de la jeune fille et la porta à ses lèvres.

— L'une des deux beautés ! Mademoiselle Gunning, je suis votre serviteur. Vous avez fait sensation, dans la galerie.

— Enchantée, monsieur, balbutia-t-elle en rougissant.

Il se tourna vers un grand jeune homme blond qui venait de les rejoindre.

— Je l'ai retrouvée, Will, annonça-t-il. Charlie, je te présente William Cavendish, lord Hartington. Ma cousine préférée, lady Charlotte Boyle.

— Lady Charlotte, je suis enchanté de vous rencontrer.

Beth observa le visage de Charlie tandis que le jeune noble lui baisait la main. Elle semblait fascinée. Ce séducteur lui avait coupé le souffle.

— Monsieur, murmura-t-elle enfin.

— Mes amis m'appellent Will. Et j'espère sincèrement que nous allons devenir amis, lady Charlotte.

Cette décontraction étonna Beth. Il s'agissait de lord Hartington, héritier du prestigieux duché de Devonshire. Pourtant, il se montrait simple, chaleureux, sans la moindre prétention.

— Will, je te présente Mlle Elizabeth Gunning, poursuivit Michael.

Le fils du gouverneur déclara qu'il était ravi de la rencontrer, et elle se rendit compte qu'il était sincère.

— Le quadrille va bientôt commencer. Me ferez-vous cet honneur, lady Charlotte ?

Tandis que William menait Charlie vers la piste de danse, Michael Boyle s'inclina.

— Me ferez-vous l'honneur de cette danse, mademoiselle Gunning ?

Beth fut saisie de panique, mais elle parvint à se maîtriser. Elle sourit et posa une main dans la sienne. Dès les premières mesures, elle exécuta les pas qu'elle avait si longuement répétés. Toute appréhension s'envola.

Quand vint le moment de changer de cavalier, elle se crispa face à un homme qu'elle ne s'attendait pas à revoir.

— *Vous !* souffla-t-elle.

— En personne ! répliqua-t-il avec un sourire. Mademoiselle Gunning, saurez-vous me pardonner mon attitude cavalière, au bord de la rivière ? Je méritais une bonne gifle. J'ignorais que vous viendriez à Dublin pour être présentée au gouverneur. M'accorderez-vous une chance de me racheter ?

Les jambes tremblantes, le cœur battant, elle ne put s'empêcher de l'admirer, dans son costume noir, avec son jabot de dentelle.

— De quelle manière, monsieur ? demanda-t-elle d'un ton détaché.

— En reprenant mes baisers ? dit-il, les yeux pétillants, tout en resserrant son emprise.

Il se montrait si audacieux qu'elle eut envie de le titiller à son tour.

— Je ne vous les rendrai pas. Je préfère les garder.

Revint le moment de changer de cavaliers. Un homme brun tendit la main à la jeune fille, mais John refusait de la lâcher.

— Va au diable, Henry.

Il se pencha vers elle et lui confia :

— C'est mon frère. Aucune jeune fille n'est en sécurité, avec lui.

— C'est de famille, sans doute, railla-t-elle.

— Je vous emmène hors de la piste de danse. C'est le seul moyen pour moi de ne pas vous perdre. Tous les hommes présents rêvent d'être le cavalier de la plus belle débutante de la soirée.

La tenant d'une main ferme, il l'entraîna vers une galerie.

— Vous êtes certainement la plus belle débutante qui ait jamais existé.

Les yeux pétillants de malice, elle répliqua :

— Je ne suis pas une débutante, John. Comme je vous l'ai dit, j'espère devenir actrice. Je joue un rôle, voilà tout. Peg Woffington est la meilleure amie de ma mère. Elle nous a obtenu une invitation. Quant à cette robe, elle fait partie des costumes du théâtre de Smoke Alley.

Abasourdi, John Campbell crut un instant qu'elle se moquait de lui. Mais elle était trop ingénue pour cela. Plus que jamais, il eut envie de la protéger.

— Vous vous amusez bien, Beth ? demanda-t-il en posant une main sur la sienne.

— Oh, c'est sans doute la plus merveilleuse soirée de ma vie. Je n'avais jamais rien vu d'aussi somptueux que ce château, avec ces domestiques en livrée, ces tapis, ces fresques…

— C'est le roi George, expliqua-t-il en suivant son regard vers le plafond. Soutenu par la Liberté et la Justice, deux véritables mégères !

Se rappelant qu'elle avait un solide appétit, il l'emmena vers les buffets chargés de mets succulents et de vin.

— Souhaitez-vous grignoter quelque chose ? Même si vous n'avez pas faim du tout…

Elle éclata de rire, ravie qu'il se souvienne de ses paroles.

— Il serait impoli de refuser. Je goûterai avec plaisir un peu de tout, monsieur.

— Mais pas de vin ? s'enquit-il, amusé.

— Bien sûr que si ! Ce soir, il ne risque pas de m'enivrer. Vous l'avez déjà fait, avoua-t-elle timidement.

Il avait envie de la garder pour lui seul, mais William et Charlotte, suivis de Henry qui escortait Maria Gunning, les rejoignirent. Vinrent ensuite Michael Boyle et la mère de Charlotte, lady Burlington. Avant que John ne puisse leur présenter Elizabeth, il découvrit que tout le monde la connaissait déjà.

Celle-ci lui adressa un regard furtif qui l'implorait de ne pas révéler son secret. Il lui tendit un verre de vin et trinqua avec elle.

— Aux confidences échangées, murmura-t-il à son oreille.

Elizabeth avala une gorgée de vin. En voyant ses parents s'approcher, une assiette à la main, elle faillit s'étouffer. Elle vida vite son verre avant qu'ils ne la voient, et entendit la voix de lady Burlington :

— Madame Gunning... Bridget, je dois dire que vous accaparez l'homme le plus séduisant de la soirée. Je tiens à ce que vous me le présentiez.

— Lady Burlington, voici mon mari, Jack Gunning.

Beth vit son père baiser la main de la comtesse.

— Appelez-moi Dorothy, et je vous appellerai Jack.

Désireuse de s'échapper du groupe, Beth implora du regard John Campbell. Avant qu'ils ne puissent s'éclipser, le gouverneur apparut à son tour.

— Bonjour, père. Vous connaissez sans doute lady Burlington, la mère de lady Charlotte ?

— Bien sûr. Ravi de vous revoir, Dorothy... Je meurs de soif. Donne-moi donc à boire, Will !

Dorothy prit le bras du gouverneur.

— William, j'aimerais vous présenter John et Bridget Gunning. Figurez-vous que Bridget est la fille de Theobald de Mayo !

Elizabeth retint son souffle tandis que le duc de Devonshire observait sa mère derrière son monocle.

— Ah ! La mère des deux beautés ! Les vicomtes et officiers en uniforme se pressent pour les inviter à danser.

Les jeunes gens durent raccompagner les jeunes filles vers la piste pour leur permettre de danser.

John Campbell attendit cinq minutes avant de taper sur l'épaule de lord Sackville et de regarder Elizabeth droit dans les yeux.

— Je crois que cette jeune fille m'est promise.

— Je le crois aussi, renchérit-elle, le souffle court.

5

De retour aux premières lueurs de l'aube, les sœurs Gunning ne se réveillèrent pas avant midi. Elizabeth s'étira et sourit au souvenir de ce bal enchanteur. Arrivée après sa représentation, Peg Woffington les avait informées qu'elles pouvaient garder leurs robes jusqu'au lendemain. Elizabeth se réjouit de la générosité de leur amie, sans qui elle n'aurait jamais vécu une telle soirée.

Elle ferma les yeux et pensa à John, qui avait fini par lui avouer qu'il se nommait Campbell – un nom typiquement écossais. Elle revit ce grand brun ténébreux aux larges épaules, mais elle n'était pas simplement charmée par son physique avantageux. Avec lui, elle se sentait différente. En songeant qu'il allait repartir pour l'Angleterre, elle soupira. Le souvenir du baiser qu'il lui avait donné, au moment de leur départ, la troubla. Elle émit le souhait qu'ils se reverraient un jour.

— Maria ! Elizabeth ! Il est temps de vous lever. Le petit déjeuner est servi et nous devons discuter de pas mal de choses ! lança Bridget.

Elizabeth rouvrit les paupières. La veille, elle avait maintes fois désobéi à sa mère. Le moment était venu d'en subir les conséquences. En réalité, elle s'en moquait. Le jeu en valait la chandelle !

À table, elle observa son père, qui semblait incrédule, comme s'il venait de recevoir un choc. Sans doute ses parents avaient-ils abordé un problème grave.

— Au moins trente jeunes gens m'ont invitée à danser hier soir, se rengorgea Maria en s'attablant.

— Et toi, Elizabeth ? demanda sa mère.

— Eh bien… une dizaine, peut-être, répondit-elle non sans appréhension.

— Tu vois ! lança Bridget à son mari. Il te faut des preuves supplémentaires pour te convaincre que ma décision est la meilleure ?

— Quelle décision ? s'étonna Maria.

— Nous allons en Angleterre pour reprendre notre place au sein de la société.

Maria ne put réprimer un cri de joie. Elizabeth demeura silencieuse, se demandant quelle était la place qui leur revenait dans la société anglaise.

— Hier soir, j'ai eu une révélation. J'ai enfin ouvert les yeux. Je vous ai surveillées de très près, toutes les deux. Les sœurs Gunning étaient au cœur de toutes les attentions ! Votre beauté a séduit tous les hommes présents. Et pas n'importe qui. Des hommes riches, des aristocrates !

— Nous avons toujours su qu'elles étaient d'une beauté exceptionnelle, intervint Jack.

— Certes, mais elles sont désormais en âge de se marier. Il serait dommage de ne pas tirer parti de leurs avantages. J'ai décidé que nous allions vivre à Londres !

— C'est merveilleux ! Tu crois que David Garrick nous laissera jouer au théâtre de Drury Lane ? demanda Maria avec enthousiasme.

— Vous pouvez oublier la carrière d'actrice, décréta sa mère. Nous allons à Londres pour que vous fassiez de beaux mariages. Les nobles n'épousent pas des actrices, je vous le garantis. Au mieux, ils en font leurs maîtresses. Regardez mon amie Peg !

Elizabeth rougit. Maria lui avait dit que Peg était la maîtresse de Garrick, mais elle ne l'avait pas crue.

— Les jeunes gens de bonne famille épousent des jeunes filles ayant une dot. De plus, la vie à Londres est très chère. Où penses-tu trouver de l'argent ? Tu comptes en demander à ton père, le vicomte de Mayo, peut-être ? railla Jack.

Bridget le foudroya du regard.

— Peu importe si je ne suis pas vraiment la fille d'un vicomte ! Ce qui compte, c'est ce que les gens pensent. Tu as bien vu ce qui s'est passé hier soir. La comtesse de

Burlington est persuadée que je suis la fille de Mayo. Même le duc de Devonshire y a cru. En tant qu'actrice, je suis bien placée pour savoir que seules les apparences comptent.

— Nous aurons besoin d'espèces sonnantes et trébuchantes pour nous installer à Londres, Bridget.

— Ça, c'est de ton ressort. Tu dois retourner immédiatement à Castlecoote pour tout vendre. Nous resterons ici. Avec un peu de chance, tu seras de retour dans une semaine ou deux. Je te fournirai une liste de ce qu'il faut conserver. Tout le reste, tu le vendras.

— Tu ne plaisantes donc pas ?

— Je n'ai jamais été aussi sérieuse de ma vie. Maria et Elizabeth possèdent déjà la beauté, l'éducation, l'intelligence et la jeunesse. Il ne leur manque plus que de jolies toilettes et quelques invitations à des soirées pour sceller leur avenir. Il faut savoir profiter des occasions qui se présentent.

Une heure plus tard, Jack se mit en route pour Roscommon. Elizabeth l'accompagna jusqu'aux écuries. Au fond d'elle-même, elle redoutait que son univers ne soit bouleversé, maintenant qu'elle n'avait plus aucune chance de devenir actrice, de s'oublier dans ses rôles.

— Tu n'es pas d'accord avec la décision de maman ? demanda-t-elle tandis que son père attelait la charrette.

— Je ne souhaite que votre bonheur, à ta sœur et toi. Si par miracle vous pouviez faire de beaux mariages, ce serait bien mieux qu'une carrière d'actrice. On peut toujours essayer.

Il lui caressa tendrement la joue et sourit.

— De toute façon, nous n'avons guère le choix, reprit-il. Quand Bridget a pris une décision… Au revoir, Beth. Sois sage.

— Au revoir, papa. Sois prudent !

Lorsque Bridget et ses filles vinrent rendre leurs robes, Peg les accueillit avec chaleur.

— Vous avez été éblouissantes, hier soir ! Tes filles ont fait forte impression. Et toi aussi, tu sais !

— Ce fut un tel succès que nous avons décidé de retourner en Angleterre. Notre objectif est désormais de marier Maria et Elizabeth.

— Seigneur, Bridget, j'admire ton ambition. Il est vrai que leur seul visage vaut toutes les fortunes du monde. Mais si tu veux les marier, il faudra renoncer aux planches.

— Tu crois ? fit Bridget, faussement ingénue, comme si cette idée ne lui était pas venue à l'esprit.

— C'est une certitude. La vie d'actrice est tumultueuse. De plus, les actrices jouissent d'une certaine réputation, qu'elle soit justifiée ou pas. Tes filles ne recevraient que des propositions malhonnêtes. Si elles veulent faire de beaux mariages, il faut que leur réputation demeure irréprochable. Mais si tu parviens à rouler la haute société dans la farine, cela vaut la peine d'essayer.

— Nous devons trouver de l'argent. Si elles ne sont pas actrices, elles pourraient travailler dans les coulisses, suggéra Bridget, comptant une nouvelle fois sur la générosité de son amie.

— Voyons... tu pourrais servir de doublure pour le rôle de sir Harry Wildair. Tu apprends vite, Bridget. J'ai l'intention de jouer tous les soirs pendant quinze jours, avant notre retour en Angleterre. Ce serait une sage précaution, en cas d'accident.

— Merci, Peg. Donne-moi le texte. Demain, je le connaîtrai par cœur.

— Les filles pourront assister la costumière. Il y a toujours de menus travaux de couture, de nettoyage, des perruques à poudrer. Vous gagnerez vite le prix de votre voyage.

— Merci, mademoiselle Woffington, dit Elizabeth en faisant une révérence. Nous avons de la chance de vous avoir pour amie. Pouvons-nous commencer dès aujourd'hui ?

— Si vous savez manier l'aiguille, la couturière vous trouvera de quoi faire.

Les deux jeunes filles gagnèrent les coulisses.

— Je n'ai pas envie de nettoyer des costumes, protesta Maria. Je veux monter sur scène !

— Tu ne comprends donc pas ? répliqua sa sœur. En Angleterre, nous serons quand même actrices, mais au lieu de nous produire sur les planches, nous évoluerons dans la haute société londonienne. Nous jouerons le rôle de débutantes faisant leur entrée dans le monde. Et nous devrons trouver de beaux partis.

— Eh bien, moi, je n'aurai aucune difficulté à dénicher un mari. Je sais ce que veulent les hommes. Pour toi, en revanche, cela risque d'être plus difficile. Tu es bien trop ingénue. Cette innocence te perdra... Je n'arrive pas à croire que nous partons pour Londres ! J'en ai tant rêvé... Parfois, les rêves deviennent réalité.

Elizabeth songea au vœu qu'elle avait formulé de revoir un jour John Campbell. Aussitôt, ses jambes se mirent à trembler.

— J'ai dit à John que je voulais devenir actrice. Et si je le croisais à Londres ?

— Ne te fais pas de souci. Les hommes sont faciles à manipuler, Beth. Il suffit de savoir s'y prendre.

Au cours des deux semaines qui suivirent, l'atelier des costumes du théâtre de Smoke Alley devint l'univers d'Elizabeth. Elle aimait ce travail, surtout les robes et les vêtements féminins. Elle apprenait toutes les astuces des costumières sur l'art de transformer un modèle. Il suffisait d'un peu de dentelle, d'un ruban, d'une fleur artificielle. Opter pour des jupons aux tons contrastés métamorphosait une toilette. On pouvait aussi ajouter ou ôter des manches, modifier un décolleté, ajuster une taille...

Au terme de ces deux semaines, les Gunning firent leurs adieux à Peg Woffington et David Garrick, qui regagnaient le théâtre de Drury Lane à Londres, avant le début de la session parlementaire de septembre. Cette date marquait également le lancement de la saison mondaine. Politiciens et personnages en vue regagnaient la capitale après un été à la campagne.

Elizabeth et Maria touchèrent chacune cinq shillings, que Bridget s'empressa de récupérer pour les ajouter aux dix shillings que lui avait remis Peg. Elle cousit toute leur fortune dans son jupon, avec le fruit de la vente des navets. De retour à Dame Street, elle fit ses comptes. Avec la couronne qu'elle avait tirée de la mise en gage de la harpe d'Elizabeth, la famille possédait en tout sept livres.

— Si votre père n'était pas un tel incapable, il serait déjà de retour.

Elizabeth céda à la panique, se demandant s'il reviendrait un jour. Mais elle se garda d'exprimer ses craintes à voix haute. Elles passèrent le lendemain à faire leurs bagages tandis que leur mère se renseignait sur le moyen de transport le moins coûteux vers l'Angleterre.

Ce soir-là, au retour de son père, Beth fondit en larmes.

— Cesse de pleurnicher, Elizabeth, gronda sa mère. Assez de mélodrame. On dirait que tu pars pour l'échafaud et non vers la chance de ta vie.

Jack fit un clin d'œil à sa fille. Il avait compris qu'il s'agissait là de larmes de soulagement.

— Ne pleure pas, ma beauté. Je rapporte plus que des navets, cette fois.

— Combien as-tu réussi à récolter ? demanda Bridget d'un ton méfiant.

— Thomas Longford m'a proposé cent livres pour Castlecoote. Alors je lui ai dit que lord Lanesborough m'en avait offert le double rien que pour les terres. C'était un mensonge, mais Tom n'avait guère le temps d'aller trouver lord Lanesborough pour vérifier mes dires. Finalement, il m'a versé deux cents livres.

— Deux cents ! s'exclama Bridget qui, bien que ravie, ne parvenait pas à féliciter son mari. Nous aurions dû vendre depuis longtemps.

Le lendemain, dès l'aube, les Gunning embarquèrent à bord d'un bateau transportant du bétail à Liverpool. Il n'y avait pas de cabines réservées aux passagers, mais le capitaine autorisa la famille à voyager à bord moyennant quelques shillings, à condition de rester sur le pont. Elizabeth alla caresser un veau. Maria se plaignit de l'odeur qui lui donnait la nausée. Pour une fois, elle se fit réprimander par sa mère.

— Le mal de mer est très en vogue, railla-t-elle. Tu n'as qu'à te pencher par-dessus le bastingage. Je n'allais tout de même pas gaspiller de l'argent alors qu'il nous reste encore à payer la diligence de Liverpool à Londres.

Ce soir-là, ils atteignirent le port de Liverpool. Assises sur leurs sacs en toile, les deux jeunes filles regardèrent leurs parents se disputer.

— Nous devrions prendre une chambre, Bridget. Les filles sont fatiguées.

— Elles dormiront dans la diligence. En voyageant de nuit, nous atteindrons Stoke-on-Trent au matin et Coventry demain soir. Nous prendrons une chambre là-bas.

— Je te trouve un peu dure avec elles.

— Dans la vie, il faut savoir ce qu'on veut. Tout ne tombe pas du ciel. Il faut bien que quelqu'un agisse, dans cette famille. N'oublie pas que je fais tout cela pour elles. Alors prends cette malle et allons-y !

Quatre jours plus tard, les Gunning entrèrent à la taverne du Cheval blanc, à Piccadilly. Jack acheta du pain et du fromage, puis tous se rendirent à Green Park, non loin de là.

— Votre père et moi allons chercher un logement à louer, expliqua Bridget. Nous mettrons peut-être toute la journée à trouver une adresse convenable dans nos moyens. Vous serez en sécurité dans ce parc, jusqu'à notre retour. Restez ensemble, ne parlez à personne et gardez la tête couverte. Je ne veux pas que les gens remarquent vos cheveux magnifiques et s'en souviennent.

Maria n'avait guère envie de flâner des heures dans un parc alors qu'elle tombait de fatigue.

— J'espère qu'ils trouveront un logement meublé. Je n'ai pas fermé l'œil, dans cette maudite diligence. Je compte bien dormir pendant une semaine entière dès que nous serons installés.

Elizabeth était fourbue et manquait tout autant de sommeil. Elle donna des miettes de pain aux pigeons et scruta les alentours.

— Ce parc est magnifique. Si seulement nous pouvions habiter dans le quartier. Les arbres me rappellent l'Irlande.

— Je déteste l'Irlande. Il y pleut tout le temps. Londres, au contraire, est une ville si animée ! Et toi, tu ne songes qu'aux pigeons et aux arbres. Nous sommes venues chercher des maris. Tu devrais grandir un peu.

— On dirait que tu parles de pêche au saumon, rétorqua Elizabeth en pensant à John Campbell. Les hommes ne sont pas des poissons.

— Ah non ? Il suffit de les laisser mordre à l'hameçon. Ensuite, ils sont à ta merci et tu peux les dévorer à loisir.

Le jour commençait à tomber quand Bridget et Jack Gunning retrouvèrent leurs filles. Bridget était scandalisée par le prix des logements à Londres.

— C'est du vol ! Il n'y a pas une maison à Mayfair pour moins de deux cents livres. On ne va tout de même pas tout dépenser dès le jour de notre arrivée !

— Vous n'avez donc rien trouvé ? demanda Maria, désemparée.

— Bien sûr que si, avec une adresse prestigieuse, mais nous ne pouvons nous permettre que de la louer pour six mois. Les Gunning résident désormais à Great Marlborough Street. La maison est meublée et dispose d'un personnel réduit : une cuisinière qui fait aussi office de gouvernante et un vieux valet. Venez, les filles. Un peu de marche vous fera du bien. Profitez de l'air frais pendant que vous en avez encore le loisir. Jusqu'à ce que vous deveniez des jeunes filles dignes de ce nom, vous resterez enfermées. Par chance, il fait presque nuit. Personne ne vous verra arriver vêtues comme des miséreuses. Nous n'avons que six mois pour atteindre notre objectif. Le temps presse. Jack, dès demain, tu vas essayer d'obtenir un crédit.

À Pall Mall, une imposante diligence franchit les grilles de Burlington House et s'arrêta devant les marches de la somptueuse demeure. Le cocher sauta de son perchoir pour ouvrir au comte et à la comtesse. Tout le personnel vint les accueillir sur le perron.

— Occupez-vous de lady Charlotte. Elle s'est endormie. Ce voyage fut épuisant.

Flanquée d'une femme de chambre et de sa gouvernante, la comtesse de Burlington suivit le valet qui portait sa fille dans le grand escalier.

— Il faut vite réchauffer son lit. Je ne voudrais pas qu'elle prenne froid au tout début de la saison.

Le valet la déposa dans un fauteuil, le temps pour ses collègues de préparer le lit. Charlie se réveilla au moment où sa propre femme de chambre entrait dans la pièce avec Dandy, le petit chien de la jeune fille.

— Bonjour, Dandy ! Tu m'as manqué, tu sais, dit-elle en le prenant dans ses bras.

— Ne défaites pas les bagages de lady Charlotte ce soir. Elle a besoin de repos. En revanche, faites-lui monter une tasse de chocolat chaud.

Dorothy déposa un baiser sur le front de sa fille.

— Bonne nuit, chérie. Tu pourras faire la grasse matinée, demain, pour te remettre.

Leur trajet depuis l'Irlande avait été bien moins pénible que celui des Gunning. Les Burlington possédaient leur navire personnel, une voiture des plus confortables, et une bonne escorte. En route, ils n'étaient pas descendus dans des auberges, mais dans leurs résidences privées de Bolton Abbey, Londesborough et Uppingham, toutes dotées d'un personnel nombreux.

— Désirez-vous prendre un bain, madame la comtesse ? s'enquit la femme de chambre lorsque Dorothy eut regagné ses propres appartements.

— Oui, avec plaisir.

Elle griffonna quelques mots sur un papier qu'elle lui tendit.

La domestique remit à son tour le message au valet du comte, qui le porta à son maître. Plus tard, Richard Boyle rejoignit sa femme dans sa chambre.

— Vous souhaitez me parler, ma chère ?

— Oui, Richard. Charlie m'a confié que William Cavendish lui plaisait. Je sais qu'elle n'a que seize ans, mais ne laissons pas passer cette chance de faire un beau mariage. William deviendra peut-être duc de Devonshire plus vite que nous ne le pensons, à en juger par l'état de santé de son père. Or le patrimoine des Devonshire est encore plus vaste que le nôtre.

— Hartington a au moins vingt-huit ans, répondit Boyle en fronçant les sourcils. Vous ne croyez pas qu'il est un peu trop mûr pour une jeune fille de seize ans ?

— La maturité est une qualité appréciable chez un mari. Il a sans doute bien profité de sa jeunesse et est disposé à s'installer. Je suis sûre qu'il est en quête d'une épouse. Si nous ne lui mettons pas le grappin dessus, une autre famille s'en chargera. S'il montre un tant soit peu d'intérêt pour Charlie, nous devons l'encourager.

— On jurerait que vous cherchez à le prendre au piège.

— Absolument ! Aucun homme n'a envie de se faire passer la corde au cou. Je pense qu'une campagne de six mois devrait se solder par une victoire !

Bridget Gunning ne tarda guère à rendre visite à son amie Peg au théâtre de Drury Lane.

— J'ai réussi à louer une maison dans Great Marlborough Street, à la lisière de Mayfair, lui annonça-t-elle.

— C'est un quartier très distingué. Je crois que lord Charles Cavendish possède une maison dans cette rue. Quant à Horace Walpole, il réside à deux pas de Hanover Square.

— Lord Charles Cavendish est l'un des fils du duc de Devonshire, mais pas son héritier, n'est-ce pas ?

— C'est exact. L'héritier est William, lord Hartington. Naturellement, il vit à Devonshire House, à Piccadilly. Je possède un arbre généalogique des grandes familles du royaume, histoire de m'y retrouver. Garrick et moi avons une maison à Soho Square. C'est moins prestigieux, mais c'est tout près du quartier des théâtres.

Peg se mit à rire.

— Je te tire mon chapeau, Bridget. Tu t'es fixé un objectif auquel bien peu de mères oseraient croire. J'espère que tu réussiras. Si je peux t'aider en quoi que ce soit, n'hésite pas à faire appel à moi.

— Je te remercie, Peg. De temps à autre, j'aurai peut-être besoin des services de tes figurants, mais nous n'en sommes pas là. D'abord, il faut trouver aux filles une garde-robe. Tu crois qu'une de tes couturières accepterait de venir chez moi ?

— Elles sont toutes désireuses de gagner un peu d'argent supplémentaire. Viens. Allons voir Mary. C'est une fée.

— Il ne t'arrive jamais de vendre certaines robes ayant servi pour une pièce ? demanda Bridget d'un air ingénu.

— C'est très rare. Nos costumes sont transformés. Mais il existe une excellente boutique de vêtements d'occasion à Covent Garden, où les actrices de tous les théâtres vendent et achètent leurs toilettes. Le style n'est pas toujours approprié pour de très jeunes filles, mais je suis sûre que tu trouveras ton bonheur.

Mary s'installa pour une semaine chez les Gunning. Avec l'aide de Maria et Elizabeth, elle cousit jour et nuit pour leur façonner une garde-robe digne de ce nom, sous-vêtements, robes, capelines.

À la boutique de vêtements d'occasion, Bridget dénicha quelques tenues élégantes ayant peu servi. Elle acheta en outre bas et gants et choisit trois éventails un peu usés, mais faciles à restaurer.

À la fin de la semaine, il ne manquait plus que les robes de bal. Leur coût était exorbitant, mais Bridget tenait à ce que ses filles soient habillées par la meilleure modiste de la capitale.

Vêtues de leur robe de jour et accompagnées de leur valet en livrée, Maria et Elizabeth sortirent de la maison pour la première fois en une semaine. En traversant Hanover Square en direction de Bond Street, où les élégantes faisaient leurs emplettes, elles ne manquèrent pas d'attirer tous les regards.

Elles entrèrent chez Mme Madeleine, établissement connu pour ses copies de la maison Worth. Les deux jeunes filles étaient aux anges, au milieu de ces soieries, de ces créations somptueuses. Elles n'eurent que l'embarras du choix. Les difficultés surgirent lorsque Bridget prit connaissance des tarifs. Elle pensait dépenser une somme deux fois moins élevée. La solution était évidente.

— Nous prendrons celle-ci, dit-elle en indiquant le choix de Maria. Vous n'aurez qu'à la partager.

De retour à la maison, Bridget se retrouva face à Jack.

— Nos économies fondent comme neige au soleil. Je veux que tu ailles voir ta famille à St. Ives pour les informer des projets matrimoniaux que tu as pour tes filles. Tu leur diras que tu attends d'eux une contribution à leur entrée dans le monde.

Bridget était décidée à mener l'offensive en frappant un grand coup. Elle se rendit dans les locaux du *London Chronicle* et fit passer une annonce dans la rubrique mondaine :

Les petites-filles de lord Jack Gunning, de St. Ives, et de Theobald, sixième vicomte de Mayo, arrivées récemment de Castlecootc en Irlande, viennent de s'installer dans leur résidence londonienne. Maria et Elizabeth ont été présentées à Son Excellence le gouverneur d'Irlande qui a apprécié leur beauté saisissante. Sans doute remporteront-elles un grand succès dans les soirées cette saison. Les sœurs Gunning croulent actuellement sous les invitations.

6

Avant l'ouverture de la session parlementaire, George II, roi d'Angleterre, donna une réception au palais de St. James. Tout le monde étant de retour à Londres, ces cérémonies hebdomadaires rassembleraient courtisans, politiciens, nobles et autres propriétaires en quête d'une faveur royale.

Le duc de Devonshire, fraîchement nommé responsable de la résidence royale, devisait avec le souverain qui le félicitait pour son excellente gestion en Irlande. William, l'héritier de Devonshire, qui aspirait au poste de maître des écuries royales, était également présent. Il salua John Campbell et s'enquit de son frère Henry, qui était absent.

— Henry a été appelé à combattre avec son régiment.

— Il est capitaine dans l'infanterie, auprès des Argyll et des Sutherland, n'est-ce pas ? J'espère qu'il ne règne aucun trouble en Écosse.

— Il est en poste sur le continent, en guise d'avertissement à la France, je suppose.

James Douglas, duc de Hamilton et membre du Parlement, se joignit à eux. Hamilton détestait le roi, mais assistait avec assiduité à toutes ses réceptions. Il avait courtisé Elizabeth Chudleigh, une jeune fille d'une grande beauté, jusqu'à ce que le roi George, qui était veuf, tombe amoureux d'elle. James avait été touché dans sa fierté par cet affront.

— Bonjour, James. Tu as manqué de sacrées parties de chasse en Irlande. Le gibier et le saumon abondaient. Même le temps a été clément, déclara Will.

— Je préfère l'enfer du jeu à l'enfer de l'Irlande.

Duc dès l'âge de dix-huit ans, Hamilton menait une vie dissolue. Il buvait, fréquentait les prostituées et jouait.

— Si je recherchais la pluie et une compagnie ennuyeuse, il me suffirait d'aller sur les terres de mes ancêtres, en Écosse.

De caractère enjoué, Will se mit à rire. John, lui, ne trouvait pas James drôle du tout. Les Argyll étaient le clan le plus puissant des Highlands. Les Hamilton dominaient les Lowlands. Ils avaient toujours été rivaux.

La main sur son sabre, John déclara :

— Les frontaliers ne sont guère civilisés.

Will s'esclaffa de plus belle. Il appréciait ces joutes verbales.

— Les frontaliers sont toujours supérieurs à ces barbares des Highlands, rétorqua Hamilton.

— Je l'admets, ils sont supérieurs pour voler le bétail et boire du whisky, dit Campbell.

— Ai-je entendu prononcer le mot whisky ? intervint George Norwich, comte de Coventry, également membre du Parlement. J'espère que vous nous avez rapporté des provisions de votre escapade en Irlande.

— Mon père en a rapporté, en tout cas, répliqua Will Cavendish. Tu pourras y goûter à la réception de vendredi soir à Devonshire House, en l'honneur de la nomination de père.

— Tes sœurs seront présentes ? s'enquit Coventry, toujours en quête d'une épouse bien née.

— Oui. Ce seront nos hôtesses. Ma mère refuse de quitter le Derbyshire. Elle déteste Londres presque autant que l'Irlande.

— On ne peut lui en vouloir d'aimer Chatsworth. C'est certainement le plus beau domaine du royaume, commenta John Campbell.

— Merci, John.

— Ne me remercie pas, Will. Remercie plutôt Bess Hardwick qui a eu la bonne idée de faire construire Chatsworth, il y a deux siècles.

— Quelle femme ! déclara Coventry.

— Une maîtresse femme, une virago aux cheveux roux, dit-on.

— Une épouse se doit d'être docile, belle et douce, railla Hamilton.

— Voilà pourquoi aucun d'entre nous n'est marié... Les perles sont si rares. Les belles femmes sont souvent capricieuses.

La pique de Coventry faisait allusion à Elizabeth Chudleigh que Hamilton avait perdue au profit du roi.

— Au moins, nous sommes libres de choisir nos femmes car nous avons hérité de nos titres depuis longtemps, George. Ces pauvres Will et John doivent recevoir l'autorisation des Argyll et des Devonshire.

— C'est vrai, déplora Will, tandis que John Campbell maudissait en silence Hamilton d'avoir énoncé cette cruelle vérité.

— Maintenant que nous avons fini de nous insulter, nous devrions déclarer que cette cérémonie est une réussite et passer à des questions plus sérieuses. Quelqu'un veut m'accompagner chez White's, ce soir? suggéra Hamilton.

— Eh bien, puisque je suis déjà en grande tenue, autant en profiter pour autre chose qu'une réception royale. White's me plaît davantage, admit George Coventry.

— Merci, mais j'ai prévu autre chose, dit Campbell.

— Tu n'as pas à dîner avec moi si tu préfères aller au club, commenta Will tandis que Hamilton et Coventry prenaient congé.

— Je n'ai pas envie de passer la soirée à regarder Hamilton jouer. Il ne supporte pas de perdre. Il boit et devient méchant, puis il va dans un bordel défouler sa hargne.

— Je me réjouis que tu viennes à Devonshire House. Tu pourras m'aider à convaincre mes sœurs d'inviter lady Charlotte à la fête de vendredi soir. Je n'ose pas leur demander franchement, car elles ne cesseront de me taquiner ensuite.

— Et si tu leur demandais de l'inviter de ma part? Ainsi, elles ne soupçonneront rien.

— Merci, John. J'espérais que tu me ferais cette proposition. Je te revaudrai cela.

Un peu plus tard, Hamilton et Coventry entrèrent chez White's pour prendre un verre. Si tous deux étaient en tenue de soirée et portaient une perruque poudrée, leur ressemblance s'arrêtait là. De taille moyenne, Hamilton était trapu et avait des yeux noisette, tandis que Coventry était élancé et assez fluet.

La salle était lambrissée et meublée de fauteuils de cuir. Tous les journaux du jour étaient à la disposition des membres. Hamilton commanda un double cognac et prit le *London Chronicle* dont il parcourut les titres.

— La première page ne parle que de la nomination de Devonshire, commenta-t-il avec dégoût.

— Viendras-tu à la fête de vendredi soir ?

Hamilton leva les yeux de son journal.

— Je ne crois pas. Je ne supporterais pas de voir tout le monde faire des courbettes à Devonshire.

Coventry se pencha pour lire les annonces de la rubrique mondaine.

— Tu as vu cela, James ? demanda-t-il en tapotant le journal.

Hamilton parcourut rapidement les noms cités.

— Les deux filles ? demanda-t-il.

— Oui... leur beauté incomparable... le château de Dublin.

— Les sœurs Gunning. Tu les as vues à Londres, George ?

— En fait, oui, mentit Coventry, qui prenait un malin plaisir à prendre le dessus sur Hamilton dès qu'il s'agissait d'une belle femme. Au théâtre, hier soir, improvisa-t-il.

— Tu leur as parlé ?

— Non, James. J'ai simplement admiré leur beauté de loin.

Hamilton finit son cognac et en commanda un autre.

— Je te parie dix guinées que j'arriverai à leur être présenté avant toi !

— Soyons clairs, James. Tu veux parier que tu leur seras présenté avant moi, ou que tu réussiras à coucher avec l'une d'elles avant moi ?

— Je parie dix guinées sur les présentations… Et dix mille sur le fait que je coucherai avec l'une d'elles avant toi, Coventry !

— Pari tenu !

Rachel et Catherine Cavendish étaient penchées sur la liste d'invités pour la fête qu'elles organisaient à Devonshire House, en l'honneur de la nomination de leur père aux plus hautes fonctions de la Cour. Elles avaient trié sur le volet les invités correspondant à leurs propres ambitions matrimoniales. Si Rachel se faisait courtiser par le comte d'Oxford, neveu de sir Robert Walpole, ancien Premier ministre, Catherine se croyait amoureuse de John Ponsonby, un jeune homme hélas dépourvu de titre.

— Le comte et la comtesse de Burlington figurent sur la liste, mais pas lady Charlotte. J'ignorais qu'elle était en âge d'être invitée.

Catherine prit une invitation sans nom.

— Will et John affirment qu'elle fait partie des débutantes présentées à père, à Dublin, donc elle doit avoir seize ans révolus.

Rachel ravala sa jalousie. Cela faisait deux ans qu'elle essayait de capter l'attention de John Campbell, mais il s'évertuait à la considérer comme une petite sœur. Elle savait qu'elle devait cesser de retarder l'échéance avec le comte d'Oxford, et se résoudre à un mariage de raison. Après tout, devenir comtesse était un honneur.

— Et si nous passions à Burlington House pour déposer l'invitation ?

Une heure plus tard, les sœurs Cavendish descendirent de voiture devant l'imposante maison. Le majordome les introduisit et prit leur carte de visite.

— Lady Rachel, lady Catherine, comme c'est gentil de passer nous voir !

Dorothy Boyle les embrassa.

— Venez, vous arrivez juste à temps pour prendre le thé.

— Merci, lady Burlington, mais nous sommes venues

déposer une invitation pour vendredi. Nous avions oublié lady Charlotte.

— Charlie sera ravie d'avoir une invitation officielle à Devonshire House.

Elle se tourna vers le majordome.

— Dites à lady Charlotte de nous rejoindre pour le thé.

Lorsque la jeune fille fit son entrée, Rachel Cavendish reçut un choc. La brune Charlotte était jolie, mais de petite taille. Elle ne semblait pas avoir plus de quatorze ans. John Campbell ne pouvait s'intéresser à cette enfant ! Rachel dissimula sa surprise en lui tendant le carton.

— Lady Charlotte, j'ai entendu dire que vous aviez été présentée à notre père, à Dublin.

— Oh oui ! Ce fut un moment magique ! Son Excellence s'est montrée très aimable et j'ai dansé avec votre frère Will... enfin, lord Hartington.

Charlie rougit violemment en prononçant son nom.

Les sœurs Cavendish échangèrent un regard.

— Hier soir au souper, William et son ami John Campbell nous ont dit vous avoir rencontrée, là-bas.

— John Campbell a dansé avec mon amie Elizabeth Gunning. Nous nous sommes bien amusés.

— Gunning ? Où ai-je lu ce nom, récemment ? demanda Catherine, pensive.

— Dans la rubrique mondaine du *London Chronicle* d'hier, déclara Rachel. On y apprend que les Gunning sont arrivés d'Irlande pour s'installer dans Great Marlborough Street.

— Vraiment ? Elizabeth Gunning se trouve donc à Londres ? s'enquit Charlie, incapable de dissimuler son enthousiasme.

Rachel se tourna vers la mère de la jeune fille.

— Connaissez-vous les Gunning, lady Burlington ?

— Oui... Un couple charmant. Votre père les a rencontrés. Bridget Gunning est la fille du vicomte de Mayo. Nous nous sommes très vite entendues. Je suis ravie qu'ils passent la saison à Londres.

Rachel eut soudain très envie de faire la connaissance de cette Elizabeth Gunning avec qui John Campbell avait dansé à Dublin.

— Et si je leur envoyais une invitation pour vendredi ? suggéra-t-elle.

— Ce serait merveilleux, lady Rachel. Vous êtes si gentille !

Peu après le lever du soleil, tandis qu'il chevauchait sur ses terres de Sundridge, à vingt kilomètres de Londres, John Campbell se dit qu'il aimait le Kent et que sa région lui avait manqué. C'était un comté très rural et paisible, en dépit de sa proximité avec la capitale. Il admira la vallée et inspira à pleins poumons l'air chargé d'un parfum de houblon.

Après sa promenade, il prit un bain et se changea, avant de gagner sa bibliothèque pour inspecter les comptes de son domaine. Il lut les lettres en provenance d'Argyll, signa le courrier rédigé par son secrétaire, Robert Hay. Son régisseur vint lui annoncer l'arrivée du visiteur qu'il attendait. Il se leva et serra chaleureusement la main de William Pitt, qu'il avait invité lors de la cérémonie royale. Pitt siégeait au Parlement depuis vingt ans.

— Merci d'être venu, monsieur Pitt.

— Je préfère vous rencontrer ici, milord, où je peux parler franchement, loin des oreilles indiscrètes.

Il accepta un verre de vin.

— Les hostilités reprennent de plus belle à travers l'Europe, et le roi souhaite déclarer la guerre à la France.

— Le roi a formé une armée de coalition avec Hanovre, l'Autriche et la Hollande pour envahir la France, monsieur Pitt.

— Avec l'actuel secrétaire d'État, ni l'armée anglaise, ni la marine ni les services diplomatiques ne sont bien organisés. En cas de guerre avec la France, l'Angleterre subirait une véritable déroute.

— Je suis d'accord avec vous, monsieur Pitt. Ce qu'il nous faut, c'est une armée et une marine britanniques dignes de ce nom. Argyll et moi pensons qu'il faut recruter dans les Highlands, et non dans les pays étrangers.

— Le roi et les ministres redoutent que les Écossais ne soient tous des jacobites.

— C'est faux ! Ce sont les régiments écossais, sous le commandement d'Argyll, mon père, qui ont écrasé les jacobites lors de la bataille de Culloden Moor. Moyennant une solde régulière, les recrues des Highlands soutiendraient loyalement le gouvernement.

— J'ai moi-même l'ambition d'obtenir davantage de pouvoir. Les incompétents, indécis et maladroits tels que Newcastle sont obligés de verser des pots-de-vin pour être élus. Moi, je veux changer le système. Puis-je compter sur votre aide et celle d'Argyll ?

Face à la détermination et au patriotisme de son interlocuteur, John Campbell n'hésita pas :

— Oui, monsieur Pitt.

— Où diable étais-tu passé ?

Bridget foudroya son mari du regard. Cela faisait trois jours qu'il était parti à St. Ives, auprès des siens.

— Mon père est gravement malade, répondit-il tristement. C'est une chance que je me sois rendu à St. Ives. Ses jours sont comptés, je le crains.

— Tu as obtenu de l'argent ?

— Je ne pouvais évoquer un tel sujet en ces circonstances.

— Alors quand ? Je peux te garantir que tes frères pensent à l'argent si votre père est à l'article de la mort ! Figures-tu dans son testament ?

— Bridget, tu sais très bien que je ne suis pas son héritier. Je suis le benjamin. Je peux tout au plus espérer toucher deux ou trois cents livres.

— Ton frère Peter sera le nouveau lord Gunning. Nous pourrons au moins parler de lui dans les soirées, surtout s'il siège au Parlement.

— Peter était ravi de me voir. Il a tenu à me procurer une monture quand il a vu que je ne possédais pas de cheval.

— Un cheval nécessite des soins… Encore des frais ! Tu vas devoir repartir en quête d'un prêt, maintenant. En faisant croire aux banques que tu vas hériter d'une fortune, tu pourras leur emprunter davantage. Il nous faudra une cameriste. Il est indispensable que deux jeunes filles soient accompagnées d'une domestique en mon absence.

— Elles sont invitées à la Cour, à St. James ? railla Jack.

— Presque !

Bridget brandit triomphalement deux invitations arrivées le matin même par la poste.

— Les filles sont en train de se préparer pour prendre le thé avec la comtesse et lady Charlotte à Burlington House.

Elle marqua une pause pour mieux souligner ses propos.

— Et demain soir, nous sommes invités à une soirée de gala à Devonshire House, rien que cela !

— Bien joué, Bridget, reconnut Jack. Mais il ne faut pas que cela te monte à la tête. Sois prudente.

— Je vais chercher ma capeline. Quand les filles descendront, ne leur dis surtout pas que leur grand-père va mourir.

— Je ne serai pas là. Il faut que je cherche une place pour mon cheval dans les écuries voisines…

Tandis que Bridget Gunning entraînait ses filles dans Regent Street en direction de Piccadilly, elle leur fit quelques ultimes recommandations.

— N'oubliez pas d'appeler la comtesse « lady Burlington » en toute circonstance. Ne vous imposez pas. Ne parlez que si l'on vous pose une question. Attendez que lady Charlotte vous autorise à l'appeler autrement. Et surtout, ne vous extasiez pas face à la splendeur de la maison. Je vous assure que nous n'avons jamais rien vu de tel. L'intérieur a été réalisé par William Kent, un architecte de renom, ami personnel du comte. Lord Burlington est connu pour son goût exquis. C'est un grand collectionneur d'œuvres d'art.

Un homme souleva son chapeau en les croisant. Maria lui répondit d'un sourire.

— Une jeune fille comme il faut ne sourit jamais à un homme dans la rue. Cela ne se fait pas ! C'est vulgaire. Un comportement digne d'une actrice.

Bridget prononça ce dernier mot avec mépris, comme s'il s'agissait de quelque malédiction.

Maria n'appréciait guère de se faire corriger.

— Mes nouvelles chaussures me donnent des ampoules. C'est encore loin ? gémit-elle.

— Nous prendrons un fiacre au coin de la rue. Il faut arriver en voiture, mais je ne peux me permettre de payer l'intégralité du trajet depuis la maison.

Bridget observa d'un œil critique les fiacres et choisit le moins mal en point.

— Burlington House ! lança-t-elle avec la prestance d'une reine.

Une fois devant l'entrée, elle régla la course et gravit les marches du perron pour actionner le heurtoir. Maria lui emboîta le pas alors qu'Elizabeth cherchait à maîtriser son appréhension.

Un majordome les mena vers un élégant salon meublé de fauteuils à dorures et de tables en bois précieux. Son chien sur les talons, Charlie se précipita à leur rencontre.

— Elizabeth ! Je suis si heureuse de vous revoir !

Elle fit une révérence face à Bridget.

— Merci d'être venue à Londres, madame.

— Vous avez un chien ! s'exclama Elizabeth.

En entendant sa mère s'éclaircir la gorge, elle se reprit.

— Merci de nous avoir invitées, lady Charlotte. Comment se nomme votre chien ?

— Dandy. Et vous pouvez m'appeler Charlie.

Elle se tourna vers Maria, qui recula vivement, de peur que le chien ne salisse sa robe rose toute neuve avec ses pattes. Charlie se pencha pour prendre l'animal dans ses bras.

— Je suis désolée, Maria. Il ne vous fera pas de mal.

— Soyez les bienvenues à Burlington House, déclara la comtesse en embrassant furtivement Bridget. Vous êtes des invitées si ponctuelles que j'en ai honte. Chacun vous dira que je n'ai aucune notion du temps.

— Depuis notre arrivée à Londres, nous croulons sous les invitations, au point que je perds moi-même toute notion du temps, répondit Bridget en s'asseyant face à Dorothy Boyle.

Elle ôta ses gants mais garda son chapeau, très en vogue. Maria imita sa mère. Elizabeth et Charlotte prirent place sur un divan, avec Dandy.

— Il faut savoir quelles invitations décliner ou accepter, sinon vous serez vite épuisées, dit la comtesse.

Une domestique fit son entrée. Sur une desserte, Bridget découvrit un superbe service à thé en argent et de délicats sandwichs au concombre et au homard.

— Naturellement, reprit la comtesse en distribuant les tasses, certaines invitations sont incontournables.

— J'ai grand besoin de conseils en la matière. Cela faisait si longtemps que j'avais quitté la capitale, avoua Bridget, qui n'ignorait pas à quel point les femmes aimaient donner des conseils.

— Eh bien, on ne refuse pas de se rendre aux réceptions données à la Cour ou par une grande famille. Ensuite, le mercredi, il faut se rendre chez Almack. C'est indispensable quand on a des filles en âge de se marier.

— Je n'ai pas eu le temps de m'inscrire chez Almack, déplora Bridget d'un air contrit.

— J'en parlerai à Sarah Jersey. Je me ferai un plaisir de parrainer Maria et Elizabeth. Elles tiendront compagnie à Charlotte. Elle se sent plus en sécurité avec des amies.

— Comment vous remercier ?

Dorothy fit un geste désinvolte.

— Ce n'est rien. Les amis sont là pour cela, non ? Comment se porte votre charmant mari ?

— Il vient de passer trois jours chez lord Gunning, son père. Je me réjouis qu'il soit rentré à temps pour nous escorter à la réception donnée à Devonshire House, demain soir.

Avide de ragots, Dorothy préféra se débarrasser des jeunes filles.

— Charlie, tu devrais promener Dandy dans le jardin. Ton père n'apprécie guère qu'il s'oublie sur un tapis.

Charlie et Elizabeth se levèrent d'un bond, impatientes de s'éclipser pour bavarder tranquillement. Maria se montra plus réticente.

— Puis-je admirer vos tableaux, lady Burlington ?

— Bien sûr, ma chère, assura Dorothy avant de se tourner vers Bridget. Si jeune, et déjà passionnée par l'art.

— Je songe à faire effectuer un portrait de Maria... mais je n'ai pas encore choisi le peintre. Reynolds m'a été chaudement recommandé.

— Devonshire House regorge de portraits des filles Cavendish, bien qu'aucune d'elles ne soit d'une beauté étourdissante.

Dorothy se pencha vers Bridget d'un air conspirateur.

— Quand Rachel et Catherine sont venues prendre le thé, je n'ai pu m'empêcher de déplorer qu'elles aient hérité des traits de leur mère. Lorsque le duc l'a épousée, Catherine Hoskyns était très ordinaire, et je pèse mes mots.

— Elle possédait peut-être d'autres attraits, répondit Bridget en riant.

— De l'argent, certes, mais aucune éducation. Son père était un homme d'affaires, un bourgeois. Devonshire avait d'énormes dettes de jeu.

Bridget écouta avec grande attention les commérages de lady Burlington.

Dans le jardin, Beth et Charlie s'en donnèrent à cœur joie. Loin du regard critique de sa mère, Elizabeth se détendit et rit à gorge déployée en voyant Dandy renifler un massif de fleurs et lever la patte.

— Charlie, vous avez de la chance d'avoir un chien. Puis-je le prendre ?

— Bien sûr. Dandy adore qu'on s'occupe de lui.

Beth le souleva et lui permit de lui lécher le menton.

— Je suis si impatiente de me rendre à la soirée de demain. Au départ, les sœurs Cavendish avaient oublié de m'inviter. Je crois que c'est Will qui les a incitées à venir m'apporter une invitation. J'espère que c'est lui ! Je pense à lui sans cesse, avoua Charlie.

— Ont-elles parlé de Will... enfin, de lord Hartington ?

— Oui. Elles ont dit que John Campbell et Will avaient dîné chez elles. Alors je leur ai parlé de vous et de notre soirée au bal. Mère a suggéré de vous inviter à la réception.

— Vous croyez que John Campbell sera présent ? s'enquit Elizabeth, troublée à la perspective de le revoir.

— Naturellement. Will et lui sont les meilleurs amis du monde.

— On dansera ?

— Je n'en suis pas certaine. Il ne s'agit pas vraiment d'un bal, mais d'une réception en l'honneur de Sa Seigneurie. Nous pourrons bavarder à loisir, nous promener dans le parc à la lueur des lanternes... et badiner !

Charlie se mit à murmurer :

— Hier soir, j'ai rêvé de Will... J'ai rêvé qu'il m'embrassait.

Beth ferma les yeux, sans cesser de caresser le petit chien.

— Pour moi, tout est un rêve. Je n'arrive toujours pas à croire que je suis invitée à Devonshire House, demain soir.

Ce soir-là, en se couchant, Elizabeth ne trouva pas le sommeil. Elles étaient rentrées à bord de la voiture des Burlington, ornée de leur blason. Bridget avait habilement déclaré qu'ils avaient commandé un véhicule, mais qu'il ne leur avait pas encore été livré.

Elizabeth songea à sa mère, qui ne manquait pas de ressources. Elle semblait si à l'aise, en compagnie de la comtesse de Burlington. Elle avait même réussi à les faire parrainer chez Almack. C'était un miracle !

Le lendemain matin, au petit déjeuner, la jeune fille était toujours aussi fébrile.

— J'ai demandé à Charlie si nous allions danser. Elle pense que non, mais que nous pourrons flâner dans le parc. Je suis si impatiente de découvrir Devonshire House !

— Tu vas devoir patienter, je le crains, répliqua Bridget.

Elizabeth se tourna vers sa mère.

— Que veux-tu dire ? murmura-t-elle, le cœur serré.

— Tu as donc oublié que nous n'avons qu'une seule robe de bal ? Et c'est Maria qui la portera pour aller à Devonshire House !

7

Elizabeth épingla les boucles blondes de Maria sur le sommet de sa tête, puis dégagea quelques mèches pour encadrer son beau visage, encore plus pâle sous le maquillage.

— Je me réjouis que maman ne t'oblige pas à porter une perruque, ce soir.

— Il me sera plus facile d'attirer l'attention des hommes, acquiesça Maria.

— Tu m'excuseras auprès de Charlie… Dis-lui que j'ai la migraine et implore-la de me pardonner.

— Je n'implorerai pas Charlotte Boyle ! Ce n'est qu'une enfant gâtée. Elle n'aura aucun effort à faire pour trouver un mari. Grâce à la fortune de son père, les prétendants titrés vont affluer. Je ne comprends pas comment tu peux t'entendre avec elle.

Cette véhémence étonna Beth.

— Ce n'est pas de sa faute si son père est comte. Et c'est grâce à notre amitié que nous recevons désormais des invitations.

— Certes, les Burlington sont des relations à entretenir…

— Ce n'est pas la raison pour laquelle je suis l'amie de Charlie. Je l'apprécie sincèrement.

— Aide-moi à enfiler ma robe. Je ne veux pas abîmer ma coiffure.

Elizabeth fit glisser la superbe robe blanche, qu'elle ajusta sur les jupons.

— Tu es magnifique. N'oublie pas ton éventail.

Beth y avait ajouté des rubans de soie.

Maria enfila ses gants.

— Je vais montrer à maman comme je suis belle.

Jack Gunning entra dans la chambre d'Elizabeth, la mine déconfite.

— Je regrette que tu ne sois pas de la fête, ma chérie. Tu es généreuse de permettre à Maria de porter cette robe, ce soir. Nous allons certainement jouer aux cartes. Je te promets de gagner assez d'argent pour t'offrir une robe superbe.

— Tu es très élégant, papa. Amuse-toi bien et ne t'inquiète pas pour moi. Je vais passer la soirée à coudre des jarretières.

La cour de Devonshire House grouillait de véhicules plus somptueux les uns que les autres. Nul ne remarqua que les Gunning étaient venus à bord d'un fiacre. Maria en fut soulagée.

Quoique austère de l'extérieur, Devonshire House était encore plus richement décoré que Burlington House. Toute personne avisée aurait reconnu la demeure du meilleur goût. Suivant les recommandations de sa mère à la lettre, Maria fit une révérence impeccable.

— Lady Rachel, lady Catherine, je suis enchantée de faire votre connaissance.

— Mademoiselle Elizabeth, répondit Rachel, les yeux plissés.

— Euh.., non, intervint Bridget. Il s'agit de ma fille aînée, Maria. Elizabeth n'a pu se joindre à nous.

Rachel toisa la jeune fille d'un œil critique. Dès que les Gunning passèrent au salon en marbre, elle murmura à sa sœur :

— Elle est d'une beauté angélique. Je me demande à quoi peut ressembler l'autre.

Un valet en livrée présenta aux invités des coupes de champagne. Non sans satisfaction, Bridget vit Maria ouvrir son éventail et baisser les yeux en refusant poliment.

Plusieurs messieurs ajustèrent leur monocle pour mieux voir la créature de rêve qui venait de faire son entrée.

— Vous voici enfin ! s'exclama Charlotte Boyle. Où est Elizabeth ?

— Elle vous adresse ses excuses, lady Charlotte, répliqua Bridget.

— Elle ne vient pas ? s'enquit la jeune fille, abasourdie et visiblement déçue.

— Bridget ! John ! lança à son tour la comtesse de Burlington, avant de se tourner vers l'homme qui l'accompagnait. Je tiens à vous présenter les Gunning. Voici Charles Fitzroy, duc de Grafton.

Bridget engagea aussitôt la conversation. Les ducs étaient une denrée rare. Celui-ci n'était plus de première jeunesse, mais il était peut-être veuf.

La comtesse prit le bras de Jack Gunning.

— Puis-je vous indiquer la salle de jeu ? suggéra-t-elle avec un regard entendu.

— Dorothy, vous lisez mes pensées, répondit-il en adressant un clin d'œil à sa femme. Bridget, Grafton, veuillez nous excuser...

Bridget lui fit signe de s'éloigner tandis que Grafton s'éclipsait.

— Ton père peut être très habile, quand il le veut, dit-elle à Maria. Lève ton éventail. Tous les hommes te regardent.

— Ils meurent tous d'envie de m'être présentés, acquiesça la jeune fille en se cachant derrière son éventail.

Bridget remarqua l'air maussade de Charlie.

— Lady Charlotte, vous brûlez sans doute de présenter Maria à vos amis. Allez-y et soyez sages, toutes les deux.

Maria s'éloigna volontiers de sa mère.

— Mademoiselle Gunning ! J'ignorais que vous vous trouviez à Londres, déclara Michael Boyle en adressant un signe à Charlie.

— Maria, vous vous rappelez mon cousin Michael ?

Elle le regarda dans les yeux et lui sourit.

— Je me rappelle vous avoir giflé, monsieur.

— Je suis votre serviteur, répondit-il en lui baisant la main.

— Dans ce cas, allez donc me chercher du champagne.

Michael prit deux coupes sur un plateau et en tendit une à la jeune fille.

— Je te remercie, Michael ! protesta Charlie.

— Je veille sur toi, cousine. Le champagne fait tourner la tête.

— Et te fait oublier tes bonnes manières, apparemment.

Elle prit son courage à deux mains.

— Ton ami Will... lord Hartington, est-il présent ?

— Étant donné que nous sommes à Devonshire House, tu sais parfaitement qu'il est là. En grande conversation avec John et Cumberland.

— Vous voulez dire le duc de Cumberland ? demanda Maria, très impressionnée. Son Altesse royale ?

— Oui. John et lui se sont battus en Écosse, à Culloden.

— Mais ils sont réconciliés, désormais ? demanda bêtement Maria.

Michael en demeura coi. Tant de beauté... et bien peu d'intelligence.

— Boyle, on peut compter sur toi pour t'accaparer la plus belle femme de la soirée... enfin, les deux plus belles, dit un homme en s'inclinant devant lady Charlotte.

— Bonsoir, George. Tu connais ma cousine, mais permets-moi de te présenter Mlle Maria Gunning. Voici mon ami George Norwich, comte de Coventry.

Coventry parut fort impressionné.

— Mademoiselle Gunning, je suis enchanté.

— Coventry ? répéta la jeune fille, ingénue. Vous connaissez lady Godiva ?

Le comte se mit à rire.

— Votre esprit n'a d'égal que votre beauté, mademoiselle Gunning. M'accorderez-vous l'honneur de vous accompagner jusqu'à la salle à manger ?

Cette allusion à lady Godiva lui fit imaginer une femme nue sur un cheval blanc. Il prit la main de Maria et la posa sur sa manche de satin bleu.

Tout en marchant, la jeune fille faisait tournoyer son verre vide.

— Y aura-t-il du champagne dans la salle à manger, lord Coventry ? s'enquit-elle.

— Je l'espère, ma chère. Mais appelez-moi George.

Elle arqua les sourcils.

— Mais nous nous connaissons à peine. Ma mère n'approuverait pas une telle familiarité, monsieur.

— Ah bon ? Vous êtes venue avec votre mère ? demanda le comte, déçu.

— Après le souper, nous pourrions faire plus ample connaissance en nous promenant dans le parc, sous les lampions.

— Votre mère n'approuverait pas, répondit le jeune homme.

— Non, en effet… George, ajouta-t-elle avec un regard de biais.

Sa façon de prononcer son prénom fit aussitôt naître un désir violent chez Coventry.

— Vous avez des cheveux de la couleur du clair de lune, lui dit-il avec un regard appuyé.

Jamais il n'avait effleuré plus belle femme.

John Campbell remercia le fils du roi, le duc de Cumberland, d'avoir placé certaines recrues que son père lui avait envoyées d'Écosse.

— Argyll a financé les études de certains jeunes gens des Highlands, dans la perspective de leur faire intégrer l'armée. La plupart sont d'excellents marins. Seriez-vous disposé à plaider leur cause auprès du roi ?

— J'ai souvent du mal à convaincre mon père pour ce qui est des questions militaires, mais il affirme avoir confiance en mon jugement. Hélas, il écoute également ses ministres qui lui conseillent de pactiser avec l'Allemagne au lieu de recruter des Britanniques. Nous allons devoir lui prouver qu'il a tort.

John se réjouit de la réaction de Cumberland.

— Si j'obtiens une audience privée avec Son Altesse, je ferai de mon mieux pour le rallier à notre cause.

Puis le regard de John se posa sur une dame portant une tiare en diamants, accompagné de son fils.

— Voici la princesse de Galles et l'héritier du trône. George semble avoir quitté l'enfance.

— En effet. Il a quatorze ans et paraît déjà intéressé par les femmes. Le roi ne jure que par lui. Le jeune George n'a aucun défaut.

— Princesse Augusta, dit John en s'inclinant avec respect. Prince George.

Elle sourit à John, mais s'adressa à Cumberland.

— George a besoin d'un peu de compagnie masculine. Il affirme avoir passé l'âge de rester accroché aux basques de sa mère. Veuillez le surveiller, je vous prie.

Tandis qu'elle s'éloignait, l'adolescent déclara :

— Au contraire, c'est la compagnie des femmes que je recherche. Je viens de voir une créature de rêve entrer dans la salle à manger. Son nom est sur toutes les lèvres. Une demoiselle Maria Gunning, je crois. J'aimerais lui être présenté.

John Campbell sentit son cœur s'arrêter de battre. Les sœurs Gunning ne pouvaient se trouver à Londres ! Si Maria était là, Elizabeth l'accompagnait certainement. Il prit congé de Cumberland pour partir en quête de la jeune fille qui lui mettait les sens en émoi. En visitant tous les salons, il s'étonna de son enthousiasme. Son envie de revoir Elizabeth l'emportait sur tout le reste. Elle était la première femme à produire sur lui un tel effet. Ne la trouvant nulle part, il commençait à se dire que le jeune prince s'était mépris, mais soudain il vit Bridget Gunning, en grande conversation avec la princesse Augusta et le duc de Devonshire. Elle portait une superbe robe grise et des plumes noires dans ses cheveux blond vénitien. John fronça les sourcils. Beth lui avait pourtant dit qu'elle n'avait rien d'une débutante et qu'elle envisageait de devenir actrice. Tout cela était incompatible avec les relations cordiales de sa mère avec la famille royale.

Il monta dans la salle à manger, cherchant du regard la femme qui hantait ses rêves. Il reconnut très vite Maria, mais Elizabeth demeurait introuvable. À sa grande surprise, Maria était en compagnie du comte de Coventry.

— Sundridge, permets-moi de te présenter Mlle Maria Gunning, qui vient de Castlecoote, en Irlande, pour la saison.

John s'inclina.

— J'ai déjà eu le plaisir de rencontrer cette jeune fille, George.

Il remarqua la robe coûteuse et l'éventail assorti, qui n'avait rien à voir avec le modeste sarrau de Beth lors de leur rencontre au bord de l'eau.

— Sundridge ? Je croyais que vous vous appeliez John Campbell ! dit Maria.

Coventry s'esclaffa.

— Mlle Gunning a un humour charmant, John.

— Je cherche Elizabeth.

— Ma sœur n'est pas là, ce soir. Elle avait autre chose de prévu.

— Sur la scène de Drury Lane, sans doute.

Il était vexé par le mensonge de Beth.

— C'est un petit jeu auquel Beth adore se livrer avec les hommes, expliqua Maria en riant. Elle prétend vouloir être actrice. En Irlande, elle aimait se promener dans la nature. Mère désespérait de la voir s'assagir. Depuis notre arrivée dans notre résidence de Great Marlborough Street, nous croulons sous les invitations. En dépit de ses taquineries, elle a beaucoup de succès.

— C'est sans doute grâce à ses fantaisies qu'elle a du succès, commenta Coventry.

— Vous avez un message à transmettre à Elizabeth ?

— Non, pas de message, murmura poliment John. Veuillez m'excuser.

Ayant besoin de respirer, il sortit dans le parc. Des couples flânaient sous les lampions dans une atmosphère qu'il trouva soudain trop romantique. Il jura dans sa barbe, pris de l'envie de se rendre sur-le-champ à Great Marlborough Street pour placer Elizabeth Gunning face à ses mensonges. Mais elle n'était pas chez elle, d'après sa sœur. Cette perspective ne fit rien pour améliorer son humeur.

À Great Marlborough Street, Elizabeth regardait par la fenêtre de sa chambre, pensive. Elle aurait dû aller se coucher, car sa famille rentrerait certainement tard de Devonshire House. Mais elle savait qu'elle ne trouverait pas le sommeil. Pour passer le temps, elle avait cousu plusieurs paires de jarretières, mais rien ne parvenait à lui changer les idées. Elle imaginait des pièces somptueuses, des dames vêtues de merveilleuses robes de soirée, de messieurs en habit. Elle devinait la déception de Charlie. Pourvu que, en apprenant sa présence dans la capitale, John Campbell cherche à entrer en contact avec elle ! Peut-être lui adresserait-il un message ?

Les Gunning rentrèrent à minuit. Elizabeth brûlait de curiosité. Sa mère ne se fit pas prier pour lui décrire la soirée dans ses moindres détails, énumérant les personnages illustres avec qui elle avait conversé, gardant le meilleur pour la fin :

— J'ai longuement bavardé avec la princesse Augusta. Je suis sûre qu'elle va nous inviter à Leicester House.

— La princesse de Galles n'est veuve que depuis le début de l'année. Je doute qu'elle reçoive avant la fin de son deuil, fit remarquer Jack.

— Balivernes ! Son fils George sera un jour roi d'Angleterre. Elle n'a sans doute pas pleuré son mari plus de cinq minutes !

— J'ai rencontré le prince George, ce soir. Il avait les yeux rivés sur mon décolleté. Il est très mûr, pour ses quatorze ans. Il interviendra certainement pour me faire inviter à la Cour, annonça fièrement Maria.

— Le prince n'était pas le seul à t'admirer. Tous les hommes présents n'avaient d'yeux que pour toi. Le duc de Grafton, qui est veuf, t'a longuement observée, et tu as conquis le comte de Coventry.

— C'est sûr. Je l'ai informé que j'irais me promener au parc, demain. Je parie qu'il sera là !

— À propos de paris, j'ai eu de la chance au jeu, déclara Jack. J'ai remporté toutes mes parties contre le duc de Grafton. Je crois que je vais pouvoir t'offrir ta robe de bal, Elizabeth.

— Jack, nous avons besoin d'une voiture ! Ainsi, Maria n'aura pas à marcher au parc. Elle pourra se promener comme une jeune fille convenable.

— Bridget, Elizabeth aura dix-sept ans la semaine prochaine. Comment trouvera-t-elle un riche mari, si elle n'a même pas une robe de bal ?

Il adressa un clin d'œil à sa fille.

— La voiture attendra, décréta-t-il.

Beth esquissa un sourire. Pour une fois que son père ne se laissait pas faire. Elle était impatiente de se retrouver seule avec sa sœur pour lui demander des nouvelles de Charlie... et de John Campbell.

— Viens, Maria. Je vais t'aider à enlever ta robe et à te démaquiller.

Dans leur ravissante chambre à coucher, Beth dégrafa la robe blanche et les jupons, qu'elle pendit avec soin dans l'armoire. Puis elle versa de l'eau dans une cuvette et tendit à sa sœur un gant de toilette.

— Je suis trop fatiguée pour me débarbouiller ce soir, dit celle-ci. Je le ferai demain.

— Tu ne devrais pas garder ce maquillage. Tu risques d'abîmer ta peau, répondit Elizabeth en débarrassant Maria de son corset. As-tu vu Charlie ?

— Bien sûr, ainsi que son cousin Michael Boyle. En fait, c'est Michael qui m'a présenté le comte de Coventry. Celui-ci m'a demandé de l'appeler George et m'a escortée dans la salle à manger. Quand nous sommes sortis dans le parc, il était à mes pieds.

— Charlie était-elle déçue de ne pas me voir ?

— Elle semblait bien plus déçue de ne pas être autorisée à boire du champagne. Mais elle pensait surtout à Will Cavendish, lord Hartington. Elle est même partie à sa recherche... Je devrais peut-être attirer l'attention de Will. C'est le prochain duc de Devonshire, et j'adorerais que l'on m'appelle « Votre Grâce ».

Beth fut soudain alarmée. Sa sœur était parfaitement capable d'un tel acte, et elle était bien plus belle que lady Charlotte. Cependant, elle se garda d'exprimer ses pensées. Chercher à dissuader Maria ne ferait que l'encourager, au contraire.

Elle prit son courage à deux mains.
— As-tu vu John Campbell ?
— Naturellement. Il t'a menti, Elizabeth ! Il ne s'appelle pas Campbell, mais John Sundridge. C'est un ami du comte de Coventry, qui nous a présentés l'un à l'autre.
— Sundridge ? répéta Beth, les sourcils froncés. Qu'a-t-il dit, lors de ces présentations ?
— Quand je lui ai dit que tu avais autre chose de prévu pour la soirée, il m'a demandé si tu étais sur scène, à Drury Lane !
Beth rougit.
— Jamais je n'aurais dû lui dire que je voulais devenir actrice, murmura-t-elle, abattue.
— Je lui ai fait comprendre que c'était une idée farfelue, que tu faisais seulement semblant de t'intéresser au théâtre. J'ai ajouté que tu croulais sous les invitations. Il a semblé furieux, mais cela lui apprendra à te mentir.

Cette nuit-là, Beth demeura éveillée longtemps après Maria. Le cœur gros, elle finit tout de même par sombrer dans un sommeil agité…
Elle rêva.
Ils étaient seuls dans une salle de bal.
— Je ne suis pas une débutante, John. Cette robe m'a été prêtée par les costumières du théâtre.
— Je vais vous aider à l'enlever. Ensuite, nous bavarderons.
Ses doigts dégrafèrent la robe, qui tomba aux pieds de la jeune fille. Ses mains possessives se mirent à caresser ses épaules dénudées. Soudain, elle se rendit compte qu'il était nu, lui aussi.
— Nous ne pouvons bavarder, monsieur. Nous sommes nus.
— Si nous ne pouvons bavarder, je me contenterai d'un baiser.
— Je ne vous le donnerai pas !
— Cessez de faire semblant d'être une dame. Vous n'êtes qu'une petite actrice ordinaire.

— Non. Mon intérêt pour le théâtre n'est qu'un jeu.

— Si vous aimez jouer, je connais un jeu auquel nous pourrions jouer tous les deux.

Il la souleva dans les airs, de sorte que ses boucles blondes effleurèrent son torse musclé. Puis il la fit glisser le long de son corps jusqu'au sol et l'embrassa avec ardeur.

Le lendemain matin, de bonne heure, un valet de Burlington House livra un message pour Elizabeth. Sa mère le lui arracha des mains avant qu'elle ne puisse en prendre connaissance.

— Je lirai votre courrier pour m'assurer que tout est convenable, annonça-t-elle en parcourant le message. Il vient de la comtesse. Lady Charlotte regrette que tu ne sois pas venue hier soir, et t'invite jusqu'à la fin de la semaine à Burlington House pour que vous puissiez passer du temps ensemble.

Elizabeth retint son souffle, folle d'espoir, même si elle doutait d'obtenir l'autorisation de sa mère.

— Pas un mot sur Maria, fulmina Bridget. Si vous aviez été conviées toutes les deux, j'aurais accepté avec plaisir...

Elizabeth sentit son cœur se briser.

— Je ne veux pas aller voir Charlie Boyle ! protesta Maria. J'ai dit au comte de Coventry que je me rendrais au parc, aujourd'hui. Et je sais qu'il fera son possible pour s'y trouver aussi.

— Du calme, Maria. Nous irons au parc.

Bridget posa les yeux sur Elizabeth et songea qu'il valait mieux qu'elle ne soit pas auprès de sa sœur quand celle-ci croiserait Coventry.

— Tu vas accepter l'invitation de lady Charlotte, décréta-t-elle. Sinon, nous risquons d'offenser la comtesse.

La jeune fille reprit espoir.

Bridget griffonna quelques mots au bas de la lettre et la remit au domestique qui attendait sa réponse.

— Dites à lady Burlington d'envoyer une voiture chercher Mlle Elizabeth.

Une heure plus tard, Beth pendait la robe qu'elle avait apportée pour le dimanche dans la garde-robe impressionnante de Charlie.

— C'est la robe que vous portiez hier soir ? s'enquit-elle en remarquant une robe blanche.

— Oui, mais j'aimerais en avoir une autre un peu plus colorée. Le blanc, c'est pour les enfants, vous ne croyez pas ? J'ai envie de sembler plus mûre.

— La semaine prochaine, pour mon anniversaire, j'aurai une robe de bal, répondit Beth. Je suis certaine que ma mère choisira du blanc, pour respecter la tradition.

— C'est très... virginal, murmura Charlie en plissant le nez. J'aimerais avoir dix-sept ans, mais je viens à peine d'en avoir seize. Will doit me prendre pour un bébé.

Elle soupira.

— Vous l'avez vu, hier soir ? Êtes-vous allés vous promener dans le parc ?

— Oui. Il m'a invitée à l'accompagner. Il m'a aussi demandé si j'irais me promener cet après-midi.

— Cela signifie qu'il ne vous considère plus comme une enfant.

La comtesse de Burlington passa la tête dans l'entrebâillement de la porte.

— Bonjour, Elizabeth ! Charlie, si tu veux aller dans le parc, il te faudra une nouvelle ombrelle. Aimeriez-vous m'accompagner dans les boutiques, ce matin ?

— Volontiers ! répondit Charlie. Elizabeth pourra m'aider à choisir une robe qui me fera paraître plus mûre. Elle va recevoir une robe de bal la semaine prochaine, pour son anniversaire. Elle en trouvera peut-être une à son goût chez Mme Chloé.

Elizabeth était aussi enthousiaste que son amie à la perspective de visiter les boutiques en vogue. Elle n'avait pas d'argent, mais regarder ne coûtait rien, et c'était tellement agréable !

Mme Chloé vendait toute sorte d'ombrelles destinées à une clientèle fortunée. La comtesse en choisit une en soie noir et blanc, tandis que lady Charlotte préféra un bleu myosotis assorti à sa robe.

— Et vous, Elizabeth ? Laquelle prenez-vous ? s'enquit la comtesse.

— Oh, je ne peux pas, répliqua-t-elle vivement.

— Allons ! Ce n'est qu'une babiole. La rose, peut-être ? Toute jeune fille se doit de posséder une ombrelle rose, qui met le teint en valeur.

— Merci, déclara timidement Beth.

— Lady Charlotte désire une robe qui la fasse paraître plus à la mode, dit la comtesse à la modiste.

Charlie sélectionna deux modèles et emmena Elizabeth avec elle vers le salon d'essayage. Une robe dorée était pendue à une patère.

— Elizabeth ! Cette robe semble faite pour vous ! s'exclama la jeune fille.

Beth effleura le tissu, fascinée au point de ne pouvoir résister à l'envie de l'essayer.

— Elle met en valeur les reflets de vos cheveux. Vous ressemblez à une déesse, assura Charlie. Pour ma part, j'aime beaucoup ce ton pêche. Aidez-moi à l'agrafer.

— Cette couleur s'accorde à merveille à vos cheveux bruns, Charlie. Avec ce drapé de soie, vous paraissez plus grande.

Charlotte alla rejoindre sa mère.

— Elizabeth trouve que je parais plus grande et cette couleur est ma préférée !

— Très bien. Vous m'avez convaincue, toutes les deux. Si tu parais plus grande, tant mieux.

Elle se tourna ensuite vers Elizabeth.

— Ce tissu doré vous sied à ravir. Cette robe vous ferait plaisir ?

— Ah non, madame… balbutia la jeune fille en pâlissant. J'ai suffisamment de robes.

De retour à Burlington House, elles dégustèrent du crabe aux pointes d'asperges, suivi d'un soufflé au fromage.

— Quelle chance, déclara Dorothy Boyle après le dessert. Le soleil est de retour. Je vais faire préparer la voiture ouverte pour votre promenade. Je ne vous accompagnerai pas, au cas où le jeune Hartington ferait une apparition. Ta camériste vous servira de chaperon. À présent, mesdemoiselles, veuillez m'excuser mais j'ai un rendez-vous. N'oubliez pas vos ombrelles.

— Elizabeth, vous êtes si gentille de me tenir compagnie, dit Charlotte. J'aimerais tant avoir une sœur. Maria doit vous manquer.

— Elle ne remarquera même pas mon absence. Elle a un rendez-vous au parc, avec le comte de Coventry, figurez-vous !

De retour dans la chambre, Charlie s'assit à sa coiffeuse pour se poudrer le visage.

— Vous êtes superbe sans fard, mais voulez-vous vous maquiller ?

La jeune fille possédait d'innombrables produits de toutes les teintes. Beth se maquilla les cils et les lèvres, et se poudra le nez.

— La voiture est avancée, mademoiselle, annonça la camériste.

— Emmenons-nous Dandy ?

Beth opina. La domestique alla chercher la laisse du chien.

Les deux jeunes filles s'installèrent dans la voiture avec Dandy et ouvrirent leur ombrelle. Jane, la domestique, s'assit face à elles. Le cocher prit la direction de Hyde Park et s'engagea dans Serpentine Road. C'était un bel après-midi ensoleillé. De nombreuses dames étaient en balade.

Lady Charlotte fut saluée par tous les promeneurs qui la croisaient. Beth attirait les regards. C'était la première fois qu'elle venait dans ce parc très en vogue. Sur le pont qui enjambait la Serpentine, elle cherchait des yeux Maria et leur mère.

Soudain, elle se figea. Will Cavendish venait à leur rencontre, accompagné de John !

8

Ce matin-là, en entrant dans les écuries de Devonshire House, Will avait eu la surprise de constater que le cheval de John était toujours là. Son ami n'était donc pas retourné dans le Kent, à Sundridge. Sans doute avait-il passé la nuit dans sa résidence londonienne de Half-Moon Street. À midi, lorsqu'il vint enfin récupérer son pur-sang, Will l'informa qu'il se rendait à Hyde Park dans l'espoir d'y croiser Charlie. Il l'implora de l'accompagner.

Tandis que les deux cavaliers se dirigeaient au trot vers le pont, Will se tourna vers John, affichant un sourire triomphant.

— Voici Charlotte. J'ai l'impression qu'elle n'est pas seule. N'est-ce pas une jeune fille que tu connais ?

— Tu savais qu'elles seraient ensemble, accusa John. C'est pour cela que tu m'as demandé de venir.

— Je ne savais rien... J'ai simplement tiré mes propres conclusions d'une phrase de Charlotte.

Les deux hommes attendirent que la voiture ait quitté le pont. Charlotte fit signe au cocher de s'arrêter. Will Cavendish approcha sa monture du côté qu'occupait la jeune fille, tandis que John guidait son cheval de l'autre. Il ôta son chapeau.

— Mademoiselle Gunning, déclara-t-il.

Les yeux violets d'Elizabeth lui envoyèrent des éclairs.

— Ma sœur m'a dit que vous vous nommez Sundridge, et non Campbell !

— Je suis John Campbell, baron de Sundridge.

— Vous êtes un noble ? fit-elle, les yeux écarquillés. Je l'ignorais !

— Ce n'est sans doute pas la seule chose que vous ignorez à mon propos.

— Quoi, par exemple ? demanda-t-elle d'un ton plein de défi.

— Je suis militaire, dit-il sans préciser son grade.

J'aurais dû m'en douter, pensa Beth. Il a l'air viril d'un guerrier.

— Vous auriez pu m'en informer, lord Sundridge.

— Vous auriez pu me dire que vos ambitions théâtrales n'étaient qu'un jeu auquel vous aimez vous livrer.

Sous son ombrelle rose, elle était d'une beauté radieuse qui lui tourna les sangs.

Elizabeth battit des cils, puis plongea dans son regard.

— Je suis désolée.

Seigneur, songea-t-il. Si vous aimez jouer, je connais certains jeux auxquels je pourrais vous initier…

— Et si nous faisions une trêve, fière Titania ?

Elle se mit à rire.

— Très bien, Obéron.

Dandy aboya en signe d'approbation, provoquant l'hilarité générale.

Will se pencha en avant pour adresser quelques mots en particulier à Charlie :

— Si vous alliez chevaucher demain de bonne heure, j'en serais ravi.

— Elizabeth séjourne chez moi. Elle appréciera peut-être une promenade à cheval, surtout si nous croisons d'autres cavaliers.

Will lui sourit, comprenant le sous-entendu.

— Je ferai de mon mieux pour le faire rester en ville jusqu'à demain.

Un peu plus tard, tandis que la voiture roulait dans Piccadilly, Charlie demanda :

— Montez-vous à cheval, Elizabeth ?

Perdu dans ses rêves, Beth fit tournoyer son ombrelle.

— Oui, répondit-elle, distraite, imaginant le beau John Campbell en uniforme militaire sur son pur-sang.

— Formidable ! J'ai accepté une invitation à chevaucher à Rotten Row demain matin, lança Charlie, le souffle court.

— Quoi ? s'exclama Beth. Enfin…

Elle avait monté des chevaux de trait en Irlande, mais jamais sur une selle !

— Je… je n'ai pas fait venir mon cheval, ni ma tenue d'équitation.

Elle ne possédait d'ailleurs ni l'un ni l'autre.

Charlie s'esclaffa.

— Nos écuries sont pleines de chevaux… Nous sommes arrivées. Venez, nous allons vous trouver une monture.

Elizabeth était désemparée. Même les facéties de Dandy ne parvinrent pas à la dérider. Cependant, une fois en présence des chevaux, elle sentit son appréhension s'envoler. Très vite, elle se mit à flatter leur encolure.

— Ambre semble vous apprécier, commenta Charlie.

— Elle est superbe. Sa robe est douce comme du satin. Puis-je la monter ?

Elle regarda les selles.

— Je suppose que l'on monte en amazone, à Londres. En Irlande, je montais toujours à califourchon.

— Oh, comme c'est exaltant ! Hélas, nous devrons nous contenter de monter en amazone, à Rotten Row. À présent, nous allons vous chercher une tenue et des bottes.

Debout sur une chaise, Elizabeth attendit qu'une couturière de Burlington House découse l'ourlet d'un habit vert jade appartenant à Charlotte. L'ensemble mettait parfaitement en valeur la silhouette de la jeune fille. Par chance, les deux amies avaient à peu près la même pointure.

Elles dînèrent dans la chambre de Charlotte, car le comte et son architecte, William Kent, avaient un dîner de travail pour peaufiner un projet de nouvelle maison. Ensuite, Charlie fit visiter à son invitée la galerie des portraits et l'emmena dans la bibliothèque. Elizabeth fut impressionnée par le nombre d'ouvrages.

— Je pourrais passer un an dans cette pièce sans manquer de lecture !

Si Beth n'enviait pas les vêtements, les domestiques ou la maison de Charlie, tous ces livres la faisaient rêver.

Elles bavardèrent jusque tard dans la nuit, abordant

notamment la vie à la Cour et Almack. Enfin, Beth se retira dans sa chambre.

Le lendemain matin, une femme de chambre lui apporta le petit déjeuner. Le moment était venu de se préparer pour la promenade à cheval.

Dans le miroir, elle vit que le vert jade lui allait à merveille. Elle releva ses cheveux en chignon et épingla son petit chapeau orné d'une plume. Elle se trouvait très élégante.

Aux écuries, un palefrenier lui amena Ambre. Feignant une assurance qu'elle était loin de ressentir, Elizabeth monta en selle et imita la position de Charlie, avant de prendre les rênes dans ses mains gantées. Le palefrenier les accompagna dans Piccadilly, puis Hyde Park. Au trot, ils gagnèrent l'extrémité du parc. En ce dimanche matin, il n'y avait encore personne, à part quelques rares cavaliers. Elizabeth prit vite confiance en elle. En voyant deux cavaliers venir à leur rencontre, le palefrenier s'éclipsa.

Elle ne s'attendait pas à voir John Campbell mettre pied à terre et lever ses bras puissants vers elle. Il la souleva de selle et la maintint à bout de bras. Il la laissa ensuite glisser vers le sol. Ce contact furtif fit naître en elle un certain trouble.

— Bonjour, ma beauté, murmura-t-il.

Ses lèvres brûlantes frôlèrent sa joue tandis qu'il la dévorait de son regard de braise.

C'était exactement comme dans ses rêves, mais elle était bel et bien éveillée. Soudain, elle rougit et vacilla contre lui. Elle sentit deux mains fermes la retenir, au point qu'elle crut percevoir sa chaleur à travers leurs vêtements.

Ils flânèrent côte à côte, menant leurs montures.

— Beth, je voudrais passer du temps avec vous, et Will veut être avec lady Charlotte, mais une telle rencontre demande de l'organisation et des intrigues, car il faut éviter les commérages.

— Nous avons donc intrigué pour nous voir ce matin ?

— Absolument. Mais, en plein cœur d'un parc, je ne puis que vous faire descendre de cheval. J'aimerais tant me retrouver seul avec vous.

— Ma mère ne le permettrait jamais, monsieur.

Il esquissa un sourire attendri face à son innocence.

— À plusieurs, les choses sont plus faciles. Will a un plan pour la semaine prochaine. Les Boyle possèdent une villa à Chiswick, sur la Tamise. Charlie va inciter sa mère à inviter tout le monde, les sœurs Cavendish, les sœurs Gunning, peut-être la fille Ponsonby, et un nombre équivalent de jeunes gens. La semaine suivante, ce sont les Cavendish qui lanceront les invitations dans leur maison de campagne d'Oxted, dans le Surrey, tout près de ma propriété de Sundridge.

— Nous pourrons être seuls ? C'est un plan très ingénieux. Mais que se passera-t-il si je refuse ces invitations ? plaisanta Beth.

— Vous m'abandonnerez aux griffes de lady Rachel Cavendish qui me poursuit honteusement depuis deux ans.

— Si vous êtes parvenu à lui échapper depuis tout ce temps, je doute que vous risquiez de succomber à son charme, monsieur.

— C'est à votre charme, Beth, que je risque fort de succomber.

C'est moi qui suis en danger, songea-t-elle, et nous le savons tous les deux. Cet homme est si cruel... Depuis le premier regard échangé, c'est moi qui suis en danger.

Rotten Row commençait à être envahi par d'autres cavaliers.

— Je crois qu'il est temps de vous remettre en selle, déclara John.

— C'est la première fois que je monte en amazone, lui confia-t-elle sans trop savoir pourquoi. En général, je monte à califourchon.

Il la prit par la taille et la souleva de terre sans effort, effleurant son corps au passage. En sentant l'intensité de son désir, elle baissa les yeux. Dès qu'elle les rouvrit, John fut saisi par la profondeur de ses prunelles violettes. Il baisa le bout de ses doigts et posa la main sur son cœur.

— Nous nous verrons à Chiswick, déclara-t-il. Ou peut-être avant…

— Peut-être, lord Sundridge, répondit-elle avec un sourire mystérieux.

Sur le chemin du retour, Charlotte expliqua à Elizabeth le plan élaboré par Will.

— Votre mère acceptera-t-elle d'inviter tout ce beau monde à Chiswick ?

— Naturellement ! Mère est un ange. Je crois qu'elle désire secrètement une union entre lord Hartington et moi.

— Je doute que ma mère me laisse aller à Chiswick, à moins que ma sœur Maria ne soit également invitée.

— Nous inviterons Maria, bien sûr. Cessez donc de vous inquiéter, Elizabeth.

Elles arrivèrent à temps pour assister à l'office religieux célébré dans la chapelle de Burlington House. Puis Elizabeth prit congé de son amie. Elle n'avait guère envie de retourner chez elle. Loin du regard implacable de sa mère, elle se sentait plus libre d'être elle-même, de laisser libre cours à son énergie. Comparée à sa mère, lady Boyle était effectivement un ange.

Charlie avait insisté pour lui offrir la tenue vert jade, car cette couleur ne lui seyait guère. En voyant la tenue et l'ombrelle rose, Maria s'emporta.

— Si Elizabeth peut avoir une ombrelle, j'en veux une aussi ! Je ne souhaite pas de tenue d'équitation, car je déteste les chevaux, mais je mérite au moins une ombrelle !

— Nous irons bientôt faire des courses, promit Bridget. En attendant, je suis sûre que ta sœur te prêtera son ombrelle. À présent, Elizabeth, raconte-nous en détail ce que vous avez fait à Burlington House.

Beth savait d'avance que sa mère allait lui reprocher sa promenade en voiture à Hyde Park, alors que Maria et elle avaient dû se contenter de marcher. De même que la promenade matinale à cheval. Au fil des années, la jeune fille avait appris à se protéger en se montrant sélective.

— Hier soir, nous avons passé un long moment dans la bibliothèque de Burlington House. Ils possèdent tant de livres !

Elle vit Maria hausser les épaules, puis reprit :

— Ce matin, nous avons assisté à la messe, dans la chapelle familiale.

— Il est étonnant que tu ne sois pas morte d'ennui, commenta Maria. Pour ma part, lors de ma promenade dans Hyde Park, j'ai naturellement croisé le comte de Coventry. Il nous a invitées à faire un tour dans sa calèche. Maman a habilement placé que nous allions au théâtre demain soir, et chez Almack mercredi.

— Nous ne pouvons pas être certaines qu'il viendra au théâtre, Maria. N'oublie pas que la session parlementaire commence demain, prévint Bridget.

— Quel rapport avec le comte ? s'enquit Maria.

— En tant que comte de Coventry, il a un siège à la Chambre des lords.

— Je ne peux porter la même robe pour aller au théâtre et chez Almack, reprit la jeune fille.

— Pour mon plan, il est primordial que nous allions toutes les trois au théâtre, demain soir. Mary a laissé un rouleau de brocart superbe. Il ne devrait pas être difficile de coudre des capelines de soirée. Nul ne saura ce que nous cachons sous ces capelines, si nous ne les quittons pas de la soirée. Maria pourra porter la robe de bal pour aller chez Almack, mercredi.

La gorge nouée, Elizabeth prit son courage à deux mains :

— Mercredi est le jour de mon anniversaire... Ma nouvelle robe sera-t-elle prête à temps ?

— Ah, Elizabeth, j'ai oublié de te dire... Je crains que nous n'ayons pas les moyens de t'offrir cette robe, pour l'instant. Ton père a eu un coup de malchance et nous avons d'autres frais, comme l'emploi d'une domestique. C'est indispensable pour assurer votre avenir. À propos d'anniversaire, j'ai décidé que tu auras dix-sept ans, mais que Maria aura encore dix-huit ans pendant un an. Dix-sept et dix-huit ans, voilà l'âge idéal pour se marier.

À dix-neuf ans, on donne l'impression d'être désespérée de trouver un mari.

Comment diable peut-elle également contrôler notre âge ? songea Beth. Toutefois, elle se garda de protester, sachant que cela ne servirait à rien...

Ce soir-là, dans leur chambre à coucher, Maria admira la capeline que Beth avait cousue pour elle et fit tournoyer l'ombrelle devant le miroir.

— Maman croit m'apprendre à manipuler les hommes, dit-elle en riant. Mais je sais déjà comment les faire manger dans ma main.

Elle fit à sa sœur une démonstration avec le manche de l'ombrelle.

— C'est bien plus rapide et plus efficace que de parler politique.

Elizabeth rougit violemment. Grâce à son contact intime avec John, elle savait à quoi sa sœur faisait allusion.

— Fais attention. Maman veut des demandes en mariage, pas des propositions indécentes.

— Espèce de sainte-nitouche. Tu veux me donner des leçons sur les demandes en mariage ? J'ai déjà un comte en vue... Et j'ai l'intention d'attendre plusieurs touches avant de le laisser mordre à l'hameçon.

— Je suis impatiente de le rencontrer, ton comte. Est-ce qu'il fait battre ton cœur ? Est-ce que tu as les jambes qui tremblent quand il te touche ?

— Bien sûr que non ! Je pense à lui en tant que mari, pas en tant qu'amant. C'est la perspective de devenir comtesse qui me fait battre le cœur. Duchesse serait encore mieux ! La simple pensée que l'on puisse m'appeler « Votre Grâce »...

Cette nuit-là, dans son rêve, Beth se retrouva seule avec John Campbell.

Il la souleva de sa selle et elle fondit sur lui dans un froufrou de jupons. Captive de ses bras, elle posa la main sur son membre gonflé de désir et referma les doigts.

— Tu te comportes comme une catin ! Est-ce là un de tes petits jeux, Elizabeth ? demanda-t-il.

— Je ne suis pas une catin ! Je suis une jeune fille convenable !

— Tu es une actrice qui fait semblant d'être une dame. Tu arrives peut-être à tromper les autres, mais je ne suis pas dupe. Je connais tous tes secrets inavouables, Elizabeth Gunning !

Le lendemain matin, Bridget quitta la maison de bonne heure. Une journée chargée s'annonçait. D'abord, elle devait passer à l'agence de placement pour engager une femme de chambre. Elle fut introduite dans une pièce où plusieurs jeunes femmes pleines d'espoir attendaient de trouver un employeur.

De son œil critique, Bridget les toisa. Elles semblaient toutes issues du même moule : douces, aimables et mal dégrossies. Elle avait une idée précise de ce qu'elle cherchait. Aucune ne faisait l'affaire. Elle s'en alla et se dirigea vers Drury Lane, à l'agence de placement des théâtres où les acteurs venaient proposer leurs services en tant que figurants ou seconds rôles. Peg Woffington et elle-même y avaient passé des heures, durant leur jeunesse.

— Je cherche quelqu'un qui pourrait jouer le rôle d'une femme de chambre.

Plusieurs jeunes femmes se levèrent.

— Il ne s'agit pas de jouer sur scène, expliqua-t-elle. Je cherche une personne de confiance qui devra fréquenter la noblesse, voire la famille royale.

Les douze actrices restèrent debout. Bridget les observa avec attention. Elle souhaitait une femme d'une trentaine d'années, assez ordinaire sans être laide. Elle devait sembler autoritaire, voire un peu dédaigneuse.

— Vous devrez être la dame de compagnie de deux jeunes filles très belles, durant la saison d'hiver. Il faudra être capable de résister au moindre affront et me faire un rapport sur tout incident qui pourrait survenir.

Bridget sélectionna trois candidates et leur posa des questions pour jauger leur élocution. Elle se décida pour une femme assez grande et plate, qui se tenait très droite et gardait la tête haute.

— Vous serez payée cinq shillings par semaine et vous logerez à Great Marlborough Street. C'est d'accord ?

— Oui, madame, dit la femme en faisant une révérence.

— Vous commencez aujourd'hui. On vous appellera Emma. Attendez un instant.

Bridget se dirigea vers les acteurs réunis à l'autre extrémité de la salle.

— J'ai besoin d'un groupe pour une scène de foule, ce soir, devant le théâtre de Drury Lane. Vous serez payés six pence chacun. J'arriverai pour assister au spectacle, accompagnée de deux superbes jeunes filles. Lorsque nous descendrons de voiture, il faudra nous entourer et vous bousculer pour voir les deux jeunes beautés. Je n'ai pas à vous donner davantage de précisions, je suppose.

Bridget ouvrit son réticule et en sortit des pièces de monnaie qu'elle distribua.

— Si vous travaillez bien, je ferai encore appel à vous dans peu de temps.

Elle rejoignit son employée.

— Venez, Emma. Nous allons voir mon amie Peg Woffington. Ce sera pour vous une sorte d'audition.

Une fois au théâtre, Bridget frappa à la porte de la loge de son amie. Dora vint lui ouvrir.

— Je viens te souhaiter bonne chance !

— Entre donc et assieds-toi un instant, répondit Peg.

Emma lui emboîta le pas, s'efforçant de ne pas regarder trop fixement la grande vedette.

— Puis-je prendre votre cape, madame ?

— Non merci, Emma. Je ne vais pas m'attarder.

— Nous jouons une pièce assez sulfureuse, ce soir, en l'honneur de l'ouverture de la session parlementaire. Les critiques diront que mon jeu est un peu exubérant, mais je préfère y voir du dynamisme.

— Mes filles et moi viendrons te voir, Peg. Tu sais, elles font sensation partout où elles passent, ajouta-t-elle avec un clin d'œil.

— Vous êtes des petites futées. Les critiques font en général un rapport détaillé de ce qui se passe le soir de la première. Prends garde, ou le nom de Gunning sera bientôt aussi célèbre que celui de Woffington.

Bridget sourit.

— Nous partons. La garde-robe d'Emma fait pitié. Je vais devoir lui trouver des uniformes dignes de ce nom.

Elle emmena Emma dans une boutique de vêtements d'occasion, où elles choisirent une robe simple en soie noire et une grise. Bridget acheta également une cape noire.

— Venez dès maintenant à Great Marlborough Street. Ce soir, vous aiderez mes filles à s'habiller et à se coiffer.

Le jour de l'ouverture du Parlement, les membres ne faisaient pas grand-chose. Ils se saluaient, prenaient des nouvelles des uns et des autres, toisaient leurs adversaires, jaugeaient la santé de certains.

Le comte de Coventry brûlait de revoir son ami le duc de Hamilton.

— James, tu as vraiment une sale tête aujourd'hui. Une nuit éprouvante, peut-être ?

— En fait, je ne m'en souviens pas, avoua Hamilton. Je me suis réveillé ce matin à Pall Mall. D'après l'addition qui m'a été présentée, j'ai beaucoup consommé, et pas seulement de l'alcool.

— Retrouvons-nous comme d'habitude au Bucks, à Parliament Square, après les débats.

— Pourquoi pas ? J'aurai besoin d'un petit remontant.

Deux heures plus tard, James Hamilton entra dans le café enfumé et s'installa à la table où l'attendait Coventry.

— Qui est venu à Devonshire House, vendredi soir ? Les têtes habituelles, je suppose ?

— Tu vas te mordre les doigts de ne pas être venu, James.

— Pourquoi, je te prie ? fit Hamilton en étouffant un bâillement.

— J'ai été officiellement présenté à Mlle Maria Gunning ! Tu me dois dix guinées, James.

Soudain, Hamilton perdit son air blasé.

— Espèce de fouine ! Tu savais qu'elle serait présente ?

— Je l'ignorais, je te le jure. C'est la plus belle créature que j'aie jamais vue !

— L'as-tu touchée ?

— Je doute que l'un d'entre nous gagne ce pari de sitôt. Sa mère la surveille de près.

— Je devrais peut-être tenter ma chance auprès de la mère, fit Hamilton, qui ne plaisantait pas totalement.

— C'est une belle femme, mais très autoritaire. Quand je les ai rencontrées à Hyde Park, samedi, je les ai invitées à faire un tour. La mère tient sa fille en laisse.

— Elle en a une autre, non ? s'enquit Hamilton d'un ton songeur.

— Elizabeth... Encore plus jeune. Les Gunning seront à Drury Lane ce soir.

— Dans ce cas, nous y serons aussi, George.

9

Parées de la même cape dont le bleu saphir contrastait avec leur coiffure, Elizabeth et Maria se soumirent à l'inspection critique de leur mère et d'Emma.

— Je crois qu'il vous faut des loups, déclara Bridget en ouvrant une malle pour en sortir deux petits masques sur un long manche fin. Mais ne couvrez pas vos visages. Je tiens à ce que tous les spectateurs présents puissent vous admirer à loisir. Les loups vous serviront d'accessoires. Qu'en pensez-vous, Emma ?

— C'est époustouflant, madame.

— Tel est précisément l'effet recherché. Maria, Elizabeth, tenez-vous bien ce soir, ordonna-t-elle.

Une demi-heure plus tard, devant le théâtre, la rue grouillait de monde. Les soirées de première suscitaient toujours une grande curiosité. L'élite était au rendez-vous. Bridget descendit la première du véhicule somptueux. Dès que Maria posa un pied à terre, les cris fusèrent.

— Ce sont les sœurs Gunning !

— Vraiment ?

— Regardez ! Ce sont elles !

Ces exclamations s'accompagnèrent d'une grande agitation. Les gens se bousculaient, se disputant pour mieux voir les deux jeunes filles. Très vite, la curiosité dégénéra en émeute.

Coventry et Hamilton venaient d'acheter leurs places quand ils entendirent les cris.

— Que diable se passe-t-il ? s'étonna Hamilton. Ces fauteurs de trouble méritent d'être fusillés !

Coventry aperçut alors une crinière blonde.

— James, ce sont elles... Les filles Gunning ! Seigneur, elles vont être piétinées.

Hamilton brandit sa canne au pommeau d'argent.

— Écartez-vous ! Allons, circulez !

Ils parvinrent à se frayer un chemin parmi la foule pour permettre aux sœurs Gunning de passer.

— Lord Coventry ! Comment vous remercier d'être venu à la rescousse ? Nous n'aurions jamais dû nous aventurer ici. Mes filles ne peuvent plus faire la moindre apparition en public sans provoquer une émeute !

Elizabeth dévisagea lord Coventry, l'homme que Maria prétendait avoir pris dans ses filets, puis son regard fut attiré par celui qui l'accompagnait. Il la fixait ouvertement, sans chercher à masquer son intérêt. Beth baissa les yeux, mais les releva aussitôt, pour croiser le regard inflexible du jeune homme. Ses yeux noisette la dévoraient. Elle leva son loup pour se protéger.

— Entrons dans le théâtre, loin de cette foule déchaînée, suggéra Coventry.

Dans le foyer, les deux sœurs ne manquèrent pas de provoquer des messes basses.

— Nous avons une loge. Accepteriez-vous de vous joindre à nous, dans un souci de sécurité, bien sûr ? proposa Hamilton.

Bridget arqua les sourcils.

— Je ne crois pas, monsieur. Dans une loge, mes filles seront d'autant plus exposées à la curiosité du public.

— Permettez-moi de vous présenter mon ami James Douglas, duc de Hamilton, dit Coventry. Voici Mme Bridget Gunning, sa fille Maria et, je suppose, sa fille Elizabeth.

— Votre Grâce, je suis enchantée.

Hamilton crut bon d'insister.

— Je vous en prie, madame. Vous serez bien plus en sécurité dans notre loge que dans la salle.

— Vous êtes trop aimable, Votre Grâce, répondit-elle en inclinant la tête.

Ce fut sa première concession. Pourvu que ce ne soit pas la dernière, songea-t-il.

Une ouvreuse les accompagna vers la loge avec la déférence due aux deux aristocrates. Maria y pénétra avant les autres et s'installa au premier rang, comme si elle se trouvait chez elle. En retrait, Elizabeth attendit les instructions de sa mère et, docile, s'assit. Lorsque le duc proposa de prendre sa cape, elle refusa poliment.

Rajustant d'une main sa coiffure, Maria scruta la foule. De nombreux spectateurs l'observaient avec curiosité. Sa beauté faisait sensation, et cette attention lui plaisait énormément. En revanche, Elizabeth avait des doutes. Elle soupçonnait sa mère d'avoir organisé cette émeute, voire cette rencontre avec un duc. Lord Hamilton et Bridget se ressemblaient. Ils avaient la même volonté de fer et aimaient diriger.

Dès le lever du rideau, la jeune fille ne vit plus que Peg Woffington. La pièce était une farce qui brocardait les travers de la haute société. Au milieu du premier acte, Beth se laissa aller à rire.

James Hamilton ne la quittait pas des yeux. Sa beauté éclipsait assurément celle d'Elizabeth Chudleigh, son ancienne fiancée. La jeune fille possédait un air de candeur et de chasteté irrésistible. Sa sœur aussi était superbe, mais trop sûre d'elle, ce qui ternissait son charme. Des deux, il serait plus facile de coucher avec Maria. Le défi était moins exaltant. Soudain, James Hamilton ressentit pour Elizabeth un désir irrépressible.

À la fin du premier acte, avant que la lumière ne se fasse, Beth sentit le regard insistant du duc. La peur lui noua les entrailles. Mais quand elle reconnut les occupants de deux loges situées de l'autre côté de la salle, toute anxiété s'envola. La comtesse de Burlington et lady Charlotte côtoyaient les sœurs Cavendish, accompagnées de leur frère William, lord Hartington. Elle fut déçue de ne pas voir John.

Charlie lui adressa un signe de la main. Elle allait lui répondre lorsqu'elle croisa le regard furieux de Bridget, comme si elle allait commettre un impair impardonnable.

— Une jeune fille convenable n'attire jamais l'attention sur elle, Elizabeth.

Beth baissa les yeux. Quelle hypocrisie, songea-t-elle, alors que sa mère faisait tout pour que les gens remarquent ses filles, au point de les exhiber dans la loge d'un comte et d'un duc.

Quand les lumières se tamisèrent enfin, elle sentit une main se poser sur la sienne. Elle leva vivement les yeux, pour croiser le regard du duc. Elle piqua la main du jeune homme du manche de son loup. Au lieu de la lâcher, Hamilton prit plus fermement sa main dans la sienne. Elle le foudroya du regard, mais il sourit. Il tenait à imposer son pouvoir.

Le spectacle en fut gâché, car Beth était incapable de se concentrer sur autre chose que la présence oppressante de Hamilton.

Lorsque ensuite sa mère déclina sa proposition de les reconduire chez elles, elle poussa un soupir de soulagement.

— Je vous remercie, mais nous allons nous joindre à notre amie lady Burlington. Nous devons mettre au point nos projets pour nous rendre chez Almack, mercredi soir.

Bridget Gunning prit congé des deux jeunes gens, tandis que ses filles faisaient la révérence.

Dorothy Boyle salua chaleureusement Bridget.

— Le nom des Gunning est sur toutes les lèvres, ce soir. Les gens se battaient uniquement pour vous apercevoir.

— Sans l'intervention du duc de Hamilton, j'ignore ce que nous serions devenues.

— Nous donnons une fête dans notre maison de Chiswick, à la fin de la semaine. Les invitations de Maria et Elizabeth sont parties, mais je tenais à vous rassurer : je chaperonnerai vos filles à tout moment. N'ayez aucune inquiétude.

Elle lui adressa un clin d'œil.

— Tous les jeunes gens présents seront très bien nés.

Bridget pinça les lèvres. Dorothy venait de l'informer que ses filles étaient invitées, mais pas elle. C'était ainsi que les choses se passaient dans les familles nobles. Mieux valait l'accepter. Quoi qu'il en soit, Emma serait présente à Chiswick.

De retour à Great Marlborough Road, Elizabeth attendit de se retrouver dans sa chambre avec sa sœur.

— J'aime bien le comte de Coventry. De toute évidence, il est prêt à ramper à tes pieds.

— Je préfère de loin ton duc à mon comte. Je vais peut-être te le subtiliser.

— Ce n'est pas mon duc ! protesta Beth. Coventry est bien plus agréable.

— Mais moi, je préfère devenir duchesse que comtesse. Et il doit être plus amusant de harponner un duc qu'un comte.

— Il ne s'agit pas d'un jeu, Maria.

— Entre un homme et une femme, tout n'est que jeu. Et je compte bien gagner, car c'est moi qui fixe les règles.

C'est maman qui mène le jeu, songea Beth.

— Tu ne devrais pas monter deux amis l'un contre l'autre.

— Pourquoi pas ? J'adore voir deux hommes se battre pour moi. Ce soir, ma beauté a provoqué une émeute ! s'exclama Maria, ravie.

Sa vanité l'aveugle, se dit sa sœur. Elle ne voit pas les manipulations de notre mère.

— Chez White's ou au Kit-Cat Club ? demanda Hamilton à Coventry, avant de monter en voiture.

— Dépose-moi chez moi, si tu veux bien, James. Je dois préparer mon discours pour demain à la Chambre.

— Bolton Street ! ordonna Hamilton à son cocher avant de s'asseoir à côté de son ami.

— Alors, qu'en dis-tu ? demanda George, impatient.

— Les Gunning sont sublimes ! Tu n'avais pas exagéré. Tous les hommes présents n'avaient d'yeux que pour elles. Dommage que leur mère soit un véritable dragon ! Elle est consciente de la valeur de sa marchandise, on dirait.

Ils arrivèrent vite à destination.

— On se voit chez Almack, James ? s'enquit Coventry.

— Chez Almack ? Plutôt être brûlé vif !

À Sundridge, John Campbell, qui était en proie à un cruel dilemme depuis deux jours, finit par convoquer son secrétaire.

— Robert, que diriez-vous d'un petit séjour en Irlande ? J'ai besoin de certaines informations et je sais pouvoir compter sur votre discrétion.

— Je suis à votre disposition, lord Sundridge, fit Hay avec un sourire. Il n'y aura pas de tempête sur la mer d'Irlande jusqu'à fin octobre.

— Vous irez dans le comté de Mayo pour vous renseigner sur Theobald Burke, vicomte de Mayo, et plus précisément sur sa fille Bridget.

Hay prit quelques notes.

— Ensuite, vous irez dans le comté de Roscommon pour vous renseigner sur la famille de Jack Gunning, propriétaire de Castlecoote.

— Désirez-vous savoir quelque chose en particulier, monsieur ?

— Rien de particulier : leurs relations, leur statut, leur réputation, ce genre de choses. Inspectez le domaine, voyez ce qu'il vaut.

John prit l'invitation qu'il venait de recevoir pour se rendre à Chiswick et chassa son sentiment de culpabilité.

Le mercredi, en ouvrant les yeux, Elizabeth songea qu'elle avait enfin dix-sept ans. Ensuite, elle se dit qu'elle allait revoir John Campbell à la fin de la semaine, à Chiswick. Ces deux perspectives l'enchantaient.

Maria avait oublié l'anniversaire de sa sœur. Lors du petit déjeuner, elle ne parla que de la soirée chez Almack.

— Savais-tu qu'il est de rigueur d'arriver là-bas après onze heures ? Pourrai-je rester jusqu'à l'aube, maman ?

— Nous prendrons exemple sur la comtesse de Burlington. Quand elle aura décidé qu'il est temps pour lady Charlotte de se retirer, nous partirons. Ainsi, elle nous raccompagnera, puisque nous n'avons toujours pas de voiture... Jack, te voilà ! Il y a une salle de jeu, chez Almack. Tu comptes te joindre à nous ?

— Non. J'ai l'intention d'inviter Elizabeth à sortir, en l'honneur de son anniversaire, répondit-il en déposant un baiser sur les boucles blondes de sa cadette, tout en lui remettant un rouleau entouré d'un ruban. Bon anniversaire, ma beauté. Je regrette de ne pas avoir pu t'offrir cette robe de bal dont tu rêvais.

Elizabeth déroula le document et afficha un large sourire.

— C'est mon horoscope ! Comme c'est gentil... Merci, papa !

— Chacun sait que les natifs de la Vierge sont des modèles de vertu, railla Maria. Sans parler de leur sagesse, de leurs bonnes manières.

— Maria, tu ne devrais pas mépriser ces qualités, gronda son père. Les messieurs les apprécient beaucoup chez une jeune fille. Allez, ma beauté, lis donc à voix haute.

Elizabeth fit une grimace à sa sœur et se mit à lire :

— Les natives de la Vierge sont consciencieuses, pleines de tact, attentionnées et sincères. Elles sont également ponctuelles, discrètes, dignes de confiance. Elles aiment les animaux, la nature et la poésie. Modestes et effacées, elles savent demeurer très féminines.

— Assez ! Décris-nous plutôt tes défauts, Elizabeth ! intervint Bridget.

— La native de ce signe peut être arrogante et imposer ses exigences aux autres. Elle est fragile sur le plan nerveux, et susceptible. Pour s'épanouir, elle a besoin d'harmonie et de tranquillité. Volontiers rêveuse, elle se laisse aller à la distraction, ce qui peut agacer son entourage.

— Je dois dire que c'est vrai, déclara Bridget. Tu as vraiment le don de jouer avec ma patience, parfois.

Le valet apparut sur le seuil de la salle à manger.

— On vient de livrer cette boîte, madame. Pour Mlle Elizabeth.

Bridget s'en empara et dit au domestique de disposer. Jack fit signe à sa femme de remettre la boîte à sa fille, ce qu'elle fit à contrecœur.

Beth lut la carte.

— C'est un cadeau d'anniversaire de la part de Charlie !

Elle ôta le papier d'emballage et souleva doucement le couvercle. L'espace d'un instant, elle n'en crut pas ses yeux. C'était la robe de bal en tissu doré qu'elle avait essayée chez Mme Chloé.

— Oooh... souffla-t-elle, ravalant ses larmes.

— Mon Dieu ! s'exclama Jack. Elle doit coûter une fortune.

— Pour ces gens-là, l'argent n'a aucune importance, commenta Bridget. Tu comprends pourquoi je suis décidée à te faire épouser un homme riche ? Même si je dois me sacrifier ?

— Je veux la porter pour aller chez Almack ! déclara Maria, incapable de dissimuler sa jalousie.

— Tu la porteras, mais pas ce soir, Maria. Après tout, c'est l'anniversaire d'Elizabeth.

— Désormais, nous pouvons tous aller chez Almack, et je sens que je vais gagner une fortune ! dit Jack avec un sourire radieux.

Les deux sœurs passèrent l'après-midi à se préparer. Bridget savait que leurs chevelures magnifiques attireraient tous les regards. Il était hors de question de les cacher sous une perruque. Emma se révélait une excellente coiffeuse. Elle coiffa Maria de façon à mettre en valeur la finesse de son cou. Pour Elizabeth, elle laissa cascader les boucles dorées dans son dos.

Peu après onze heures, la famille descendit d'un cabriolet de location et pénétra chez Almack. Leur entrée fit sensation, au risque de contrarier les autres débutantes. Quant à leurs mères, elles dissimulaient avec peine leur ressentiment. Les deux jeunes beautés faisaient tourner la tête de tous les hommes.

Dorothy Boyle présenta Bridget à Sarah Jersey et Emily Cooper, les responsables de l'établissement, puis elle prit le bras de Jack.

— Jack, la salle de jeu vous attend, déclara-t-elle en riant. Cela devient décidément une habitude. Dommage que nous nous croisions toujours en public, et jamais en privé...

— Je vous suis, ma chère, répondit-il en pressant sa main dans la sienne.

— Promis ? le taquina-t-elle.

Ce n'était pas la première fois qu'une dame du monde lui faisait des propositions à peine voilées. D'ailleurs, il aimait plaire aux dames. Repousser la comtesse ne lui attirerait que des ennuis et réduirait à néant les ambitions de ses filles.

— Peut-être... souffla-t-il en portant ses doigts à ses lèvres.

En redescendant, Dorothy vit arriver William Cavendish en compagnie de ses sœurs.

— Lord Hartington ! Comme c'est agréable de voir un frère aussi dévoué.

— Je vous en prie, lady Burlington, appelez-moi Will.

Il s'inclina et reprit :

— Mes sœurs me fournissent un prétexte idéal pour croiser lady Charlotte. Où est-elle donc ?

— Charlie et les sœurs Gunning sont encerclées par une foule d'admirateurs. Si vous ne vous hâtez pas, son carnet de bal sera plein.

Will s'éloigna vivement, laissant Rachel et Catherine Cavendish à leur triste sort.

— Lady Burlington, j'espère qu'il fera aussi beau et chaud jusqu'à la fin de la semaine. Nous sommes impatientes de nous rendre à Chiswick.

— Septembre est un mois délicieux. J'ai invité Orford, mais aimeriez-vous voir une personne en particulier, lady Catherine ?

Catherine rougit. Sa sœur Rachel vint à son secours.

— Si vous conviez Harriet Ponsonby, son frère Johnny l'accompagnera peut-être...

Ainsi, Catherine Cavendish avait le béguin pour John Ponsonby, un homme dénué de titre... Sa mère en serait malade, mais lady Burlington vit une occasion de gagner sa gratitude éternelle.

— Les Ponsonby sont nos voisins, à Chiswick. Leurs invitations sont déjà parties.

Du moins partiront-elles dès mon retour à la maison, songea-t-elle.

En entrant dans la salle de bal, Rachel fut contrariée de voir le comte d'Orford en admiration devant Maria Gunning.

— J'ai décidé que cela faisait assez longtemps que je me languissais de John Campbell, murmura-t-elle à Catherine. Dorénavant, je vais me consacrer à Orford.

Se disant qu'un comte n'était pas digne d'elle, Maria Gunning faisait de son mieux pour éviter George. Elle badina avec tous les jeunes gens qui l'entouraient, sauf le comte de Coventry. Dépité, il finit par rejoindre Elizabeth, elle-même entourée de sa cour qui lui souhaitait un bon anniversaire. Il salua son ami Will et l'envia d'être l'objet de l'adoration manifeste de Charlotte Boyle.

— Bonsoir, George. J'ai l'impression que tout le monde est de sortie, ce soir.

Coventry retrouva le sourire.

— Ils ont raison. Même Hamilton a daigné se déplacer, malgré ses affirmations de l'autre jour. Il se trouve dans la salle de jeu.

George donna un coup de coude au jeune homme qui parlait avec Elizabeth.

— Me ferez-vous l'honneur de cette danse, mademoiselle Gunning ?

— Je suis navrée, lord Coventry, la prochaine danse est réservée. Mais je vous promets la suivante, dit-elle avec un sourire.

— Je crois que le carnet de bal de ma sœur Catherine n'est pas encore complet, George, intervint Will.

— Vraiment ?

Une fille Cavendish, même si elle n'était pas d'une beauté ravageuse, était toujours un beau parti.

Elizabeth resta en piste pour douze danses d'affilée. Dans sa robe dorée, elle se sentait très belle. Elle n'avait cessé de remercier Charlie pour ce cadeau. Elle s'amusait beaucoup. Elle regrettait simplement que John Campbell ne soit pas là pour la voir danser et l'inviter.

George Coventry et Will Cavendish accompagnèrent ensuite Elizabeth et Charlotte dans la salle à manger. Les jeunes filles burent une liqueur d'amande tandis que les hommes buvaient du sherry. Les hommes ne semblaient guère enthousiasmés par les sandwichs et les pâtisseries. Charlie rit de bon cœur et leur promit des repas plus copieux à Chiswick.

Vers deux heures du matin, Jack Gunning quitta la salle de jeu en compagnie du duc de Hamilton. Jack avait perdu presque tout son argent face à ce joueur expérimenté. Puis, une heure plus tôt, lorsque le duc avait appris qu'il se nommait Gunning, sa chance avait tourné et Jack s'était refait.

Maria reconnut le duc de Hamilton dès qu'il entra dans la salle de bal. Elle guettait son arrivée.

Elle le rejoignit et effleura sa main.

— Votre Grâce, murmura-t-elle d'une voix langoureuse, avec un regard provocant. Cela fait trois heures que je vous attends.

Il la toisa de ses yeux noisette.

— Mademoiselle Gunning, je vais être très clair, afin que vous ne perdiez pas davantage de temps. Je ne suis pas à la recherche d'une duchesse. Cependant, une liaison me tenterait beaucoup, et je suis à votre disposition.

Maria en eut le souffle coupé.

— Vous êtes ivre, monsieur !

— Après minuit, je le suis toujours, ma chère, répondit-il en s'inclinant.

Elle tourna les talons et s'éloigna avec dédain. Partie en quête de Coventry, elle le trouva sur le point de danser avec Elizabeth. Elle posa une main possessive sur son bras.

— Je vous ai honteusement négligé ce soir, lord Coventry, mais je suis libre pour cette danse.

Elizabeth vit le comte tiraillé entre son désir pour Maria et son devoir envers elle.

— Dansez donc avec Maria, lui dit-elle, gracieuse. Pour ma part, je vais inviter mon père.

Jack prit la main de sa fille et l'entraîna sur la piste.

— Bon anniversaire, Beth. Tu es la plus belle, ce soir.

— C'est grâce à la robe, papa, répliqua-t-elle en riant.

— Pas du tout, ma beauté.

La jeune fille avait l'impression étrange d'être épiée. Elle scruta les alentours, mais ne vit personne. Elle avait du mal à se concentrer sur la musique. Elle ressentit même des picotements sur la nuque. En parcourant une nouvelle fois la salle du regard, elle le vit, derrière une colonne. Le duc de Hamilton. Fasciné, il la suivait des yeux, au point qu'elle en eut des frissons.

— Nc me dis pas que tu as froid ? s'étonna Jack. Il fait très chaud, ici.

— Non, je suis juste un peu fatiguée, papa.

— Allons retrouver ta mère. Je crois qu'il est temps de rentrer à la maison.

— Merci, papa, répondit-elle avec un sourire.

10

Le lendemain, Elizabeth et son père se trouvaient aux écuries où les résidents de la rue abritaient leurs chevaux. C'était l'un des rares lieux où Jack et sa fille favorite pouvaient se retrouver seuls, car Bridget et Maria n'aimaient guère les chevaux.

— Dimanche, j'ai fait un tour à Hyde Park, avec Charlie. Elle m'a laissée monter une de leurs juments. C'était la première fois que je montais en amazone, mais je n'ai éprouvé aucune difficulté.

— Tu aimerais emmener ta propre monture à Chiswick ?

— Tu veux dire Cavalier ?

Elizabeth avait succombé au charme du cheval dès le premier coup d'œil, le jour où son père l'avait ramené du Cambridgeshire.

— Ce serait merveilleux, mais nous partons dans la voiture de Charlie, demain à dix heures.

— Je peux l'emmener là-bas et rentrer en bateau. La comtesse m'a dit qu'elle partirait la veille pour tout préparer. Elle me fera visiter sa propriété.

— Excellente idée ! Mais maman acceptera-t-elle que tu partes sans elle ?

— La comtesse assurant notre entrée dans la société, ta mère a proposé que Dorothy Boyle et moi devenions amis intimes. Bridget est déterminée à gravir les échelons de la société grâce à elle, que cela nous convienne ou non.

Elizabeth caressa la robe feu de Cavalier et poussa un soupir.

— Maria semble bien plus douée que moi pour cela.

— Elle ressemble à sa mère, répondit Jack.
— Et moi, c'est à toi que je ressemble. Dieu merci !

Le vendredi, de bon matin, Jack Gunning mena donc Cavalier sur la grande route de l'ouest, vers le comté de Hounslow, puis il bifurqua vers le sud sur Burlington Lane, en direction de Chiswick House, au bord de la Tamise. Le comte de Burlington avait conçu sa demeure dans un style palladien sobre et géométrique. Son ami William Kent s'était chargé des aménagements intérieurs.

Allongé sur son grand lit, Dorothy Boyle fixait la fresque du plafond tandis que son partenaire s'activait au-dessus d'elle. L'acte sexuel était devenu routinier, au point qu'elle eut toutes les peines du monde à ne pas étouffer un bâillement. Elle avait l'impression qu'il s'affairait depuis une demi-heure sans obtenir la moindre satisfaction, ni pour l'un ni pour l'autre. À bout de patience, elle décida d'en finir. Elle le pénétra d'un doigt pour obtenir de lui la libération tant attendue. Dans un soupir, il roula sur le côté.

Insatisfaite, Dorothy se leva et enfila son peignoir. Par la porte-fenêtre de la chambre, elle vit approcher un cavalier qui se dirigeait vers les écuries. Elle fronça les sourcils. Il était encore tôt pour voir arriver les premiers invités.

Elle se tourna vers son partenaire.

— Non, non, ne te fatigue pas. Tu as besoin de repos, chéri.

Elle sortit et traversa la pelouse vers les écuries. Elle eut la bonne surprise de découvrir Jack Gunning, sur un cheval luisant de transpiration.

Face à son déshabillé, Jack ne dissimula pas sa curiosité.

— J'espère que je ne vous dérange pas, à cette heure si matinale. Je vous amène la monture d'Elizabeth pour qu'elle puisse en disposer.

Elle lui répondit d'un sourire entendu.

— Vous me dérangez à toute heure, Jack, surtout quand vous portez cette culotte d'équitation. Venez, installons le cheval dans une stalle.

Dorothy le regarda attacher l'animal et lui ôter sa selle. Elle lui flatta l'encolure.

— Dommage qu'il soit castré... commenta-t-elle. Cela ne nuit pas à son énergie, j'espère.

Saisissant ses allusions à peine voilées, Jack sourit et tendit les bras vers elle. Dès qu'elle sentit ses lèvres se poser sur les siennes, elle les entrouvrit pour mieux l'accueillir. Enroulant les bras autour de son cou, elle se plaqua contre lui, savourant le contact de son membre en érection contre son ventre. Il prit ses seins dans ses paumes, puis la dévêtit à la hâte et se mit à titiller son mamelon jusqu'à le faire se dresser.

En glissant une main entre ses cuisses, il la sentit humide et prête à le recevoir. Il insinua deux doigts dans les replis offerts, tout en l'embrassant à pleine bouche. Elle gémit de plaisir et écarta les cuisses. Il la pénétra d'un troisième doigt. Il la sentit se crisper autour de ses doigts tandis qu'il la faisait lentement monter vers l'extase. Enfin, dans un dernier spasme, elle s'écroula contre le mur, pantelante.

— L'odeur de foin qui règne dans une écurie a quelque chose d'excitant. Mais nous devrions peut-être rentrer. Je vous ferais visiter les nombreuses chambres de la maison...

Elle retint son souffle. Si seulement ils pouvaient s'enfermer dans une chambre... Puis elle éclata d'un rire un peu rauque.

— Vous tombez bien mal, Jack.

— Seigneur, Dorothy, ne me dites pas que votre mari est là !

— C'est encore plus compliqué que cela.

Quelqu'un entra et appela la comtesse. Jack perçut son amusement.

— Je suis là ! Jack Gunning vient d'amener le cheval de sa fille. Jack, je vous présente Charles Fitzroy, duc de Grafton. Je crois que vous vous connaissez déjà.

Les jeunes invités étaient attendus vers onze heures. À midi, ils étaient réunis autour de la table pour déjeuner. Les conversations allaient bon train, au point que la comtesse dut exiger le silence d'un signe de la main.

— Bienvenue à Chiswick ! Nous espérons que vous allez bien vous amuser. Après ce petit discours, je disparaîtrai comme tout chaperon digne de ce nom.

Les jeunes gens poussèrent un cri d'enthousiasme.

Sans se troubler, Dorothy poursuivit :

— Les activités ne manqueront pas pour vous éviter de faire des bêtises. Promenades en barque sur le fleuve, jeux de plein air, tir à l'arc... Quiconque n'a pas de monture n'aura qu'à se servir aux écuries. Les bois environnants foisonnent de lièvres et de gibier. Vous trouverez des fusils à l'armurerie. Le personnel vous préparera un panier de pique-nique. Le souper sera servi à huit heures pour vous laisser le temps de vous dépenser à loisir. Mais si vous tombez à l'eau, ne comptez pas sur moi.

— Vous avez la mère la plus compréhensive du monde, lady Charlotte. Si elle n'était pas déjà mariée avec votre père, je lui demanderais sa main, déclara William Cavendish en adressant un clin d'œil à la jeune fille.

— Je vous en prie, oubliez les titres de noblesse, le temps de ce séjour. Que chacun m'appelle Charlie !

— Moi, j'aime bien les titres, confia Maria Gunning au comte de Coventry. Surtout le vôtre, George...

— Je veux bien vous appeler « mademoiselle », mais je préfère Maria.

— À votre guise, susurra-t-elle. Que souhaitez-vous faire, George ?

Obsédé par l'idée de coucher avec elle, Coventry chercha désespérément une idée plus convenable. Il n'était pas sportif, mais il adorait la chasse. Une promenade dans les bois en compagnie de cette créature de rêve, manifestement taquine, semblait indiquée.

— Aimeriez-vous me regarder tirer, Maria ?

— Avec plaisir ! Vous pourriez m'apprendre à manier le fusil !

Cette proposition était un peu provocante.

— Volontiers, répondit-il, la gorge nouée.

Les couples se formèrent spontanément, comme la comtesse l'avait prévu. Charlie avec Will, Elizabeth avec Sundridge, Maria avec Coventry, Rachel Cavendish avec Orford et sa sœur Catherine avec Johnny Ponsonby. Il ne restait que Harriet Ponsonby. La comtesse pouvait compter sur son neveu Michael Boyle, qui songeait déjà à la récompense qu'elle allait lui donner pour ce service rendu.

Assise à côté de John Campbell, Elizabeth savourait sa présence et la liberté qu'elle ressentait loin de l'œil critique de sa mère.

— Vous m'avez manqué, Beth, avoua-t-il avec un sourire. J'avais presque oublié combien vous êtes belle. Vous me coupez le souffle.

Elle rougit.

— Mercredi, j'ai eu dix-sept ans.

— Je savais que votre anniversaire approchait, mais j'en ignorais la date exacte. Bon anniversaire, ma chère.

— J'ai mûri ?

Il scruta son visage en forme de cœur de ses yeux de braise. Elle était si belle, si vulnérable, si jeune…

— Croyez-moi, répondit-il en posant une main sur la sienne, un jour viendra où vous souhaiterez sembler plus jeune que votre âge.

Face à l'absurdité de ses paroles, elle s'esclaffa.

— Je sais combien vous aimez l'eau, reprit-il. Et si nous faisions un tour en barque ?

— Je vais d'abord chercher mon ombrelle, déclara-t-elle avec enthousiasme.

— Pendant ce temps, je vais tâcher de nous trouver une barque. Rejoignez-moi à l'embarcadère.

Dans la chambre qu'elle partageait avec Charlie, elle trouva son amie qui cherchait elle aussi son ombrelle. Les domestiques les avaient rangées dans l'armoire.

— John m'emmène faire un tour sur le fleuve.

— Will me l'a proposé, lui aussi. Nous serons seuls pour la première fois. Comme c'est romantique !

Elles gagnèrent ensemble la rive. Par chance, elles étaient les deux seules jeunes filles à oser s'aventurer sur l'eau. La barque était équipée de sièges rembourrés et de coussins pour le confort de ces dames.

Will patientait sur l'embarcadère, tenant une corde, tandis que John était déjà à bord de la barque qu'il avait choisie, jambes écartées pour ne pas perdre l'équilibre.

Très sûr de lui, John tendit les bras vers Elizabeth, qui se laissa aller en toute confiance. Il en profita pour lui voler un baiser furtif. Avait-elle raison de lui faire confiance ? songea-t-elle avec un sourire. Elle s'installa parmi les coussins et ouvrit son ombrelle rose. John ôta sa veste et saisit les rames.

Elle remarqua un panier de pique-nique niché sous son siège.

— Nous venons de déjeuner, dit-elle. Que contient ce panier ?

— Des rafraîchissements, au cas où nous aurions soif.

Il suivit le courant, évitant toutefois le milieu du fleuve où il était trop puissant. Ils avancèrent doucement parmi les cygnes.

— Regardez ! Un couple de cygnes noirs ! Ce sont peut-être Jupiter et Léda.

— Votre connaissance de la mythologie montre que vous avez fait des études classiques. J'ai hâte d'en savoir davantage sur vous, Elizabeth.

En réalité, son père lui avait raconté de nombreuses histoires.

— Je préfère garder mon mystère, répondit-elle. C'est à vous que j'ai envie de m'intéresser.

Elle semblait si innocente qu'elle ne se rendait sans doute pas compte du sous-entendu de ses paroles.

— Nous pourrions nous explorer l'un l'autre.

Il la vit rougir.

— Vous aimez tenir des propos choquants ?

— Oui, je l'avoue, admit-il en riant. J'adore voir vos joues s'empourprer. À votre tour. Taquinez-moi.

Elle inclina la tête et regarda les muscles de John saillir sous sa chemise.

— J'aime les animaux, et votre magnétisme animal m'attire.

Sa franchise et l'intimité de ses propos l'étonnèrent. Seigneur, songea-t-il, je vais devoir la protéger contre moi-même.

— Elizabeth... Beth, vous ne devriez pas dire des choses pareilles à un homme. Vous allez en croiser beaucoup lors des soirées mondaines, cette saison. Beaucoup chercheront à profiter de vous.

— Et vous, John ? Profiteriez-vous de moi ?

Était-ce une invitation ? Il eut la décence de rougir, car il avait effectivement l'intention de profiter d'elle, tôt ou tard. Face à son honnêteté, il préféra la mettre en garde :

— Vous savez que oui, si vous m'en donnez l'occasion.

Ses paroles, soulignées par un regard de prédateur, la firent frissonner d'impatience. Entre eux, la tension était palpable et délicieuse. C'était comme un jeu dont elle ne connaissait pas très bien les règles, mais auquel elle tenait à participer.

— Le soir de mon anniversaire, je suis allée chez Almack. Jamais les hommes ne m'avaient autant regardée. Et je ne pense pas qu'ils cherchaient à profiter de moi.

— Il faut me croire quand je vous affirme le contraire, Elizabeth. Chez Almack, il faut respecter certaines convenances. Ce sont les mères qui jouent les prédateurs. Les hommes préfèrent d'autres terrains de chasse.

— Chiswick, par exemple ? fit-elle avec un sourire.

— En effet, admit-il avant d'éclater de rire.

— La chasse a-t-elle commencé ?

— Oui. Le prédateur a déjà isolé sa proie du reste du troupeau. L'eau l'empêchera de s'échapper.

Elizabeth entonna un chant traditionnel irlandais évoquant la chasse.

— Le son du cor qui me sort de mon lit
« Les aboiements de la meute si souvent suivie
« Réveilleraient un mort
« Ou feraient sortir un renard de sa tanière...

— Vous voulez jouer, fit John. Alors qui serai-je ? Le chien ou le galant chasseur ?

— J'aimerais vous voir en galant John Campbell.

— Vous marquez un point… Vous avez le don de me désarmer.

— J'en doute, lord Sundridge. Un chasseur de votre trempe cache toujours une arme secrète sur lui.

L'arme en question durcit aussitôt.

— Vous connaissez tous mes secrets.

Il orienta la barque vers la rive, à l'abri des longues branches d'un saule pleureur. Puis il rejoignit la jeune fille sur les coussins et prit le panier sous le siège. Il en sortit deux coupes et une bouteille de champagne, qu'il déboucha. Quand il les eut servis, il sortit des truffes au chocolat. Il en porta une aux lèvres de Beth en murmurant :

— Vous savez combien j'aime vous regarder manger…

Elle en mordit une bouchée, puis lécha la friandise sous le regard de braise de John.

— Bon anniversaire, chérie, dit-il en levant sa coupe de champagne.

Posant son ombrelle, elle saisit la coupe. En effleurant sa main, elle ressentit comme une onde de choc.

— Nous faisons des étincelles, commenta-t-elle.

— Comme à chaque fois que nous nous touchons.

Il attendit qu'elle ait vidé son verre.

— Je vais vous montrer…

Il la prit dans ses bras et la plaqua contre lui, de sorte que ses seins touchaient le fin tissu de sa chemise. Elle fut étonnée par la sensibilité de ses mamelons dressés. Il la serra plus fort contre son torse puissant, le regard intense, et frôla ses lèvres d'un baiser.

— Vous ne sentez pas le feu qui brûle en nous ?

Sa bouche s'empara de la sienne. Ce baiser embrasa la jeune fille.

Le feu du désir l'envahit tout entière, venant à bout de ses inhibitions. Elle enfouit les doigts dans ses cheveux bruns pour l'empêcher d'interrompre le baiser.

Il finit par s'écarter d'elle pour observer ses yeux mi-clos.

— Je tenais à vous faire goûter pour la première fois la passion, souffla-t-il en lui caressant la joue. Quand on y a goûté, on ne peut plus s'en passer.

La chasse était terminée. Commençait la phase de séduction. John songea à cette chanson sur la chasse. Il fut envahi d'une certaine culpabilité qui le poussa à contenir son désir sensuel. Beth était un délice à savourer lentement, à chérir. Avec une jeune fille innocente et pure, il fallait prendre son temps, soigner les préliminaires.

Il relâcha donc son étreinte et lui servit du champagne.

— Buvez et mangez votre chocolat. Nous allons remonter le fleuve jusqu'à Kew. Une nymphe telle que vous devrait apprécier ces jardins magnifiques.

Il amarra la barque sur un ponton et, sans lui demander son avis, porta la jeune fille vers une immense pelouse.

— Nous avons des hectares de jardins à explorer. Ils regorgent de plantes de toute variété qui vont vous enchanter.

Il la fit tournoyer gaiement avant de la poser à terre.

— Pourquoi cherchez-vous à m'étourdir ?

— Pour que vous trébuchiez et que vous vous agrippiez à moi.

Elle rit de bon cœur. Il la prit par la taille et ils se promenèrent parmi les massifs de fleurs aux couleurs de l'automne : chrysanthèmes jaunes et bronze, asters blancs et mauves, marguerites... Les lupins roses vacillaient au côté des delphiniums. Les dernières roses côtoyaient les héliotropes, embaumant l'air de leur doux parfum.

Beth entraîna John dans les allées sinueuses bordées de plantes aromatiques qui attiraient de minuscules papillons. Si la jeune fille connaissait toutes les plantes, il n'en connaissait aucune. Avec elle, il se sentait libre et insouciant.

— Voulez-vous visiter les serres qui recèlent les plantes exotiques ?

Elle regarda en direction des bâtiments et secoua négativement la tête.

— Il y a trop de monde. Je n'aime pas la foule. Je préfère rester seule avec vous.

Il l'observa d'un œil perplexe.

— D'après ce que je sais, les sœurs Gunning provoquent une émeute partout où elles se rendent. N'est-ce pas flatteur ?

— C'est la beauté de Maria qui attire les foules. Elle adore être le centre d'intérêt. Pour ma part, je préfère la tranquillité.

Était-elle sincère ? Comment pouvait-elle croire une seconde que sa sœur était plus belle qu'elle ?

— Flânons plutôt dans les vergers pour voir si je connais mieux les fruits que les fleurs. Voici des pommes, et là-bas des poires...

Il se pencha pour ramasser un petit fruit tombé de l'arbre et l'examiner avec soin. Beth s'en saisit et le sentit.

— N'y goûtez pas, prévint John. Il n'est pas mûr et doit avoir une saveur amère. Tenez, prenez donc une prune.

— Il est certainement interdit de cueillir les fruits ! protesta la jeune fille.

— Certaines règles sont faites pour être brisées. Le fruit défendu n'est-il pas toujours le meilleur ? répliqua-t-il avec un sourire espiègle. Laissez-vous aller au péché. Vous demanderez pardon plus tard.

Il déposa un baiser furtif sur ses lèvres.

Lorsqu'ils regagnèrent le ponton, John désigna la rive opposée.

— C'est Sion House. Elle semble ordinaire, de l'extérieur, mais la décoration intérieure est somptueuse.

— Ordinaire ? Je dirais qu'elle est laide et massive. N'appartenait-elle pas aux Dudley, à l'époque élisabéthaine ? Je m'attendais à quelque chose de plus romantique, compte tenu de son histoire. On dirait une forteresse... Je plains les gens qui y vivent.

Une fois encore, John se demanda si elle était sincère. Toute débutante était en quête d'un mari fortuné possédant une vaste demeure pleine d'objets d'art, avec un personnel nombreux. Beth était peut-être une exception. Une femme dénuée d'ambition sociale.

Ambitieuse ou pas, elle l'avait ensorcelé. Il la voulait et comptait bien la faire sienne.

Cependant, il ne songeait pas une seconde à l'épouser.

À la tombée du jour, la plupart des couples étaient rentrés. Au moment de passer à table, seuls Rachel Cavendish et le comte d'Orford manquaient à l'appel. Enfin, ils firent leur apparition.

Échevelée et le souffle court, Rachel attira l'attention de tous. Orford l'aida à s'installer, posant les mains sur ses épaules de façon si possessive que la jeune fille ne put se contenir plus longtemps :

— Orford m'a demandée en mariage… Et j'ai accepté !

Le comte se tourna vers Will, le frère de Rachel, tandis que les autres commençaient à le féliciter.

— Naturellement, il me reste encore à demander sa main à son père.

Les rires fusèrent.

— Le duc de Devonshire lui donnera-t-il son contentement ? demanda Beth à John dans un murmure.

— Absolument. Le duc était le meilleur ami de l'oncle d'Orford, Robert Walpole. C'est le Premier ministre qui a nommé Devonshire gouverneur d'Irlande.

En scrutant les convives, Beth connut un instant de panique. Que faisait-elle donc parmi ces gens riches et titrés ? Un neveu de Premier ministre, les Devonshire qui faisaient presque partie de la famille royale. Même Charlie, son amie, était l'héritière la plus recherchée du royaume. Combien de temps parviendrait-elle à jouer cette comédie ?

Maria Gunning n'avait pas les scrupules de sa sœur. Elle fit tournoyer une boucle de ses cheveux et regarda le comte de Coventry. Sans vergogne, elle appuya sa jambe contre la sienne.

— George, ambitionnez-vous de devenir un jour Premier ministre ?

George savait que ce poste était au-delà de sa puissance et de sa fortune, mais la suggestion le flatta. De plus, ce contact furtif l'excitait.

— Je ne manque pas d'ambition, ma chère.

La première étant bien sûr de la faire sienne.

John Campbell regarda Rachel avec soulagement. Elle allait cesser de le poursuivre de ses assiduités. Il leva son verre.

— Au bonheur du jeune couple !

Chacun reprit en chœur, puis John trinqua avec Elizabeth en murmurant :

— À nous, ma chérie. Aux moments qu'il nous reste à partager.

Elizabeth sentit son angoisse s'envoler.

11

Après le souper, les jeunes filles refusèrent de jouer aux cartes, au profit d'une partie de cache-cache qui réjouit les garçons. Toujours conciliant, Michael Boyle proposa que Harriet Ponsonby et lui soient les premiers à se masquer les yeux. La maison comptait tant de pièces et de cachettes potentielles que le jeu promettait de s'éterniser.

Tous les jeunes gens nourrissaient le même dessein : trouver l'endroit idéal pour rester seuls avec leur dulcinée respective. Main dans la main, Will Cavendish et Charlie gagnèrent le jardin d'hiver qui embaumait le fuchsia. Dans la pénombre, ils s'installèrent sur un banc, blottis l'un contre l'autre.

George sur les talons, Maria Gunning monta à l'étage. Posant un index sur ses lèvres, elle entra dans la chambre qu'elle partageait avec Harriet, devinant que celle-ci n'aurait jamais l'idée de chercher dans sa propre chambre. En la voyant s'asseoir sur l'un des lits, George se crut au paradis.

John Campbell entraîna Beth dans un couloir de l'aile est et gravit les marches d'un escalier avant de pénétrer dans une lingerie, parmi draps et serviettes qui sentaient la lavande, sans oublier les piles de couvertures et les oreillers. Dès qu'il eut refermé la porte, ils se retrouvèrent dans le noir complet.

— John, fit la jeune fille en tendant le bras, je n'y vois plus rien. Où êtes-vous ?

— Chut ! murmura-t-il à son oreille. Ne parlez pas. Ils risquent de nous entendre. Nous n'y voyons rien, mais nous avons d'autres sens. L'ouie, l'odorat... le toucher.

Elle se sentit enveloppée par sa voix de velours. En sentant ses doigts effleurer son visage, elle retint son souffle. Il traça le contour de ses sourcils, ses pommettes, ses lèvres. Puis il enfouit les doigts dans ses cheveux.

— Chaque fois que je vous vois, j'ai envie de caresser votre superbe chevelure, avoua-t-il. Vos boucles blondes sont magnifiques.

— Mais vous ne les voyez pas, en cet instant.

— Il me suffit de fermer les yeux pour les imaginer, dit-il en l'embrassant furtivement. Je vous vois nue, avec vos cheveux qui cascadent dans votre dos.

Elle était sur le point de défaillir.

— Décidément, vous prenez un malin plaisir à me tourmenter.

— Chut! Vous ne sentez donc pas le feu du désir?

Il l'enlaça et la plaqua contre lui. Puis il s'empara de sa bouche pour l'embrasser avec une fougue décuplée. Il insinua le bout de sa langue entre ses lèvres.

Dans le noir, John laissa libre cours à ses fantasmes. Beth ne pouvait protester, de peur de trahir leur présence. Lorsqu'elle voulut se dégager de son emprise, il l'en empêcha. Dès qu'il se mit à lui caresser le dos, elle se détendit. Bientôt, elle succomba au plaisir qu'il lui donnait et enroula les bras autour de son cou.

Beth n'avait plus envie de s'écarter de lui. Quand il interrompit leur baiser, il lui prit les mains et les caressa de ses pouces. Elle se rappela qu'il avait des mains superbes. Doucement, elle en porta une à ses lèvres et l'embrassa avec respect, puis elle fit de même avec l'autre. Audacieuse, elle effleura les traits de son visage, jusqu'à ses cheveux bruns. Elle devinait son regard de braise malgré l'obscurité.

John la souleva et la porta vers la pile de couvertures et d'oreillers. Il la déposa lentement, la maintenant captive de son étreinte, les seins plaqués contre son torse.

Peu à peu, elle sentit son parfum mêlé de cuir, de santal, avec une note virile troublante. En lui tendant ses lèvres, elle se dit qu'elle ne s'était jamais sentie aussi bien. La pénombre dissimulait l'audace de leur comportement, de sorte qu'elle se prit à souhaiter que ces moments durent éternellement.

Soudain, la porte s'ouvrit avec fracas et la lumière envahit la lingerie.

— Euh... personne ici ! déclara Michael Boyle avec emphase avant de vite refermer la porte.

— Beth, je suis désolé... chuchota John d'une voix nouée.

Cette intrusion avait produit sur la jeune fille l'effet d'une douche froide. Elle se dressa sur son séant.

— Boyle est mon ami. Je vous promets qu'il ne nous trahira pas, ajouta-t-il.

Désemparé, il lui prit la main et la porta à ses lèvres.

Lors de leur promenade en barque, il avait affirmé qu'il profiterait d'elle à la première occasion. Elle ne pouvait lui reprocher son audace.

— Nous ferions mieux de nous en aller, souffla-t-elle.

— Je sortirai le premier, chérie. Efforcez-vous de ne pas rougir, une fois en bas. Ce que nous avons fait était délicieux, mais tout à fait innocent. Je vous en prie, n'ayez aucun regret...

Plus tard, les dames se retirèrent pour laisser les hommes à leur partie de cartes. Beth et Charlie montèrent ensemble. Dès qu'elle eut refermé la porte de la chambre, Charlie se tourna vers son amie.

— Ce soir, j'ai permis à Will de m'embrasser. Il a pris toute sorte de libertés. Beth, je suis tellement amoureuse que j'ai un peu perdu la tête. Je sais que ce n'est pas convenable, mais j'ai eu envie qu'il me fasse l'amour !

— Où étiez-vous cachés ?

— Dans le jardin d'hiver. Il faisait sombre, et notre banc était dissimulé par un palmier. L'atmosphère était si romantique... J'ai eu l'impression que la Terre cessait de tourner. Nous étions seuls au monde. Quand il m'a embrassée... et caressée, je me suis sentie bien, malgré l'indécence d'un tel comportement. Et vous, où vous trouviez-vous ?

— Dans la lingerie, avoua Beth.

Charlie en eut le souffle coupé. Puis les deux amies éclatèrent de rire.

— Cela vous ennuierait que nous restions ensemble, demain ? Si je me retrouve seule avec Will, je ne pourrai pas lui résister.

Elizabeth accepta volontiers. Elle ne savait que trop bien ce que ressentait son amie.

Le lendemain matin, les deux jeunes filles descendirent dans la salle à manger en tenue d'équitation. Elles furent ravies de découvrir John et Will également équipés pour monter à cheval. Elles décidèrent de se promener ensemble et de faire un pique-nique en forêt. Visiblement déçus, John et Will ne protestèrent pas. Ils auraient tout le temps de badiner la semaine suivante, dans la maison de campagne des Devonshire, dans le Surrey.

Elizabeth et Charlotte passèrent une journée magnifique en compagnie de leurs galants.

De retour à Chiswick, elle remercia John de ces bons moments.

— Je préfère la campagne. Aujourd'hui, les bois m'ont rappelé l'Irlande.

Il la souleva de sa selle et ne la libéra pas tout de suite.

— Dans ce cas, vous allez adorer le Kent. Vous me promettez de venir avec moi à Sundridge, la semaine prochaine ?

Elle lui adressa un sourire mystérieux.

— Comment vous refuser quoi que ce soit ? Vous avez été si agréable, aujourd'hui.

— Sur mon terrain, c'est moi qui mènerai la danse, souffla-t-il à son oreille.

— Tant que vous ne cherchez pas à faire de moi votre maîtresse.

Ces paroles directes le déstabilisèrent.

Dimanche, les invités de Chiswick se réveillèrent au son de la pluie. De gros nuages venus de la mer ne présageaient rien de bon pour la journée. Chacun prit congé plus tôt que prévu. La comtesse de Burlington assura à

Elizabeth qu'un palefrenier ramènerait son cheval à Londres, en même temps que le sien et celui de lady Charlotte. Durant le trajet en voiture, la présence d'Emma et de Jane, la femme de chambre de Charlie, empêcha les deux amies de bavarder librement. Elizabeth redoutait ce qu'Emma allait raconter à sa mère. Elle se rappela les paroles de John sur le péché. Soudain, elle ne les trouvait plus amusantes du tout. Si Emma révélait ce qui s'était passé à Chiswick, Bridget ne lui permettrait jamais de se rendre dans le Surrey.

À Great Marlborough Street, le valet vint prendre les bagages. Elizabeth prit congé de Charlotte à regret. Maria alla vite se mettre à l'abri de la pluie. Quand Beth rejoignit sa famille au salon, sa sœur parlait déjà des fiançailles de Rachel Cavendish et du comte d'Orford.

— Il l'a demandée en mariage le premier jour, mais il reste encore à faire la demande officielle au vieux Devonshire.

— Maria, il ne faudra jamais l'appeler ainsi en dehors de cette maison.

— Le duc de Devonshire consentira certainement à ce mariage, car Orford est le neveu de l'ancien Premier ministre, déclara Jack.

— Ainsi, fit Bridget en adressant un regard entendu à son mari, ces petits séjours à la campagne donnent lieu à des demandes en mariage dans la noblesse... Emma, je veux un rapport détaillé. Je suppose que vous n'avez pas perdu mes filles des yeux ?

Elizabeth blêmit, retenant son souffle.

Emma fit une révérence.

— J'ai suivi l'exemple de la femme de chambre de lady Charlotte, madame. Jane est très à cheval sur les convenances. Elle m'a servi de guide.

Nous avons passé du bon temps avec les valets de Chiswick, à boire du vin et à nous gaver de mets somptueux, songea-t-elle.

— Vos filles ont été des modèles de vertu, madame. Vous leur avez inculqué les bonnes manières. Vous pouvez être fière d'elles.

Elizabeth en demeura bouche bée.

— Papa, la comtesse m'a dit qu'un palefrenier ramènerait le cheval avec les autres montures. À propos de bonnes manières, il faut absolument que je rédige un mot de remerciement à la comtesse.

— Très bien, Elizabeth. Tu lui transmettras les remerciements de ta sœur. Maria, as-tu fait des progrès auprès du comte de Coventry ?

Une heure plus tard, Maria regagna leur chambre à coucher.

— J'avais peur de ce qu'Emma allait raconter, lui avoua Beth. Mais elle a su trouver les mots qu'il fallait pour rassurer maman. En fait, je ne l'ai pas vue de tout le séjour.

— C'est parce que les messieurs ont donné de l'argent aux femmes de chambre pour acheter leur silence. C'est ainsi que les choses se déroulent. Franchement, Beth, tu es d'une naïveté !

Lundi, à Sundridge, John Campbell reçut une invitation du roi George à se présenter devant lui. Il se réjouit que sa lettre lui soit parvenue directement, au lieu de passer entre les mains du duc de Cumberland. En tête à tête, Campbell avait l'assurance de convaincre le roi de ses stratégies militaires. Il s'agissait toutefois d'une question délicate. Les colères du roi étaient légendaires, et il ne tolérait guère la contradiction.

John envisagea d'endosser son uniforme militaire, car son père avait commandé les troupes écossaises, mais il se ravisa. Il détestait se conformer aux usages de la Cour, qui imposaient le satin et la perruque poudrée. Il opta donc pour le kilt des Argyll, aux tons vert foncé, qui rappellerait au souverain combien il était puissant.

Le lendemain matin, à l'aube, il gagna sa résidence londonienne de Half-Moon Street, où il enfila sa tenue d'apparat pour se rendre au palais de St. James.

Au terme d'une demi-heure d'attente, Son Altesse le fit introduire. Le roi George recevait dans la chambre royale, bien qu'elle soit dépourvue de lit. Comme le voulait le protocole, John attendit que le souverain s'exprime le premier.

— Lord Sundridge, nous nous réjouissons que vous ayez répondu à notre convocation.

George observa la tête de sanglier qui ornait le blason des Argyll, puis posa un œil critique sur le kilt.

— Votre Majesté me fait l'honneur d'une audience privée, répondit John en s'inclinant.

George se mit à arpenter la pièce.

— Mon fils, Cumberland, me dit que les hommes des Highlands comptent parmi les meilleurs combattants.

— C'est exact, Majesté. Ceux d'Argyll ont pour devise « sans peur », et je vous assure qu'ils sont redoutables.

— Ne me dites pas qu'ils impressionnent l'ennemi avec leurs jambes velues et leur cornemuse.

— Majesté, ils se servent de leur courage, de leurs armes et de leur force sans pareille.

— Vraiment ? fit George en hochant la tête. Ils ont formé une coalition avec nous lors de la guerre de succession en Autriche.

John retint son souffle. Cette guerre s'était révélée la plus inutile et la plus meurtrière de l'histoire. Le roi George n'y avait participé qu'à cause de ses terres de Hanovre, en Allemagne. Avant la signature d'une trêve, il avait écrasé la coalition formée par les Autrichiens, Allemands et Hollandais.

— Au risque de sembler un peu direct, Majesté, nous combattons encore nos vieux ennemis que sont la France et l'Espagne aux Indes et en Amérique. La guerre n'a pas été déclarée, mais nous savons tous qu'elle est inévitable, et pas seulement dans ces contrées lointaines. En Europe également.

— Que cela reste entre nous. Les murs ont des oreilles !

Le roi commençait à s'agiter.

John crut bon de le rassurer.

— Le temps joue en notre faveur. Je suggère que vous m'autorisiez à me rendre dans les Highlands pour recruter des soldats écossais. Argyll et moi-même sommes disposés à former ces hommes pour en faire des soldats hors pair.

John hésita, car il en arrivait au point délicat.

— La Grande-Bretagne doit être en mesure de mener ses guerres sans dépendre de mercenaires étrangers.

Le roi écarquilla les yeux et le fixa longuement.

— Comment avoir la garantie de ne pas être infiltrés par des sympathisants des jacobites ?

— À Culloden, Argyll et Cumberland ont écrasé les jacobites une fois pour toutes, Majesté. Si les Écossais en ont la possibilité, ils accepteront volontiers de combattre, moyennant une solde raisonnable. Je vous assure qu'ils se montreront loyaux envers le gouvernement de Votre Majesté.

— Argyll, votre père, est non seulement riche mais aussi très puissant. Peut-il financer la formation de ces recrues écossaises ?

Campbell crispa la mâchoire. Quel radin !

— Argyll financera cette formation. Quand ils seront prêts à combattre, ils seront intégrés dans l'armée britannique et rémunérés.

Le roi désigna la porte.

— Faites venir mon secrétaire, et nous rédigerons un document vous autorisant à partir sur-le-champ dans les Highlands !

John dissimula à grand-peine sa surprise.

— La semaine prochaine ne suffirait pas, Votre Majesté ?

— Très bien, la semaine prochaine. Mais ne tardez pas davantage. La guerre est imminente.

John quitta St. James muni d'un ordre de mission signé du roi. En traversant le parc pour se diriger vers le Parlement, il entendit le carillon de Westminster sonner une heure. Se disant que les membres du Parlement seraient encore à table, il se rendit chez Bucks, un café de Parliament Square. L'homme qu'il souhaitait rencontrer était sur le point de partir.

John posa une main sur sa poitrine, où était rangé le précieux document, et hocha la tête.

— Bonjour, monsieur Pitt, dit-il avant de baisser d'un ton. J'ai obtenu l'autorisation du roi pour le recrutement dans les Highlands.

Pitt lui adressa un sourire poli.

— Très bien, Sundridge.

John continua son chemin et parcourut la salle des yeux. Comme il s'y attendait, Will Cavendish déjeunait en compagnie de Coventry et Hamilton.

— Tiens, voici le sanglier d'Argyll ! railla Hamilton en examinant le kilt de son ami. Heureusement qu'un sanglier n'est pas un porc castré !

Les autres s'esclaffèrent.

— Je crois savoir que le blason des Hamilton est orné de trois glands. Je me suis souvent demandé si tu en avais vraiment trois.

Les autres rirent de plus belle, appréciant la joute verbale des deux amis.

— Les prostituées doivent être fascinées, commenta Coventry.

— C'est la taille de la chose qui les fascine, pas la quantité.

— Quel vantard ! On se croirait dans la cour d'une école, dit Campbell.

Hamilton se leva.

— Puisque tu es en ville, John, si nous allions chez White's ce soir ?

— Désolé, c'est impossible. Je dois retourner dans le Kent pour la récolte du houblon.

— Eh bien, ce n'est pas parce que John le paysan nous lâche que nous allons nous priver. Rendez-vous à dix heures ?

Coventry et Hamilton s'en allèrent ensemble, laissant Will en compagnie de John.

— Tu dois vraiment retourner là-bas ? demanda-t-il.

— Si tu veux me voir dans le Surrey en fin de semaine, oui.

— Et comment ! Rachel a envoyé un message urgent à maman, à propos de la demande en mariage d'Orford. Elle devrait arriver à Londres dans quelques jours. Devonshire House va devenir une véritable ruche, où toutes les femmes de la famille ne vont cesser de s'agiter. Je préfère de loin être dans le Surrey.

Lors du trajet de retour dans le Kent, John regretta d'avoir envoyé son secrétaire en mission en Irlande. Le passé d'Elizabeth Gunning ne nécessitait pas une enquête.

Elle était bien éduquée, instruite, issue d'une famille de la petite noblesse. La jeune fille le fascinait. Elle allait beaucoup lui manquer. Dès qu'il serait en Écosse, sa mère insisterait pour lui faire épouser la fille de quelque aristocrate écossais, le duc de Buccleuch, par exemple. Mary Montagu était un beau parti, assez jolie, de surcroît. Mais elle n'était pas Elizabeth.

Il se força à ne plus penser à elle. Avant son départ, il avait de nombreuses formalités à régler. Il espérait que Robert Hay serait vite de retour d'Irlande.

Naturellement, ses pensées se mirent vite à vagabonder pour revenir à Elizabeth. Serait-elle malheureuse d'apprendre son départ pour l'Écosse ? Un sourire sensuel apparut sur ses lèvres. Il leur restait quelques jours à passer ensemble, et il était déterminé à en profiter.

12

Le mercredi après-midi, les sœurs Gunning, accompagnées d'Emma, se rendirent chez Dunne, parfumeur et perruquier en vogue de Charing Cross Road. Bridget avait appris qu'une audience royale était organisée la semaine suivante. Elle guettait avec impatience une invitation. Les perruques poudrées étant de rigueur à la Cour, Maria avait tenu à en posséder une, ainsi que des produits de maquillage.

Dans la boutique, elles rencontrèrent Peg Woffington qui venait d'acheter une poudre d'un ton lavande assez extravagant. L'actrice leur prodigua des conseils de maquillage et les mit en garde contre certains produits qui provoquaient des irritations.

— La poudre est préférable aux crèmes, mes chéries.

Elizabeth acheta une poudre légère, ainsi que quelques mouches irrésistibles. Ignorant les recommandations de Peg, Maria opta pour une crème blanche.

— Ce fut un plaisir de vous voir, toutes les deux. J'ai parfois de vos nouvelles dans les rubriques mondaines. De plus en plus, même. Saluez votre mère. Faites un saut à Soho Square, un de ces jours, histoire de bavarder en prenant une tasse de thé.

Sur le chemin du retour, Emma ne dissimula pas son admiration.

— Si vous décidez de rendre visite à Mlle Woffington, pourrai-je vous accompagner ?

— Bien sûr, Emma. Les gens de théâtre sont des êtres fascinants, répondit Elizabeth.

À la maison, Maria se précipita à l'étage pour essayer sa perruque et monopoliser le miroir. En posant la boîte sur son lit, elle entendit une voiture s'arrêter devant la maison. De la fenêtre, elle aperçut un valet en livrée royale. L'invitation tant attendue venait d'arriver !

Maria gagna l'escalier, bousculant sa sœur qui trébucha et s'écroula sur elle.

— Quel spectacle ! As-tu volontairement bousculé ta sœur, Elizabeth ? Relevez-vous toutes les deux, et vite ! ordonna Bridget en allant ouvrir elle-même la porte.

Elle accepta l'invitation royale d'un air désinvolte, comme s'il s'agissait d'un dû.

— J'enverrai un domestique avec ma réponse.

En refermant la porte, elle se tourna vers Beth, assise sur la dernière marche.

— Je croyais t'avoir dit de te lever !

— Je me suis tordu la cheville, souffla la jeune fille.

— Cela t'apprendra à bousculer ta sœur pour t'emparer de l'invitation avant elle ! C'est un comportement indigne d'une jeune fille de qualité.

— Ne la gronde pas, maman. Elle souffre. Je vais t'aider à remonter, Elizabeth.

Elle claudiqua jusqu'à sa chambre et s'assit sur son lit.

— J'ai l'impression que la cheville est un peu enflée, déclara Emma. Attendez, je vais chercher un linge humide.

— Tu ne devrais pas aller danser, ce soir.

— Tu as raison. Mais ne t'inquiète pas, Maria. Ce n'est pas grave. Demain, j'irai mieux.

— Puisque tu ne sors pas, puis-je porter la robe de bal dorée pour me rendre chez Almack ?

— Bien sûr, concéda Beth, la mort dans l'âme.

Tard dans la soirée, chez White's, les trois amis croisèrent le comte d'Orford qui jouait au faro. Ils le rejoignirent à sa table. Hamilton remporta toutes les parties jusqu'à onze heures, puis la chance tourna. Il proposa de continuer la soirée au Divan Club, sur le Strand.

Cavendish, Coventry et Orford préféraient se rendre chez Almack, non loin de là. Ils étaient désireux de saluer les jeunes filles qu'ils courtisaient.

— J'y suis déjà allé la semaine dernière, répondit Hamilton. Une fois dans la saison, c'est tout ce que je puis endurer.

En quittant le White's, Hamilton héla son cocher tandis que les trois autres partaient à pied en direction de Pall Mall.

En descendant de voiture, Hamilton vit Jack Gunning entrer au Divan Club. Par deux fois, il avait joué aux cartes avec lui. C'était un joueur invétéré. Hamilton consulta sa montre et dit quelques mots à son cocher. Puis il entra dans l'établissement, le sourire aux lèvres.

Avant minuit, Elizabeth dit à Emma d'aller se coucher. Elle lui assura que, au retour de Maria, elle l'aiderait à ôter la robe de bal et à se démaquiller. Puis elle se mit à coudre des roses en soie sur le décolleté d'une robe de soirée appartenant à sa sœur.

Vers deux heures du matin, elle crut entendre Maria et leur mère rentrer de chez Almack. Posant son ouvrage, elle gagna le palier.

— Papa !

Le cœur serré, elle vit que la chemise blanche de son père était maculée de sang. Un homme aidait Jack à marcher. Beth descendit quelques marches et reconnut le duc de Hamilton.

— Votre Grâce ! Que s'est-il passé ? s'exclama-t-elle, morte d'inquiétude.

— Ce n'est rien, Elizabeth. Retourne te coucher.

— Pas question ! Tu es blessé !

— Je vais vous aider à monter, Jack, déclara Hamilton. En quittant le cercle de jeu, quelqu'un l'a agressé pour le dépouiller de ses gains, mademoiselle Gunning. J'ai tout vu. Quand j'ai sorti mon sabre, le brigand s'est enfui dans la nuit.

Il posa le bras de Jack sur ses épaules et le porta presque dans l'escalier.

Folle d'inquiétude, Beth lui désigna la chambre de ses parents.

— Laisse-moi examiner cette blessure, dit-elle dès que son père fut assis sur son lit.

— Je vais m'occuper de lui, mademoiselle. C'est trop pénible pour une jeune fille sensible.

— Elizabeth est une enfant courageuse, intervint Jack. Elle ne tournera pas de l'œil.

Elle écarta doucement les cheveux blonds de son père et découvrit une vilaine plaie. Celle-ci ne semblait toutefois pas trop profonde.

— Dieu merci, ce n'est pas un coup de sabre, dit-elle, soulagée. Je vais chercher de l'eau pour la nettoyer.

Elle revint quelques instants plus tard.

— Le lascar était armé d'un gourdin, fit Jack en grimaçant. Il m'a abruti. Je suis tombé à genoux.

Le duc sortit une flasque en argent.

— Tenez, buvez quelques gorgées de cognac, ordonna-t-il avant de se tourner vers la jeune fille. Vous permettez ? Veuillez tenir le récipient.

Elle le regarda tremper un linge dans l'eau et tamponner la blessure avec délicatesse.

— Vous avez eu de la chance, Jack. Demain, seul un mal de tête vous rappellera cette mésaventure.

— C'est une chance que vous soyez passé par là, Votre Grâce, dit Beth, pleine de gratitude. Je vous remercie du fond du cœur.

— Je vous en prie, mademoiselle Gunning. Ce n'est rien.

Elle le raccompagna, un sourire aux lèvres, et lui souhaita bonne nuit. Puis elle remonta au chevet de son père.

— Je vais faire tremper ta chemise avant que maman ne s'en rende compte. Qu'est-ce que c'est ? demanda-t-elle en désignant une bourse en cuir posée sur une tablette.

— Hamilton a dû l'oublier, répliqua-t-il, les sourcils froncés.

— Elle est pleine de souverains en or ! s'exclama Beth en la soupesant.

— C'est incroyable ! Dans sa générosité, Hamilton a remplacé les gains que ce brigand m'a dérobés !

Elizabeth avait des remords. Elle avait décidément mal jugé le duc de Hamilton…

Le samedi matin, à l'aube, la voiture des Burlington vint chercher les sœurs Gunning. Le cheval de Charlie était attaché au véhicule. Jack harnacha solidement Cavalier à son côté. Les bagages furent vite chargés. Les jeunes filles montèrent à bord. Emma s'installa près de la femme de chambre de Charlie.

— Comment va votre cheville ? Vous m'avez manqué l'autre soir, chez Almack !

— Ce n'était pas grave, Charlie. Elle a vite désenflé.

— Avez-vous reçu une invitation à l'audience royale, à St. James ? demanda Maria, uniquement pour lui indiquer que tel était son cas.

— Oui, répondit Charlie en plissant le nez. Hélas, on ne peut refuser ce type d'invitation. Ce serait un affront.

— Comment peut-on avoir envie de refuser un tel honneur ? s'étonna Maria. Je suppose que c'est sur l'insistance du prince George que j'ai été invitée. Il ne m'a pas quittée des yeux, à Devonshire House.

— Le prince George est très précoce. Il n'a que treize ans, commenta Charlie du haut de ses seize ans.

— Il vient d'en avoir quatorze, corrigea Maria. Et il est très mûr, physiquement. Celle qu'il épousera deviendra princesse royale.

— Celle qu'il épousera sera déjà princesse, signala Charlie. Un prince ne peut épouser qu'une jeune fille de son rang.

— Les règles sont faites pour être brisées, déclara Maria d'un air hautain.

— Et si nous en brisions quelques-unes, durant ces deux jours ? suggéra Charlie en riant.

À Oxted Hall, Will Cavendish aida Charlotte à descendre de voiture et l'attira contre lui pour effleurer sa tempe d'un baiser.

— J'étais si impatient…

La jeune fille le dévora des yeux.

Rachel Cavendish était officiellement leur hôtesse.

— Elizabeth, déclara-t-elle, vous partagerez une nouvelle fois votre chambre avec Charlotte. Quant à Maria...

— Je pourrais avoir une chambre pour moi toute seule. Vous avez de la place.

— Bien sûr, si tel est votre souhait.

Elizabeth regarda Charlie et Will, qui formaient un très beau couple.

— Je ferai monter vos bagages, annonça-t-il.

Beth contempla la superbe demeure, puis rejoignit Maria et Rachel.

— Pourquoi les maisons des Devonshire sont-elles plus grandes et plus belles que les autres ? s'enquit Maria.

— En fait, répliqua Rachel en riant, celle-ci n'appartient pas vraiment aux Devonshire. Ma mère est une Hoskyns. Ses parents possédaient cette maison de style Tudor. Mon grand-père était surnommé Hoskyns l'avare.

Elle se tourna vers Jane et Emma, qui les suivaient.

— Vous séjournerez dans l'aile des domestiques. Et tâchez d'être invisibles, d'accord ?

Une fois dans sa chambre, Elizabeth empêcha Emma de défaire les bagages.

— Je rangerai moi-même mes vêtements dans la penderie. Allez plutôt aider Maria. Je suis désolée que Rachel vous ait parlé sur ce ton.

— C'est ainsi que la plupart des dames s'adressent à leurs domestiques. Votre mère et votre sœur ne font pas exception. Cela dit, je veux bien rester invisible. Jane et moi allons en profiter pour nous reposer.

Une fois seule, Beth se rafraîchit. En se regardant dans la glace, elle remarqua qu'elle avait, elle aussi, des étoiles dans les yeux. Son impatience commençait à monter à la perspective de revoir John. Est-ce ce que l'on ressent quand on est amoureuse ? se dit-elle. Soudain, une appréhension l'étreignit. Et s'il ne venait pas ? Elle chassa vite cette pensée et esquissa un sourire. John viendra. Il veut m'emmener à Sundridge...

Pendant ce temps, Maria donnait ses ordres à Emma.

— Ne dites pas à ma mère que j'avais une chambre pour moi seule. Ne lui dites rien du tout. Elle croit que les aristocrates sont attirés par les femmes vertueuses. Je sais d'expérience que c'est loin d'être la vérité. Si vous gardez le silence, je ferai en sorte que Coventry vous récompense.

Elle glissa la clé de sa chambre dans son réticule et quitta la pièce pour aller explorer l'aile est. Le comte de Coventry l'aperçut immédiatement.

— Maria ! Vous êtes venue ! fit-il, visiblement soulagé.

— George !

Elle tapota sa coiffure pour attirer l'attention du jeune homme sur ses cheveux.

— Emma a veillé à ce que j'aie une chambre pour moi seule, dit-elle en lui montrant la clé d'un air entendu. Si vous savez vous montrer reconnaissant envers elle, je le serai aussi envers vous.

Elizabeth descendit aux écuries pour s'assurer que Cavalier était bien installé. Elle chercha des yeux l'étalon de John, en vain. Pourquoi tardait-il à arriver ?

Will lui souhaita la bienvenue à Oxted.

— Je sais que je ne suis pas un hôte idéal, avoua-t-il, mais vous comprendrez ma distraction...

Il attira Charlie contre lui.

— Tiens, voici John ! reprit-il.

Elizabeth fit volte-face. Aussitôt, son visage s'illumina d'un sourire.

John mit pied à terre et mena Démon vers une stalle. Puis il tendit à la jeune fille une branche qui portait un fruit étrange d'un jaune verdâtre.

— Du houblon, dit-il. J'ai dû rentrer la récolte avant la pluie.

— Le parfum est assez puissant, mais plutôt agréable.

— Je suis d'accord avec vous.

— J'ai l'impression que vous avez un faible pour le houblon, commenta-t-elle.

— C'est pour vous que j'ai un faible, Elizabeth.

Sur ces mots, il se pencha pour lui voler un baiser avant que Charlie et Will ne les rejoignent.

— Nous pourrions nous promener dans les bois avant le déjeuner, histoire d'échapper aux parties de tennis et de badminton prévues par mes sœurs, proposa Will.

— Oh, j'adore le badminton ! s'exclama Charlie.

John adressa à Elizabeth un regard indiquant qu'il préférait de loin un moment d'intimité dans les bois.

— J'aimerais vous voir jouer au tennis, dit-elle avec un sourire timide.

Lorsque les deux couples regagnèrent la maison, Rachel et Catherine accueillaient un autre couple, les bras chargés de raquettes et de volants.

— Mesdemoiselles, voici Charles, mon frère, et sa ravissante épouse Margaret. Puis-je vous présenter Mlle Elizabeth Gunning et lady Charlotte Boyle ?

Lord Charles Cavendish s'inclina.

— Mademoiselle Gunning, je crois que nous sommes voisins à Great Marlborough Street. Lady Charlotte, je ne vous avais pas revue depuis votre enfance.

— Elle est presque encore une enfant, commenta lady Margaret.

Elizabeth vit Will crisper les poings face à cette remarque désobligeante, mais ses sœurs détournèrent vite la conversation en leur tendant des raquettes.

— Tout le monde sur le court !

Maria refusa de jouer. Rachel, Catherine et Margaret Cavendish affrontèrent donc Charlie, Elizabeth et Harriet Ponsonby. Enfant, Elizabeth avait joué au volant, mais jamais en équipe. Au départ, elle éprouva quelque difficulté, mais nul n'y prêta attention. Charlie était douée. Très vite, elle reçut le soutien de tous les jeunes gens. Lorsqu'elle écrasa ses adversaires, les acclamations s'élevèrent. Will et John prirent Charlie sur leurs épaules pour la porter en triomphe autour du court.

Lors de la partie de tennis, Will et John battirent Charles et Orford à plate couture. Elizabeth ne quitta pas John des yeux. Il avait la vélocité d'un athlète et la puissance d'un guerrier. Il surpassait les autres dans tous les domaines. Assurément, il était l'homme de sa vie.

Le déjeuner ne fut servi qu'à une heure et se prolongea. Impatient de se retrouver seul avec Elizabeth, John ne put s'empêcher de lui prendre la main sous la table.

— Accepteriez-vous de venir avec moi à Sundridge ?

— Vous savez bien que oui. Je vais d'abord monter me changer, répondit-elle en le regardant dans les yeux.

John se leva, imité par Will.

— Veuillez nous excuser, déclara ce dernier, mais Charlie et moi allons nous promener avant la pluie.

Dans la chambre, Elizabeth enfila sa tenue vert jade.

— Je vais à Sundridge visiter la propriété de John. Je sais que ce n'est pas convenable, Charlie, mais je m'en moque !

L'idée de transgresser un interdit lui faisait tourner la tête. En se regardant dans la glace, elle décida de placer une mouche sur sa pommette.

— Qu'en pensez-vous ?

— C'est ravissant ! s'exclama Charlie. Il ne pourra pas résister. Puis-je en avoir une ?

Elles se rendirent aux écuries où les deux jeunes gens les attendaient, auprès de leurs montures. John prit Elizabeth par la taille et la déposa sur la selle, en amazone. Au premier contact, elle sentit un frisson la parcourir. Une douce chaleur monta de son ventre à ses seins. L'odeur de cuir et de houblon qui régnait dans l'étable était presque enivrante.

— Dès que nous nous serons éloignés, j'entends vous prendre sur mon cheval, devant moi, murmura-t-il.

Ils partirent vers l'est, malgré les gros nuages qui ne présageaient rien de bon. À peine avaient-ils parcouru un kilomètre que John mit pied à terre.

— Sundridge n'est qu'à cinq kilomètres d'ici.

Il la fit descendre à son tour et attacha les rênes de Cavalier à sa selle. Puis il reprit sa place et se pencha pour soulever la jeune fille et l'installer entre ses cuisses.

— Vous ai-je dit que vous êtes la plus belle femme du monde ?

— Non, souffla-t-elle.

— Eh bien, vous êtes la plus belle femme du monde, Elizabeth Gunning.

Ce n'est pas vrai, songea-t-elle, mais j'ai l'impression de l'être...

John talonna Démon. La proximité de la jeune fille fit naître chez lui un désir ardent, au point qu'il eut toutes les peines à trouver une position confortable. La chaleur de son corps l'excitait tant qu'elle était à peine supportable. Il frissonna au contact d'une boucle blonde effleurant son visage.

Soudain, de grosses gouttes de pluie se mirent à tomber sur leurs visages.

— Voulez-vous revenir en arrière ? proposa-t-il.

— Certainement pas. Revenir sur ses pas porte malheur.

— Nous ne pouvons nous abriter sous les arbres en plein orage.

À cet instant précis, un éclair zébra le ciel sombre. Il talonna Démon qui partit au galop à travers les champs de houblon, dans l'air embaumé.

Ils arrivèrent à Sundridge trempés jusqu'aux os.

John confia les chevaux à un palefrenier, en lui précisant qu'ils avaient grand besoin d'être séchés et frictionnés.

— Nous aussi, murmura-t-il à l'oreille de Beth.

Riant comme des enfants, ils coururent en direction de la maison.

Dans la vaste salle trônait une imposante cheminée de pierre. Le parquet en chêne était étincelant. Il flottait un parfum de cire et de lys, dont de gros bouquets étaient disposés dans des vases en porcelaine.

— John, c'est magnifique ! s'exclama-t-elle en s'approchant de la cheminée.

— Venez. Je vais allumer du feu à l'étage, dit-il en lui tendant la main.

Sans l'ombre d'une hésitation, elle le suivit dans l'escalier.

Il la fit entrer dans une immense chambre ornée d'un tapis persan et d'une cheminée en marbre.

— Attendez, fit-il en enflammant des brindilles.

Il disparut dans la pièce voisine.

Elizabeth parcourut des yeux la chambre, les rideaux de velours rouge, le grand lit à baldaquin.

— Ôtez vite vos vêtements et enfilez ceci, ordonna John avant de retourner dans l'autre pièce, laissant la porte entrebâillée.

Elizabeth se dévêtit rapidement et suspendit son habit vert. Ses dessous étaient tout aussi trempés que le reste. Elle les ôta également et enfila le long peignoir en velours noir. Elle enveloppa ensuite ses cheveux mouillés dans une serviette. Ne sachant où déposer ses bottes, elle s'approcha de la porte entrouverte sur la pointe des pieds.

— John…

À genoux devant la cheminée, il allumait du feu… entièrement nu.

— Oh… pardon !

Il se leva et se tourna vers elle.

— Il n'y a pas de quoi s'excuser.

Elle demeura pétrifiée tandis que, lentement, il avançait dans sa direction.

13

Très intimidée, Beth leva les mains, cachées sous ses manches trop longues.

— Ce peignoir est vraiment trop grand pour moi, balbutia-t-elle, ne sachant que dire.

John esquissa un sourire.

— Il est même assez ample pour nous deux réunis.

Doucement, il ouvrit les pans du vêtement et se plaqua contre son corps. En glissant les mains dans son dos, il songea qu'elle avait la peau encore plus douce que le velours du peignoir. Ses paumes s'emparèrent de ses fesses rondes. Son sexe vibrant palpitait contre le ventre plat de la jeune fille.

— Beth…

Troublée, elle dut se retenir aux épaules de John pour ne pas chanceler. Elle sentit contre ses mamelons durcis la toison brune de son torse. Cette sensation nouvelle et excitante fit naître dans sa gorge un cri qu'elle ne parvint pas à réprimer. John l'étouffa d'un baiser ardent. Beth enfouit les doigts dans ses cheveux. À mesure que le baiser se faisait plus exigeant, elle s'abandonna sans retenue. Entre eux monta une chaleur torride.

— John, il ne faut pas… murmura-t-elle lorsqu'il interrompit enfin leur baiser.

— Beth, il le faut…

Il s'empara à nouveau de ses lèvres, puis descendit le long de son cou, jusqu'à ses seins offerts. Il se mit à titiller un mamelon rose, affamé de désir, et la sentit frémir. La serviette qui enveloppait ses cheveux se détacha et tomba à terre. Retrouvant ses esprits, le jeune homme se dit qu'il se montrait peut-être brutal. Il ramassa la serviette et entraîna Beth vers la cheminée.

— Je vais vous sécher les cheveux.

Il s'agenouilla sur le tapis et l'attira vers lui, le dos tourné. Il se mit à essuyer ses longs cheveux. Dans cette position, elle ne voyait plus son corps nu.

Libérée du spectacle de sa virilité flagrante, Elizabeth se calma. Elle contempla les flammes, laissant les mains de John s'affairer. Elle était presque aussi fascinée par le feu que par le contact de ses mains. Jetant la serviette, il glissa les doigts entre ses mèches humides qui cascadaient sur ses épaules nacrées.

— Près du feu, vos cheveux ressemblent à de l'or liquide.

Un éclair illumina la pièce l'espace d'une seconde, suivi d'un coup de tonnerre assourdissant. La jeune fille sursauta. John déposa un baiser sur le sommet de sa tête et la prit par les épaules. Lentement, il lui ôta le peignoir, écarta ses cheveux, puis se mit à l'embrasser dans le cou. Elle fut parcourue de doux frémissements. Il descendit le long de son dos, sur ses hanches, puis plus bas encore. Choquée par cette familiarité, elle retint son souffle.

Il cessa immédiatement et la prit par la taille pour la plaquer contre lui. Excité de plus belle par la caresse de ses fesses fermes sur ses cuisses, il cueillit ses seins dans ses paumes et titilla ses mamelons de ses pouces. Envahie de sensations aussi troublantes qu'inédites, elle gémit.

— Tu as des seins superbes, murmura-t-il d'une voix rauque à son oreille. Depuis le jour où nous nous sommes baignés nus dans le lac, je n'ai cessé de les imaginer en rêve. Je ne me doutais pas qu'ils seraient aussi fermes et lourds, qu'ils tiendraient aussi parfaitement dans mes mains…

Il caressa son ventre, s'attardant sur son nombril. Elizabeth se rendit compte avec effroi que ses parties les plus intimes étaient offertes à ses caresses. Il n'allait tout de même pas oser s'aventurer plus bas. Elle obtint très vite la réponse à cette question en sentant une paume entre ses cuisses. D'instinct, elle recula, mais se heurta à la barrière de ses cuisses fermes, derrière elle. Lorsqu'il entreprit d'écarter les replis secrets, elle se crispa.

— Je sais que tu es vierge, Beth… Je promets de ne pas rompre ton hymen, chérie. Fais-moi confiance.

Il se mit à dessiner des cercles autour de son bouton de rose. Très vite, elle sentit monter un plaisir qui la submergea. Loin de résister, elle s'ouvrit davantage, confiante.

John insinua un doigt entre ses petites lèvres. Elle était si humide et brûlante qu'il ferma les yeux, ivre du désir de la porter sur le lit. Il attendit qu'elle s'habitue à ce contact, puis amorça un lent mouvement de va-et-vient. Chaque fois qu'il passait sur le point sensible, elle se cambrait contre son sexe gonflé, attisant sa passion. Il la sentit se refermer sur son doigt, puis exploser de plaisir dans un cri. Il se retira, attendant le dernier spasme. Tout doucement, son corps se détendit.

— Je me sens liquéfiée… murmura-t-elle, intimidée.

John étala le peignoir devant la cheminée et fit allonger la jeune fille. Elle ne portait que ses bas en dentelle et ses jarretières. Il disposa ses cheveux tel un halo doré autour de son visage. Sa peau pâle, que la lumière vacillante du feu venait illuminer, contrastait avec le velours noir.

— Tu es belle à couper le souffle.

Elle mit quelques secondes à rouvrir les paupières. John était allongé près d'elle. Appuyé sur un avant-bras, il la dévorait des yeux.

— John Campbell, vous m'avez volé mes sens et ma raison.

Presque malgré elle, elle tendit la main pour le caresser, attirée par sa beauté, sa force. D'un doigt, elle traça le contour d'une épaule, puis de ses pectoraux. Elle enfouit les doigts dans sa toison brune.

— Je suis attirée par ton magnétisme animal, avoua-t-elle avec un sourire. Je ne peux résister à l'envie de te toucher.

Elle descendit vers son ventre et contourna son nombril, comme il l'avait fait plus tôt.

— Touche-moi partout.

— Je n'ose pas, admit elle en le regardant dans les yeux.

— Je te fais peur ?

— Un peu, admit-elle.

En réalité, elle était terriblement impressionnée.

Elle semblait si vulnérable, si délicate, qu'il en eut la gorge nouée. Il déposa un baiser dans la paume de Beth, puis guida doucement sa main vers son membre gonflé de désir.

Audacieuse, elle en effleura l'extrémité.

— On dirait du velours... murmura-t-elle, émerveillée.

Il l'incita à le saisir à pleines mains.

— Est-il toujours aussi gros ? s'enquit-elle, innocente.

— Non, chérie. Quand tu n'es pas là, il se tient tranquille. Mais dès qu'il te voit, il se dresse et meurt d'envie de s'insinuer entre tes cuisses.

Elle ôta vivement sa main.

— Je n'ai pas pu résister à l'envie de te toucher...

— Et moi, j'ai envie de goûter ta saveur, dit-il en l'embrassant, d'abord sur le front.

Du bout de la langue, il effleura sa pommette, là où elle avait posé sa mouche. John l'ôta et la plaça près de la commissure de ses lèvres. Il l'embrassa avidement et longuement. Ensuite, il posa la mouche près d'un sein. Sa langue traça un sillon brûlant dans son cou, sur son épaule, ses seins. Il lécha le mamelon pour le dresser et le prit tout entier dans sa bouche.

Ce petit jeu sensuel laissa Beth pantelante. Il déplaçait la mouche selon l'endroit où il avait l'intention de l'embrasser. C'était une douce torture, surtout lorsqu'il s'attarda dans la région du nombril. Quand il y plongea la langue, elle ne savait plus si elle voulait qu'il continue ou qu'il s'arrête.

Soudain, il releva la tête et croisa son regard. Il posa la mouche sur son pubis. Conscient de sa curiosité, il écarta les lèvres et goûta sa saveur. Beth retint son souffle et plia machinalement les jambes. John repoussa lentement l'une d'elles et poursuivit son exploration sensuelle.

Subjuguée par l'audace de son partenaire, elle faillit l'empêcher de continuer, mais au moment où ses doigts effleuraient les cheveux de John, elle ressentit un tel plaisir qu'elle se cambra pour mieux s'offrir à cette bouche ardente. Elle s'abandonna à ce plaisir interdit, secouée de spasmes, sans réprimer ses plaintes.

Enfin, il la reprit dans ses bras. Il lui caressa les cheveux en murmurant des mots gentils. Blottie contre lui, elle se sentait aimée. Face à cette tendresse, il eut la certitude qu'il ne lui prendrait pas sa virginité avant de partir pour l'Écosse.

Il l'embrassa et s'écarta d'elle comme pour mieux résister à la tentation.

— Tes jupons doivent être secs, maintenant.

Il alla les chercher dans la pièce voisine. Son désir le faisait souffrir atrocement. Il prit une profonde inspiration avant de regagner la chambre. La jeune fille se leva et se rhabilla.

— Beth, j'ai quelque chose à vous dire…

Confiante, elle le regarda et attendit la suite.

— Je dois partir pour l'Écosse. Le roi m'a chargé de recruter des soldats pour ses régiments. Je serai certainement absent plusieurs mois.

Ces paroles l'attristèrent au-delà des mots.

— Quand partez-vous ?

— J'avais l'ordre de partir tout de suite, mais il fallait que je vous montre Sundridge… Elizabeth, je n'avais pas prévu cet orage, mais je ne regrette pas que nous ayons été trempés. Et vous, ma chérie ?

— Je ne regrette rien, John, assura-t-elle.

Elle lui sourit, le visage radieux.

— Je veux vous voir en uniforme.

Il éclata de rire et sortit son uniforme de la penderie. Lorsqu'il ôta son peignoir, leurs regards se croisèrent. Son sexe se gonfla de plus belle. Il enfila ses sous-vêtements et sa culotte blanche de cavalier, une chemise en lin, qu'il boutonna. Oubliant le gilet, il endossa la veste rouge aux boutons de cuivre. Il termina par son ceinturon et son sabre. Montrant plusieurs mètres de tissu écossais vert et bleu, il expliqua :

— Mon uniforme comprend également un kilt, mais je passe beaucoup de temps à cheval, et je préfère la culotte.

Beth se leva pour examiner le blason des Campbell, orné d'un bouclier et d'un sanglier, avec une inscription en latin : *Ne obliviscaris.*

— Qu'est-ce que cela veut dire ?

— « N'oublie pas. »

Elle l'enlaça.

— Je ne supporte pas l'idée que vous partiez. Ne m'oubliez pas, John.

Il arracha un bouton de cuivre et le posa dans sa main.

— Vous non plus, Beth.

— Je n'ai aucun souvenir à vous offrir.

Il prit son couteau pour couper une boucle de cheveux, qu'il glissa dans la poche de sa veste. Puis il essuya d'un baiser une larme de chagrin.

— Allons, chérie, je ne pars pas à la guerre… Venez, allons manger quelque chose. Vous avez faim.

— Je ne peux quitter cette chambre en sous-vêtements !

— L'unique domestique présent dans la maison est la cuisinière, et elle reste dans sa cuisine. Saviez-vous que la maison est hantée ? Par une femme en gris.

Il ôta son ceinturon et sa veste.

— Venez, je vais vous montrer l'endroit où elle est apparue pour la dernière fois.

Elizabeth ne put résister à la tentation. Elle lui prit la main et le suivit dans les longs couloirs.

— C'est une maison magnifique ! commenta-t-elle. On s'y sent bien. Elle est très accueillante.

— Notre fantôme a tendance à passer de la fenêtre à la cheminée, pour se réchauffer.

— Je ne sens que du bonheur dans cette maison, pas le moindre chagrin, pas la moindre tragédie. Savez-vous qui était cette dame en gris ?

— Elle était la maîtresse d'un seigneur qui possédait le manoir, au siècle dernier. Les amants n'ont pu se marier, peut-être parce qu'il avait déjà une épouse. On raconte qu'elle le guettait par la fenêtre. On dit aussi que c'est dans cette maison qu'ils ont connu le bonheur.

Elizabeth poussa un soupir et caressa les pétales d'un bouquet. Elle s'imaginait très heureuse, dans cette maison.

John la fit asseoir à table, devant la cheminée de pierre.

— Attendez-moi ici. Je vais chercher à manger.

La jeune fille regarda par la fenêtre. Les éclairs et le tonnerre avaient cessé, mais il pleuvait des cordes.

Il réapparut avec un plateau chargé de victuailles. Il mit le couvert et s'installa à côté d'elle.

— Tiens, tiens ! De la perdrix ! s'exclama-t-il en soulevant une cloche en argent.

— Avec une farce aux marrons ! J'en ai l'eau à la bouche.

Il y avait aussi des pommes de terre au four et des poireaux.

— Je veux que vous mangiez avec les doigts, dit-il.

Elle choisit une aile et arracha doucement la chair tendre de ses dents. Avant qu'elle ne puisse se lécher les doigts, il lui prit les mains et les porta à ses lèvres.

— J'aime vous regarder manger. Vous dégustez chaque bouchée avec un plaisir sensuel.

Il lui servit un verre de vin rouge.

— Vous savez déjà que le vin fait tourner la tête.

Elle avala plusieurs gorgées généreuses et le regarda boire dans le même verre. En l'embrassant, elle trouva le goût du vin sur sa langue enivrant.

Il finit son assiette avant elle, puis l'accueillit sur ses genoux et la fit manger. Elle s'amusa à lui mordiller le bout des doigts. Très vite, elle sentit l'intensité de son désir.

— Voyez l'effet que vous produisez sur moi, dit-il en lui embrassant l'oreille. Je préfère ne pas libérer la bête qui sommeille en moi. Elle vous dévorerait toute crue !

Beth se leva.

— Merci de m'avoir donné à manger, et de m'avoir parlé de votre fantôme, John. Je crois que je vais aller voir si mes vêtements sont secs.

— Je vous suis, répondit-il en saisissant la bouteille de vin et le verre.

Dans la chambre, elle constata que sa tenue d'équitation était encore humide.

— Je me sens si nue, avoua-t-elle.

— Vous pouvez enfiler ma chemise, dit-il en l'enlevant pour lui couvrir les épaules.

Il alla attiser le feu de cheminée.

— Dans une demi-heure, vous pourrez vous rhabiller, annonça-t-il. En attendant, nous allons boire un autre verre de vin.

Il la prit par la main et l'entraîna dans l'autre chambre. Puis il disposa des coussins devant la cheminée et s'agenouilla.

— Vous vous rappelez notre toast?

Elle hocha la tête, un peu timide.

— À ce moment, et aux moments que nous avons encore à partager.

Ils alternèrent gorgées de vin et baisers.

— Quand vous avez ôté votre chemise, j'ai remarqué que vous aviez une tache particulière...

Il effleura la marque sombre sur son aisselle.

— On l'appelle la marque des Argyll. Elle se transmet de génération en génération, expliqua-t-il.

— Je peux voir?

Il leva le bras. Très vite, elle apprit qu'il était chatouilleux. Tous deux éclatèrent de rire. Les baisers complices se firent plus passionnés, au point que le désir l'emporta. La langue avide du jeune homme parcourut son corps frémissant pour se nicher à nouveau dans les replis humides de sa féminité.

Ces mouvements éveillèrent mille sensations délicieuses tout au fond de son être. Elle gémit de plaisir, jusqu'à l'extase, qui la laissa pantelante et ivre d'amour.

John s'allongea alors sur elle. Il avait promis de ne pas rompre son hymen, mais la passion menaçait de le submerger. Lui qui pensait se maîtriser en toute circonstance avait toutes les peines du monde à ne pas succomber. Il glissa donc son membre durci entre ses seins et commença un mouvement sensuel de va-et-vient, jusqu'à crier à son tour.

Quand il eut retrouvé ses esprits, il alla chercher de l'eau chaude pour rincer la poitrine de la jeune fille. Puis il la prit tendrement dans ses bras.

— Pardonnez-moi, Elizabeth.

— Il n'y a rien à pardonner, John. Je vous aime.

Ils finirent la bouteille de vin, enlacés au coin du feu. Beth était un peu étourdie par la chaleur du corps de son amant et l'alcool. Elle ferma les yeux et s'assoupit, repue, heureuse comme elle ne l'avait jamais été.

John la tenait dans ses bras protecteurs. Il finit par sombrer lui aussi dans le sommeil.

Des heures plus tard, lorsque la bûche de la cheminée ne fut plus que cendres, Beth se réveilla en sursaut. Elle se rendit compte qu'il faisait nuit.

— John... John ! Quelle heure est-il ?

— Tard... répondit-il en s'étirant. Plus de minuit, sans doute. Je vais allumer une lampe.

— Mon Dieu ! Vous n'auriez pas dû me laisser dormir ! Je devrais être de retour à Oxted depuis longtemps !

L'horloge indiquait presque quatre heures du matin.

— John, fit la jeune fille, folle d'angoisse, ce n'est pas possible ! Qu'allons-nous faire ?

— Vous tremblez, chérie. Tout va bien se passer. Je vais vous raccompagner. De toute façon, nous n'aurions pu rentrer plus tôt. Il pleuvait à verse.

— Vous ne comprenez pas. Ma mère sera folle de rage ! Le châtiment sera terrible.

— Vous avez peur de votre mère ? demanda John, incrédule.

— Peur ? répéta-t-elle. Elle me terrifie !

— Beth, votre mère n'en saura rien, assura-t-il en lui prenant la main.

— Bien sûr que si !

— Je veillerai à ce qu'Emma ne dise rien.

— En revanche, Maria, ma sœur, veillera à ce que ma mère apprenne la vérité.

— Elizabeth, je vais vous ramener à Oxted sans que personne n'en sache rien. Seule Charlie saura à quelle heure vous êtes rentrée. Et elle est digne de confiance. Maintenant, rhabillez-vous.

John tint parole. Il parvint à faire monter Beth dans sa chambre à l'insu des autres invités. Il retourna ensuite s'occuper des chevaux. Étant en tenue d'équitation, il pouvait affirmer s'être levé tôt pour une promenade matinale.

En refermant la porte de la chambre, Beth avait la gorge nouée par l'appréhension.

— Je suis désolée de vous déranger, murmura-t-elle en voyant Charlie se dresser sur son séant.

— Vous ne me dérangez pas, murmura son amie. Will vient seulement de partir. Je garderai votre secret, vous garderez le mien !

Cinq heures plus tard, tandis que les invités savouraient un petit déjeuner tardif, William Cavendish eut la mauvaise surprise de voir arriver sa mère, la duchesse de Devonshire. Il se doutait qu'elle se précipiterait dans la capitale dès qu'elle serait informée de la demande en mariage d'Orford à sa sœur Rachel. Mais pourquoi avait-elle cru bon de venir jusqu'à Oxted ? Quelqu'un avait dû l'informer des petits arrangements que s'étaient consentis les jeunes tourtereaux. Il soupçonnait fortement Margaret, la femme de son frère Charles.

— Une douzaine de jeunes personnes seules dans une maison, en l'absence de tout chaperon... C'est inadmissible !

La duchesse toisa les jeunes filles en faisant la moue.

— J'exige des explications.

La joue de William fut agitée d'un tic nerveux.

— Mère, vous vous méprenez. Nous avons un couple marié en guise de chaperon.

Le regard dur de la duchesse se porta sur lui.

— Charles est plus jeune que toi. Je te tiens pour responsable, William.

John Campbell vit son ami rougir de honte. Ce n'était pourtant plus un enfant, mais il se faisait gronder par sa mère en présence de ses invités.

John se leva.

— Votre Grâce, quel plaisir de vous revoir ! Je vous en prie, asseyez-vous... Prenez ma chaise.

La duchesse accepta.

— Lord Sundridge… John, je suppose que votre famille se porte bien ?

— Très bien, merci. En arrivant en Écosse, la semaine prochaine, je leur transmettrai votre bonjour.

— Je suis contente que vous soyez venue, mère, déclara Rachel. Je peux ainsi vous confier l'organisation de mes fiançailles.

La duchesse toisa l'homme qui se tenait près de sa fille.

— Orford, il semble que les félicitations soient de rigueur.

Elle s'intéressa ensuite à Catherine, son autre fille, et à son compagnon.

— Et ce monsieur est…

— Puis-je vous présenter John Ponsonby et sa sœur Harriet ? dit Catherine d'un air de défi.

La duchesse leva son lorgnon.

— *Lord* Ponsonby ?

— Non… balbutia Catherine. Simplement John Ponsonby.

Will se leva d'un bond, déterminé à contrer les critiques de sa mère.

— Mère, je vous présente lady Charlotte Boyle. Je ne crois pas que vous ayez eu le plaisir…

— Boyle ?

Elle l'examina à l'aide de son lorgnon et son visage se figea.

— Pas la fille du comte et de la comtesse de Burlington ? s'enquit-elle, au bord de la crise d'apoplexie.

— Je suis ravie de faire votre connaissance, Votre Grâce, murmura Charlie.

Sentant le désastre imminent, Coventry se leva à son tour.

— J'espère que vous vous souvenez de moi, Votre Grâce. Puis-je vous présenter Mlle Maria Gunning et sa sœur Elizabeth ?

Elle les détesta aussitôt à cause de leur beauté.

— Je parlerai à votre mère. Une opinion avisée me semble nécessaire.

Elle se tourna vers Coventry.

— Les politiciens ont une réputation exécrable.

— Mon ami George Coventry fait exception à la règle, assura John Campbell avec un sourire charmant que la duchesse lui rendit.

Il avait vu les mains d'Elizabeth se mettre à trembler dès que la duchesse avait évoqué sa mère. Il maudit la mégère et se demanda comment le père de Will pouvait la supporter.

Après le petit déjeuner, la duchesse s'entretint avec toutes les femmes de chambre pour les réprimander.

Les jeunes gens en profitèrent pour ordonner à leurs valets de préparer les bagages.

— Retrouvez-moi aux écuries, souffla John à Elizabeth.

La jeune fille laissa passer quelques minutes avant de le rejoindre. Il était en train de seller son cheval. Lorsqu'il lui prit la main, elle l'ouvrit sur le bouton de cuivre qu'il lui avait donné. Il l'embrassa tendrement sur le front. Elle se hissa sur la pointe des pieds pour lui offrir ses lèvres.

— *Ne obliviscaris,* Beth.

Elle secoua la tête.

— Jamais, répondit-elle.

Ne m'oublie pas, John.

14

Le lendemain, John Campbell se prépara à partir pour l'Écosse. Dans la matinée, il avait vérifié auprès de son régisseur que la récolte de houblon était bien en route pour les brasseries avec qui il était en affaires. Les autres problèmes pouvaient attendre son retour. Après le déjeuner, il se rendit dans la bibliothèque pour écrire une lettre à ses parents et les informer de son arrivée à Inveraray. Avec grand soulagement, il vit son secrétaire entrer dans la pièce.

— Robert ! Quelle chance que vous soyez rentré aujourd'hui ! Le roi George a fini par consentir à un recrutement militaire dans les Highlands. Après des mois de tergiversations, il m'a ordonné de partir au plus vite. Je regrette de vous sauter dessus dès votre retour, mais pensez-vous être en mesure de vous remettre en route demain ?

— Naturellement, lord Sundridge. Dès que je vous aurai remis mon rapport sur l'Irlande, je réunirai les documents et dossiers relatifs à l'Écosse.

— Ah oui, l'Irlande...

John s'adossa plus confortablement à son siège. Il ne fallait pas que Hay pense que son travail n'avait servi à rien. Il prit une carafe de porto et empli deux verres.

— Asseyez-vous et buvez un verre, histoire d'oublier la poussière de la route.

Hay but d'une traite, puis fouilla ses papiers.

— D'abord, sur votre recommandation, je me suis rendu dans le comté de Mayo pour me renseigner sur Theobald, vicomte de Mayo, et sa fille Bridget. Je me dois de vous informer que le vicomte n'a pas de fille –

à moins qu'elle soit illégitime, bien sûr. On raconte qu'il a une flopée de bâtards.

— Je vois, fit John, les poings crispés.

— À Roscommon, j'ai eu du mal à trouver le château de Castlecoote, ce qui n'a rien d'étonnant car il n'existe aucun château de ce nom. Castlecoote n'est guère plus qu'un modeste manoir délabré. Plus doué pour le jeu que pour les affaires, Jack Gunning a récemment vendu sa propriété à un voisin. La famille n'a pas la moindre relation sociale, mais tout le monde parle de la beauté extraordinaire des deux filles. On raconte qu'ils sont partis pour Dublin pour essayer de lancer la carrière théâtrale des deux filles.

— Merci, Robert, dit posément John. Nous partirons demain à la première heure.

Quand son secrétaire eut quitté la bibliothèque, il prit quelques minutes pour réfléchir. Puis il saisit la carafe et la projeta contre le mur dans un geste de rage. Ivre de colère, il sella Démon et partit au grand galop à travers champs.

Une fois calmé, il ralentit. Quelle mouche l'avait piqué ? Avait-il, ne serait-ce qu'une seconde, envisagé de faire d'Elizabeth Gunning son épouse ? De toute façon, même si elle avait appartenu à la petite noblesse, les Argyll se seraient opposés à cette mésalliance.

Soudain, il crut sentir le parfum de la jeune fille. Ce que Robert Hay venait de lui révéler n'avait en réalité aucune incidence sur ses sentiments pour elle. Son devoir lui interdisait de l'épouser, mais elle le ravissait et il comptait la faire sienne. John rit de sa propre bêtise. Il ne pouvait avoir envisagé d'en faire son épouse...

Bridget Gunning retourna à l'agence de placement du théâtre de Drury Lane et distribua des pièces de monnaie aux acteurs en quête de travail. Puis elle adressa des messages anonymes aux journaux pour leur indiquer où l'on pouvait croiser les sublimes sœurs Gunning. La veille de l'audience royale à St. James, elle insista pour emmener ses filles en promenade à Hyde Park avant que le temps ne se dégrade.

Accompagnées de leur femme de chambre, elles prirent un fiacre jusqu'à Park Lane. À leur arrivée, Bridget ordonna au cocher de les attendre. À peine Elizabeth et Maria avaient-elles ouvert leurs ombrelles qu'un attroupement se forma. La foule les montrait du doigt, s'agitant jusqu'à l'émeute. Emma repoussa vaillamment les messieurs qui tentaient de toucher les jeunes filles. Un groupe de dames se rassembla pour prendre la défense des Gunning. Le temps que la police intervienne, Bridget avait réussi à faire remonter ses filles en voiture. Aussitôt, la foule se dissipa.

Sur le trajet de retour à la maison, Bridget affichait un air outragé.

— Le roi va en entendre parler ! assura-t-elle, à la joie de Maria mais au grand effroi d'Elizabeth.

L'affluence qui régnait dans les salons du palais de St. James témoignait du fait qu'une telle invitation ne se refusait pas. Il était de mise que les mères de famille de la haute société se plaignent, mais elles s'enorgueillissaient en privé de pouvoir parader en compagnie de leurs filles à la Cour.

Parée de sa perruque poudrée, Maria masquait sa nervosité en tripotant les roses en soie que sa sœur avait cousues sur son décolleté. Elizabeth la suivait, hésitante, vêtue de sa robe de bal dorée. Elle ne portait pas de perruque, ce qui lui valait des œillades meurtrières.

— Dites-moi donc où vous avez acheté cette poudre dorée pour votre perruque ! lui lança une mère de famille.

Le roi George et Augusta, la princesse de Galles, n'avaient d'yeux que pour la duchesse de Devonshire et ses deux filles, Rachel et Catherine. On avait presque l'impression que c'était la duchesse qui recevait, même si sa robe était aussi quelconque que son visage et sa perruque d'un gris démodé.

Elizabeth redoutait le moment où sa mère serait présentée à la duchesse. Dieu seul savait quelles accusations avaient été portées sur les sœurs Gunning par cette mégère de Devonshire ! L'arrivée de Charlie la soulagea.

— Vous êtes ravissante, dans cette robe pêche.

Ce ton clair seyait à merveille à ses cheveux bruns, mais elle portait la perruque de rigueur.

Dorothy Boyle salua Bridget et se mit aussitôt à murmurer derrière son éventail :

— L'homme qui vient vers nous, en costume de satin, est le cousin d'Orford, Horace Walpole. On ne parle que de lui. Il a un esprit féroce. Si vous ne voulez pas être sa prochaine victime, caressez-le dans le sens du poil.

Dorothy baissa son éventail.

— Horace chéri ! Laissez-moi vous présenter Mme Bridget Gunning et ses filles, Maria et Elizabeth.

— Lady Burlington, vous allez au-devant de mes désirs, mais il faut dire que vous avez de l'expérience...

Il leva son monocle pour toiser les jeunes filles.

— De vraies beautés ! commenta-t-il avant d'examiner Bridget. De toute évidence, elles ressemblent à leur père.

Bridget s'esclaffa, ce qu'il parut apprécier.

— Permettez-moi de présenter votre ravissante fille au roi, madame. Mon cousin Orford lui fait des courbettes depuis suffisamment longtemps. Quand il sera marié avec une Devonshire, il se prendra pour un prince !

Maria posa une main sur la manche de Walpole et avança à la rencontre du monarque.

Elizabeth demeura en retrait, espérant passer inaperçue, quoique un peu vexée. En entendant une voix derrière elle, elle sursauta et se retrouva face au duc de Hamilton.

Il s'inclina.

— M'accorderez-vous l'honneur de vous présenter au roi, mademoiselle Gunning ?

Dans son costume en soie anthracite, il éclipsait Walpole.

— Votre Grâce... c'est inutile, répondit-elle en baissant les yeux, se demandant pourquoi il venait à son secours.

— Il est indispensable que la plus belle femme soit présentée à Sa Majesté, dit-il d'un ton grave. Venez, ma chère.

Elizabeth endura sans broncher le pincement de sa mère et posa une main sur le bras du duc.

Il sentit très vite tous les regards se tourner vers eux.

— Ne cachez pas votre beauté, lui murmura-t-il. Levez la tête.

Habituée à obéir, Elizabeth s'exécuta. Ils arrivèrent à proximité du souverain au moment où Walpole lui présentait Maria. En entendant les paroles de sa sœur, Beth faillit s'étrangler.

— Votre Altesse royale, déclara-t-elle après la révérence d'usage, j'ai toujours rêvé d'assister à un couronnement !

Un silence pesant s'installa dans la salle. Chacun se rendait compte qu'il ne pouvait y avoir de couronnement que si le roi mourait. Walpole parut agacé par cette maladresse. Mais, quand il se fut remis de sa surprise, le roi George éclata de rire.

— Votre Majesté, intervint Hamilton en s'avançant. J'ai le plaisir de vous présenter Mlle Elizabeth Gunning.

Celle-ci fit la révérence avec application. De toute évidence, le roi appréciait les belles femmes. Son regard passa de la déesse blonde à Hamilton.

— Nous sommes enchanté, dit-il. Mlle Gunning demeurera à notre côté.

Hamilton s'inclina et recula pour rejoindre son ami Will Cavendish.

— Cette fille est bien trop innocente pour un roi si débauché, grommela-t-il.

Étonné, Will arqua les sourcils.

— Depuis quand considères-tu l'innocence comme une vertu, James ?

— Depuis que je connais Mlle Gunning.

Il se tourna vers Maria, qui semblait folle de jalousie envers sa sœur, et se promit d'exploiter cette rivalité au mieux de ses intérêts.

Le comte de Coventry rejoignit Hamilton. Il était tout aussi rongé par la jalousie.

— Pourquoi ce diable de Walpole monopolise-t-il Maria ? Il n'a pas le moindre titre, mais il ose s'insinuer dans notre milieu.

– Ta précieuse Maria ne risque rien avec Walpole, George. Ce colporteur de ragots n'a aucun charme.

L'héritier du trône, âgé d'à peine quatorze ans, s'approcha de Maria et lui baisa la main. Il profita de sa révérence pour admirer à loisir son décolleté.

Maria s'empressa de lui raconter comment elle s'était fait accoster, la veille, dans Hyde Park. Comme elle l'espérait, le prince de Galles s'empressa de transmettre la nouvelle au roi. En quelques minutes, Maria et sa mère furent convoquées auprès du souverain.

Elizabeth éprouva un immense embarras lorsque sa mère répondit aux questions du roi avec une emphase digne d'une actrice en pleine représentation – ce qui était d'ailleurs le cas. La solution proposée par le souverain ne fit que la gêner davantage.

— Par ordre du roi, vous aurez une garde armée d'une douzaine de soldats, tous les dimanches après-midi, pour que vous puissiez vous promener à loisir dans Hyde Park.

Bridget Gunning ayant toute l'attention du roi, la duchesse de Devonshire daigna reconnaître sa présence. Hélas, Dorothy Boyle n'eut pas cette chance.

— Je n'y crois pas, déclara celle-ci à la cantonade. Quand j'ai parlé à Catherine, elle m'a à peine regardée, comme si j'étais invisible.

— J'ai toujours trouvé la duchesse de Devonshire terriblement vulgaire, fit Horace Walpole d'une voix traînante. Sans vouloir être médisant, je crois l'avoir entendue traiter votre adorable fille, lady Charlotte, de morveuse.

— Morveuse ? répéta Dorothy, désemparée.

— Il faut dire qu'elle est à peine sortie de l'enfance. Peut-être redoute-t-elle que Will Cavendish ne la prenne au berceau, renchérit Walpole.

La comtesse de Burlington s'emporta.

— Depuis quand la jeunesse pose-t-elle un problème aux Devonshire, lorsqu'il s'agit de faire un beau mariage ? Sans doute oublie-t-elle combien de « morveuses » les Devonshire ont épousées, par le passé.

Voyant que Walpole buvait ses paroles, elle poursuivit :

— Des bourgeois ! Voilà ce que sont les Hoskyns ! Elle ne sera jamais noble, même si elle vit jusqu'à cent ans. Et c'est l'âge qu'elle semble avoir, ces derniers temps !

Cette audience royale suscita de nombreux commentaires. Non seulement à cause de l'entrée des sœurs Gunning à la Cour, mais parce qu'elle avait vu se déclarer la guerre entre la duchesse de Devonshire et la comtesse de Burlington.

Dorothy Boyle n'avait pas subi un tel affront depuis le jour où elle avait découvert que son mari aimait les hommes.

En revanche, Bridget Gunning était comblée. Le décret du roi assurait la renommée de ses filles.

Les fiançailles de Rachel avec Orford furent célébrées début octobre, et le mariage était prévu pour le 15 novembre. En découvrant le carton d'invitation, Bridget fut déçue de constater que la fille du duc et de la duchesse de Devonshire se marierait à Chatsworth, le fief de la famille.

— Nous n'allons pas au mariage, dit-elle à Maria et Elizabeth. Nous n'avons pas les moyens de nous rendre dans le Derbyshire. Il va falloir trouver une excuse plausible.

Pour le plaisir de Bridget et le malheur de son mari, le destin voulut que le père de Jack passât de vie à trépas. Toutefois, le plaisir fit place à de la rage à la lecture du testament, selon lequel le fils aîné héritait de tout. Dès leur retour de St. Ives, elle donna ses ordres à Jack :

— Tu vas faire la tournée des usuriers et emprunter en faisant valoir ton héritage.

— J'ai déjà prétendu que j'allais hériter, répondit-il sèchement. Et je dois rembourser.

— Ils ignorent que tu n'as rien touché. Tu n'as qu'à emprunter à l'un pour rembourser l'autre. Pourquoi es-tu si incapable ?

Ils se disputèrent pendant des heures. Lorsque lady Charlotte se présenta pour inviter Elizabeth à se promener dans le parc, la jeune fille sauta sur l'occasion afin d'échapper à ces tensions.

— Je vous présente mes condoléances, pour votre grand-père, murmura Charlie.

— Je l'ai à peine connu. Quand nous sommes partis nous installer en Irlande, j'étais toute petite. Mon père est triste, toutefois. Quand partez-vous pour le Derbyshire ? s'enquit-elle, histoire de détourner la conversation.

— Nous n'y allons pas, avoua Charlie, hésitante. Nous n'avons pas reçu d'invitation. Ma mère ne se remet pas de cet affront.

— Mais votre mère et le duc de Devonshire semblaient être amis de longue date, en Irlande. Will et ses sœurs ont accepté l'invitation de votre mère à Chiswick. Que s'est-il passé ?

— Je crois que je suis la responsable de cette inimitié. La duchesse de Devonshire n'apprécie pas que Will me courtise.

Elizabeth en fut choquée. Charlie était la débutante idéale. Douce, gentille, innocente. C'était de surcroît l'une des plus riches héritières du royaume.

— Elle m'a traitée de morveuse. De toute évidence, elle me trouve trop jeune pour son fils. Will m'a envoyé un message. Il veut que je vienne le retrouver au parc. J'espère que cela ne vous ennuie pas...

— Bien sûr que non. Mais ne voudrez-vous pas un peu d'intimité ?

— Je crois que nous avons déjà eu trop d'intimité, répliqua-t-elle en rougissant.

Will Cavendish repéra la voiture dès qu'elle franchit la grille du parc. Il avait maintes fois répété ce qu'il allait dire à Charlie. Il ne voulait surtout pas lui faire de mal. Quand le cocher arrêta le véhicule, il s'en approcha au trot. Par chance, elle était accompagnée d'Elizabeth et non de sa femme de chambre. Il savait d'expérience qu'on ne pouvait faire confiance aux domestiques.

— Bonjour, Elizabeth, dit-il avant de se tourner vers Charlie. D'abord, je tiens à m'excuser du manque de savoir-vivre de ma mère qui ne vous a pas adressé d'invitation. Elle a vécu si longtemps à la campagne qu'elle en a oublié que ces comportements rustres étaient inacceptables dans la société londonienne.

— Ce n'est pas grave, Will. Je comprends. C'est ma mère qui est furieuse.

— Moi aussi... Je viens seulement de l'apprendre. J'ai dit à ma mère ce que je pensais de sa conduite inqualifiable. J'espère que vous ne m'en voulez pas, mon amour.

Les paroles pleines de fiel de la duchesse résonnaient encore aux oreilles du jeune homme :

— Les Burlington n'attirent que le scandale ! Le comte et la comtesse n'ont aucune morale. Cela fait des années que cette femme a une liaison avec le duc de Grafton. Et chacun sait que Richard Boyle a des rapports charnels avec Kent, son architecte. Il n'est pas question que ces gens déteignent sur nous !

Charlie rosit de plaisir en entendant les mots doux de Will. Elle était si innocente qu'il en eut la gorge nouée.

— Dès que ce mariage sera passé, père et moi reviendrons à Londres. Je demanderai votre main à vos parents. Mes intentions sont honorables, Charlie, et mon père me soutient, en dépit de ce que pense ma mère.

— Que pense-t-elle, Will ? s'enquit Charlie.

Ce fut à son tour de rougir.

— Elle vous trouve trop jeune pour moi, mais nous nous en moquons, n'est-ce pas, mon amour ?

Elle opina.

— Elizabeth, puis-je remettre un message à John Campbell de votre part ? reprit-il.

— John assistera au mariage ?

— Lui et sa famille seront sans doute présents.

Dites-lui qu'il me manque, songea-t-elle, que je veux qu'il revienne. Dites-lui que je l'aime !

— Dites-lui simplement que... je n'oublie pas.

En Écosse, John Campbell ne parvenait pas à oublier Elizabeth Gunning. Jour et nuit, son souvenir le hantait. Durant tout le mois d'octobre et une partie de novembre, ses capitaines et lui sillonnèrent le comté d'Argyll pour recruter des soldats. C'était une véritable course contre la montre, dans cette région montagneuse. D'ici peu, les cols seraient envahis par la neige. Les volontaires ne manquaient pas. Une solde régulière était de loin préférable à une existence de misère, surtout quand l'hiver approchait. Il avait pour mission de recruter les plus résistants, les plus féroces, avant de les envoyer à Inveraray. Là-bas, leur formation se déroulerait sous l'œil critique de son père. Les hommes passeraient l'hiver à Glasgow, avec d'autres régiments des Highlands, pour terminer leur entraînement.

Pendant les longues heures de trajet dans les montagnes, John avait le temps de réfléchir. Un jour, ces paysages magnifiques, ces vallées, ces rivières lui appartiendraient. Si seulement il pouvait partager cette beauté avec Elizabeth. Il ne pouvait regarder un lac sans songer à la jeune fille nue. Un désir ardent naissait alors en lui. Il avait le cœur serré.

La pluie glaciale lui rappela leur journée à Sundridge, lorsque Beth était montée devant lui sur sa selle, prisonnière de ses bras. Chaque fois qu'ils allumaient un feu de camp, il revoyait la chevelure dorée de la jeune fille, dont il gardait une boucle dans sa poche. La nuit, ses rêves érotiques étaient si torrides qu'il se réveillait en proie à un désir douloureux.

Nulle autre femme n'avait produit sur lui un tel effet.

La deuxième semaine de novembre, il arriva chez lui, au château d'Inveraray, juste à temps pour arbitrer une querelle entre ses parents. Sa mère l'entraîna dans son salon privé avant que son père ne puisse l'influencer.

Mary Bellenden Campbell tendit à son fils une invitation au mariage des Devonshire, à Chatsworth.

— Je dois leur envoyer une réponse d'ici ce soir, et ton père s'entête.

— Comme toujours, commenta John.

— C'est l'hôpital qui se moque de la charité ! Tu es tout aussi têtu que lui.

— Je suis aussi sensible à la flatterie, plaisanta-t-il en prenant sa mère par les épaules. Qu'attendez-vous de moi ?

— Persuade-le de m'accompagner à Chatsworth. Dis-lui que tu as envie de voir ton ami William. Pendant ce temps, je rédigerai un message d'acceptation.

Elle s'assit devant son secrétaire.

— Vous êtes vraiment une grande manipulatrice. Monter un fils contre son père est inadmissible.

— Je suis aussi sensible à la flatterie, railla-t-elle. De toute façon, tu t'opposes à lui à tout propos… et contre mon gré.

— D'abord, vous me traitez d'entêté, puis vous m'accusez de vous désobéir…

Elle tapota l'invitation de ses longs doigts élégants.

— Tu sais, John, tu aurais pu épouser Rachel Cavendish. Je crois qu'elle avait un faible pour toi.

— Vraiment ? plaisanta-t-il. L'idée d'épouser Rachel ne m'a jamais effleuré.

— Ne te moque pas de moi, fit Mary en souriant. As-tu au moins songé à te marier ?

— Comment faire autrement, alors que vous ne cessez de m'imposer des candidates ?

— Sois un peu sérieux, John. Tu ne rajeunis pas. Tu vas avoir vingt-neuf ans… ou trente ? À ton âge, ton père m'avait déjà fait deux fils et j'attendais une fille. En tant qu'héritier des Argyll, il est de ton devoir de te marier et d'avoir des enfants.

— Je suis conscient de mes devoirs, mère.

Son ton glacial indiquait que la discussion était close.

— Rédigez votre message. Je vais aller convaincre père.

— Dieu tout-puissant ! Je suis débordé par ces maudites recrues. Je n'ai pas de temps à perdre à des futilités comme un mariage ! À moins que ce ne soit le tien, ajouta Argyll.

— Vous avez décidément de l'humour, père.

— Je ne plaisante pas. Loin de là.

— C'est ce qui vous rend si drôle. Vous savez bien que vous allez l'emmener à Chatsworth, alors pourquoi prétendre le contraire ?

— Tu crois donc que ta mère me mène par le bout du nez ?

J'en ai la certitude, songea John.

— Comment ? Un vieux briscard tel que vous ? Bien sûr que non ! Mais il vous arrive de lui faire plaisir...

— Pourquoi diable tient-elle absolument à rendre visite à la duchesse de Devonshire ?

— Peut-être parce que, en tant que duchesse d'Argyll, elle lui fera de l'ombre. Mais elle apprécie certainement davantage Chatsworth. Les femmes sont toujours fascinées par les mariages.

— Elles aiment voir les hommes se faire passer la corde autour du cou ?

John éclata de rire.

— Et vous vous demandez pourquoi je ne suis pas pressé de convoler !

15

Le 15 novembre, la vieille église d'Eyam, près de Chatsworth, accueillit la plupart des membres de la noblesse anglaise et écossaise, qui virent Rachel Cavendish devenir comtesse d'Orford. Will fut son témoin. Après la cérémonie, il rejoignit son ami John Campbell.

— John, je suis content de te voir, dit-il. J'ai un conseil à te demander.

— Procédons par ordre, répondit son ami en sortant de sa poche une enveloppe destinée à Elizabeth. As-tu un message à me remettre ?

— Oui. Elle te fait dire qu'elle n'oublie pas. Tu y comprends quelque chose ?

— Absolument, dit-il en lui tendant la lettre. Donne-la à Charlie, qui la remettra à Elizabeth.

— D'accord, mais il y a un problème. Ma mère menace de me déshériter si je continue à voir Charlie. Pour elle, je ne dois même pas songer à l'épouser.

— Comment peut-elle reprocher quoi que ce soit à lady Charlotte ?

— Eh bien, pour commencer, elle prétend que Dorothy Boyle est adultère !

— S'il fallait condamner toutes les filles de mères adultères, il ne resterait plus grand monde sur le marché du mariage. Elle changera peut-être d'avis, avec le temps.

— Il est hors de question que je cède à cette tyrannie.

— J'ai l'impression que tu n'as pas vraiment besoin de mes conseils. Manifestement, ta décision est prise.

— C'est vrai, admit Will. Mes frères et sœurs me soutiennent. Ils m'admirent parce que j'ose résister à notre mère... Enfin, merci de m'avoir écouté. Maintenant, je vais aller jouer les fils modèles et porter un toast aux jeunes mariés.

À la nuit tombante, John sortit se promener dans le parc jonché de feuilles mortes. Les yeux levés vers le ciel, il s'efforça de chasser la douleur qui l'étreignait. Si les Devonshire refusaient une personne aussi noble et fortunée que lady Charlotte, comment les Argyll pourraient-ils accepter une jeune fille aussi peu convenable qu'Elizabeth Gunning ?

Elizabeth sauta sur l'occasion de rendre visite à Charlotte à Burlington House. Elle espérait de tout cœur que John ait confié un message à Will Cavendish. Par chance, Maria n'exprima aucune envie de l'accompagner. Elle préférait aller se promener avec sa dernière conquête, Henry St. John, vicomte de Bolingbroke, un homme politique. Elle l'avait sans doute choisi pour rendre George Coventry fou de jalousie, d'autant plus qu'ils n'étaient pas du même parti. Ainsi, elle espérait précipiter une demande en mariage.

Charlie avait envoyé sa voiture chez Elizabeth. À son arrivée, Charlie surgit de la maison, adressa deux mots au cocher avant de monter.

— Je lui ai demandé de nous conduire à Burlington Gardens. Les travaux de décoration ont commencé. Nous y serons tranquilles pour bavarder.

Face à l'air triste de son amie, Elizabeth ressentit quelque appréhension. John ne lui avait peut-être pas envoyé de message ?

Elles pénétrèrent dans la superbe demeure qui sentait encore le plâtre frais, et croisèrent plusieurs ouvriers qui réalisaient les moulures. Dès qu'elles se retrouvèrent dans une pièce vide, Charlie tendit une enveloppe à son amie.

— Oh, merci ! s'exclama Elizabeth, le cœur en joie. C'est William qui l'a apportée ?

Charlie opina. Beth s'assit près d'une fenêtre pour prendre connaissance du message.

Elizabeth,

Je n'ose coucher sur le papier mes pensées profondes. Je dirai simplement que vous me manquez terriblement. Si seulement vous étiez près de moi, en Écosse... Je sais combien vous aimeriez ses paysages merveilleux, plus sauvages qu'en Irlande.

J'espère pouvoir revenir à Londres pour Noël.

Ne obliviscaris !

John

Beth soupira.

— Je lui manque et il sera de retour à Noël.

— Elizabeth... fit Charlie avec un sourire forcé.

— Oui ?

— Euh... la maison vous plaît ?

— Elle est splendide ! L'escalier est majestueux. De quelle couleur sera cette chambre ?

— Papa m'a dit que je pouvais choisir les couleurs. Il a suggéré que cette maison sera la mienne quand je serai mariée.

— Vraiment ? C'est formidable !

— Oui, fit-elle en se mordillant les lèvres. Elizabeth...

— Qu'essayez-vous de me dire ?

— Je... je crois que je suis enceinte ! lança Charlie, le visage blême. Que vais-je faire ?

Abasourdie, Beth la dévisagea quelques instants. Puis elle prit la main de son amie.

— Vous allez donc épouser William.

— Vous étiez présente quand il m'a dit qu'il demanderait ma main à mes parents, une fois le mariage de sa sœur passé.

— Je m'en souviens. Est-il au courant ?

— Je n'ai pas pu lui dire, avoua la jeune fille.

— Il le faut ! Will s'occupera de tout. Vous vous aimez, vous avez déjà une maison. Je ne vois aucun obstacle à votre mariage.

— Vous oubliez sa mère. Elle me déteste !

— Elle ne vous connaît pas. Lorsqu'elle vous connaîtra, elle vous adorera.

Charlie secoua la tête.

— J'ai entendu ma mère faire des remarques acerbes sur la duchesse de Devonshire. Elle a parlé de mésalliance. Mère affirme qu'elle est folle de rage, prête à tout écraser sur son passage.

— Vous tremblez, constata Elizabeth en frottant les mains de son amie. Vous êtes glacée. La maison n'est pas chauffée. Il ne faut pas rester ici.

Elles regagnèrent la voiture pour rentrer à Burlington House.

— Pouvez-vous en parler à votre mère ? demanda Elizabeth.

— Oh non ! Elle deviendrait folle.

Beth comprenait ses réticences. Jamais elle n'avouerait un aussi terrible secret à sa propre mère.

— Alors promettez-moi de mettre Will dans la confidence.

Charlie hocha tristement la tête.

À Devonshire House, William et son père discutaient de l'opposition de la duchesse au mariage de son fils avec lady Charlotte Boyle.

— Je lui ai rappelé que tu étais sur le point de faire le mariage du siècle, mais elle ne veut pas en démordre. Tiens, lis cette lettre.

William parcourut le message que son père venait de recevoir de Chatsworth avec un mécontentement croissant.

— Mère semble obsédée par le mal que je lui ferais en organisant ce mariage qu'elle juge monstrueux.

Le duc but un autre whisky.

— Puisque je n'arrive à rien avec elle, je suppose que je ne te ferai pas changer d'avis.

— Pas question ! s'insurgea Will. Je serai aussi inflexible qu'elle. Je tiens à choisir mon épouse. Toute autre mère serait ravie de me voir épouser un aussi beau parti.

Devonshire leva son verre.

— Je bois à l'inévitable. Tu as mon consentement. Accorde simplement à ta mère le temps de s'y habituer.

William adressa aussitôt une lettre aux parents de Charlotte.

Le lendemain, le comte et la comtesse de Burlington accueillirent lord Hartington avec chaleur. Dans le salon décoré avec soin, Dorothy ravala sa rancœur face aux objections de la duchesse de Devonshire. Quand William leur demanda la main de leur fille, ils acceptèrent.

Tout naturellement, Richard Boyle évoqua les questions financières.

— La dot de Charlotte s'élève à trente mille livres, et je lui ai promis une rente de mille livres par an. Je vais prendre des dispositions.

— Rien ne presse, lord Burlington. Je pense qu'un mariage au printemps serait souhaitable, lorsque Charlotte aura dix-sept ans.

Richard parut ravi de cette attention.

Dorothy sourit à son mari.

— Chéri, si vous alliez chercher les plans de Burlington House, nous pourrions les montrer à William.

Passionné d'architecture, Richard ne se fit pas prier.

— C'est à cause de votre mère que vous souhaitez attendre le printemps, n'est-ce pas ? demanda alors Dorothy avec sympathie.

— Oui, admit Will. J'espère obtenir son consentement. Mais dans le cas contraire, je m'en passerai.

— Tant mieux. Jane, la femme de chambre de ma fille, m'a confié que Charlotte n'avait pas eu ses règles. Je crains que nous ne puissions attendre le printemps.

Sous le choc, William rougit.

— Je vous demande pardon, lady Burlington...

— Allons, allons, il n'y a rien à pardonner. Le mois de décembre est idéal pour se marier. Je vous prie de ne pas révéler à ma fille que je suis au courant de la situation.

Richard Boyle revint, les bras chargés de plans qu'il étala avec enthousiasme sur la table.

— Lord Burlington, je suis trop impatient pour attendre le printemps. Consentiriez-vous à un mariage en décembre ?

— Certainement, mon garçon. Venez donc visiter Burlington Gardens. J'ai l'intention de faire don de cette maison au mari de ma fille.

William examina les plans avec incrédulité.

— Vous êtes très généreux, lord Burlington.

— Mais pas très romantique, je le crains. Les maisons, c'est bien joli, mais William aimerait faire sa demande, dit Dorothy avec un regard entendu. Vous trouverez Charlie à l'étage.

La deuxième semaine de décembre, Burlington House s'emplit d'œillets blancs, de chrysanthèmes et de lys pour célébrer le mariage de lady Charlotte Boyle avec William Cavendish, marquis de Hartington.

Elizabeth Gunning tendit à la mariée son bouquet et tint la traîne de sa robe tandis qu'elle descendait les marches de la somptueuse demeure. Beth, Rachel et Catherine étaient ses demoiselles d'honneur. Elles arboraient la même robe en satin bleu pâle et en dentelle.

La mère de William brillait par son absence. Son père, son frère et ses sœurs étaient présents. On racontait que la duchesse de Devonshire en voulait tellement à son mari d'avoir pris le parti de son fils qu'elle avait quitté Chatsworth. Elle espérait sans doute faire figure de martyre aux yeux de la haute société.

Elizabeth espérait que l'attitude de la duchesse n'avait pas trop entaché le bonheur de William. En remarquant son frère Charles à côté de lui, elle se prit à regretter que son ami John n'ait pu revenir à temps pour le mariage. Beth avait reçu une autre lettre de son bien-aimé. Il lui expliquait qu'il était obligé de rester en Écosse. Il ne pourrait rentrer à Londres avant janvier.

Les Boyle avaient organisé une réception fastueuse pour leurs deux cents invités. Les cadeaux étaient exposés dans la galerie des portraits. Un orchestre jouait dans la salle de bal. Des valets en livrée allaient et venaient, chargés de plateaux de petits-fours et de coupes de champagne.

En voyant Maria Gunning danser deux fois avec le prince de Galles, George Coventry ne put dissimuler sa jalousie. Pour se venger, il invita Elizabeth. Mais Hamilton, qui surveillait ses propres intérêts, lui coupa l'herbe sous le pied.

Dès que la musique s'arrêta, tous les amis du marié l'entourèrent et levèrent leur coupe de champagne en l'honneur des nouveaux époux.

— Dommage que John n'ait pas pu venir, commenta William. Buvons à notre ami absent !

Michael Boyle s'esclaffa et adressa un clin d'œil à Charlie.

— Peut-être ne supportait-il pas l'idée de voir son camarade la corde au cou !

— Qui sait, peut-être reviendra-t-il d'Écosse la corde au cou lui-même, plaisanta Coventry.

Boyle remarqua l'air désespéré d'Elizabeth.

— Les Écossaises ont la réputation d'être froides comme la glace. Tu es écossais, Hamilton. Qu'en dis-tu ?

— En effet, mais qui ne fondrait pas pour un domaine et des joueurs de cornemuse interprétant *Voici les Campbell, prenez garde !*

— John possède une superbe cornemuse, railla William.

Hamilton vit Beth rougir de plus belle.

— Nous nous égarons. Veuillez nous excuser, mademoiselle Gunning. Notre grossièreté est impardonnable.

Sur ces mots, il l'accompagna auprès de ses parents.

Dès qu'il se fut éloigné, Bridget toisa Elizabeth d'un œil soupçonneux.

— Puis-je espérer que tu aies conquis Hamilton ?

— Non, maman. Il est gentil, c'est tout.

— Les ducs sont toujours un peu distants. Ils sont très doués pour échapper au piège du mariage. Tu auras peut-être plus de chance avec le duc de Grafton. Il est veuf depuis des années.

Jack Gunning prit la main de sa fille. Il n'ignorait pas que Grafton était l'amant de Dorothy Boyle depuis longtemps.

— Non, Bridget. Le duc de Grafton n'est absolument pas fait pour notre fille.

Pendant ce temps, Hamilton rejoignit Coventry pour remuer le couteau dans la plaie.

— On dirait que Maria te snobe en ce moment, n'est-ce pas, George ? J'ai l'impression que tu n'as guère de chances de gagner notre pari.

— J'ai bien failli franchir le pas à plusieurs reprises, James. Tu ne peux pas en dire autant de sa sœur, je crois.

— Nous employons deux méthodes différentes. Mais je te préviens, j'ai la ferme intention de gagner.

— Chacun sait que tu ne supportes pas la défaite. Si tu as l'impression de perdre, tu modifies les règles du jeu.

— Absolument, répondit-il avec un sourire narquois.

Il était presque minuit quand Charlotte, désormais marquise de Hartington, monta dans sa chambre en compagnie de ses demoiselles d'honneur pour ôter sa robe de mariée. Le jeune couple devait passer sa nuit de noces dans la maison de Burlington Gardens. Un traîneau tiré par un attelage de chevaux blancs était prêt à les conduire à travers les champs enneigés.

Elizabeth posa une capeline de fourrure sur les épaules de son amie et murmura à son oreille :

— J'espère que vous serez toujours aussi heureuse qu'aujourd'hui.

— Je ne crois pas que ce sera possible, Beth. Mon cœur déborde d'amour. Pourvu que John revienne bientôt. Vous pourrez vous voir chez moi.

Elizabeth mit sa cape pour faire ses adieux aux mariés. Au milieu de la foule enthousiaste, elle se sentit soudain terriblement seule.

Elle ferma les yeux et effleura le bouton de cuivre qu'elle avait cousu dans l'ourlet de son vêtement.

Le 25 décembre 1751, le grand salon du château d'Inveraray grouillait de monde, en ces fêtes de Noël. Certains invités séjournaient au château, tandis que les voisins venus de toute la région étaient en visite. La bière et le whisky coulaient à flots dans une atmosphère joviale.

Un immense sapin se dressait à une extrémité de la pièce. Un délicieux fumet de viande rôtie et de gibier flottait dans l'air, faisant saliver les convives.

Anne, la sœur de John, et son mari, le comte de Sutherland, avaient amené leurs enfants Fiona et Grace, qui suivaient leur oncle partout. Il souleva la petite Grace pour lui permettre d'atteindre une bouchée de pâte d'amandes posée sur un plateau.

— Vous semblez aimer les enfants, et il est évident qu'ils vous adorent.

John se tourna vers Mary Montagu, la fille du duc de Buccleuch. Leur château était une forteresse de granit rose qui recelait de nombreux trésors, dont une collection de tableaux impressionnante : Van Dyck, Rembrandt, Léonard de Vinci. Les ancêtres des Campbell et des Buccleuch s'étaient déjà mariés entre eux. John avait compris que sa mère avait invité Mary Montagu dans l'espoir de former un couple.

— Grace profite de la situation, répondit-il. Elle sait que je ne peux lui refuser une friandise.

— La petite veinarde ! fit Mary en caressant la joue de l'enfant. Quelle femme ne rêverait pas de vous voir céder à ses passions ?

John fut sauvé par la jeune Fiona, qui cherchait à lui dérober son couteau.

— Arrête !

— La passion de celle-ci, ce sont les armes ! commenta Mary en riant. À Boughton House, dans le Northamptonshire, nous avons une armurerie digne de celle de la Tour de Londres. J'aimerais vous la faire visiter, John.

La mère du jeune homme, qui devait les épier, se joignit à eux et prit la petite Grace dans ses bras.

— John, dit-elle, après le Nouvel An, Mary compte rendre visite à sa tante à Londres. C'est un voyage ardu et dangereux en plein hiver. Je lui ai proposé de l'effectuer sous ton escorte, avec tes capitaines.

— Mademoiselle Montagu, répondit-il en s'inclinant, ce sera pour moi un honneur d'assurer votre sécurité.

Le regard de la jeune fille s'attarda sur ses lèvres.

— Vous êtes très galant ! Nous nous connaissons depuis assez longtemps pour que vous m'appeliez Mary. Nous ferons une halte à Bowill, puis à Boughton House, si vous et vos capitaines acceptez mon hospitalité. Ainsi, vous pourrez voir l'armurerie.

Je connais déjà vos armes, songea-t-il, et elles sont redoutables...

— Veuillez m'excuser, dit-il. C'est le moment d'apporter la bûche de Noël censée porter bonheur.

Les yeux de sa mère pétillaient de malice.

— Tu as déjà de la chance, John. Je t'ai placé à côté de lady Mary, à table...

Bien après minuit, quand le silence retomba enfin sur le château, John monta dans la tourelle nord. Le vent glacial faisait tourbillonner la neige, de sorte qu'il n'y avait aucune visibilité. C'était l'endroit idéal pour méditer en toute tranquillité.

Mary Montagu était un très beau parti. Dans quelques années, lorsqu'il serait contraint de se marier, il la jugerait acceptable, si toutefois elle était encore célibataire. Mais ce serait pour plus tard. Pour l'heure, il ne songeait qu'à regagner Londres et poursuivre ce qu'il avait commencé avec Elizabeth Gunning, car c'était elle que son cœur avait élue.

16

À Londres, les fêtes de fin d'année donnèrent lieu à une foule d'invitations, de réceptions à la Cour et de festivités mondaines. L'événement de la saison demeurait la traditionnelle « liste des honneurs » du roi à l'occasion de la nouvelle année, au palais de St. James.

Bridget Gunning, qui attendait avec impatience une invitation, n'eut aucun mal à intercepter une lettre destinée à Elizabeth, que lui adressait lady Hartington, toute jeune mariée. Elle l'ouvrit vivement et la parcourut :

Elizabeth,

Je suis ravie de la nomination de William au titre de maître des écuries, promotion qui sera annoncée lors de la « liste des honneurs » du roi.

J. vous salue. Nous sommes tous impatients de vous voir à St. James.

Amitiés,

Charlie

— Qui est J. ? s'enquit-elle en remettant le pli à Beth.

— Jane… la femme de chambre de Charlie, mentit la jeune fille.

— Il n'aurait jamais obtenu cette promotion sans l'intervention du duc de Devonshire, persifla Bridget non sans méchanceté.

Elizabeth passa vite sur la première partie de la lettre pour s'attarder sur la suite. Charlie voulait l'informer que John était de retour à Londres et qu'il était impatient de la revoir à St. James. Le cœur battant à tout rompre, elle monta s'habiller.

John Campbell avait accepté d'escorter lady Mary Montagu lors de la cérémonie à St. James. Il considérait de son devoir de présenter la jeune débutante à la Cour. Ensuite, il serait libéré de toute obligation. Dès son arrivée à Londres, il s'était précipité chez son ami Will, à Burlington Gardens. La promotion de Will l'enchantait, car le jeune homme l'attendait depuis longtemps. Par ailleurs, en se rendant au palais, il aurait l'occasion de faire son rapport au souverain à propos de sa mission. Il chargea Charlie d'informer Beth de son retour et de son impatience de la revoir.

Au palais, John ne perdit guère de temps à présenter Mary au roi. En apercevant Maria Gunning, il sentit son cœur s'emballer. Sa sœur ne devait pas être loin.

— Votre Majesté, j'ai l'honneur et le plaisir de vous présenter la fille du duc de Buccleuch, lady Mary Montagu.

Le roi George la toisa.

— Tout le plaisir est pour nous, déclara-t-il. Soyez la bienvenue, lady Mary.

— Votre Gracieuse Majesté me fait trop d'honneur, répondit-elle avec une révérence.

— Votre voyage depuis l'Écosse s'est-il déroulé sans encombre ?

— Lord Sundridge m'a escortée, Votre Majesté.

— Vous étiez donc entre de bonnes mains !

Le roi observa le couple d'un œil intéressé, puis il fit comprendre à John qu'il souhaitait le voir en privé, après la réception.

Le roi n'était pas le seul à se poser des questions. George Coventry et James Hamilton regardèrent John confier lady Mary à sa tante avant de venir les rejoindre.

— Tu vois, railla Coventry. Je t'avais bien dit qu'il rentrerait d'Écosse avec la corde au cou.

— Elle a de si ravissantes manières : Buccleuch, Bowill, Boughton…

— Je suis ravi que cela vous amuse, déclara John sèchement. Si ses domaines vous intéressent, allez-y, courtisez-la.

Il parcourut la salle des yeux, jusqu'à trouver ce qu'il cherchait.

— Veuillez m'excuser, messieurs.

Il fondit sur Elizabeth, en compagnie de Charlie et Will. John porta sa main à ses lèvres. Elle lui adressa un sourire radieux.

— Lord Sundridge, souffla-t-elle.

Elle portait une nouvelle robe en satin bleu pâle, et ses cheveux blonds n'étaient pas dissimulés sous une perruque. Elle était encore plus belle que dans ses souvenirs.

— Ma beauté, murmura-t-il à son oreille.

Il s'empressa de prier les jeunes mariés de leur ménager une entrevue à Burlington Gardens.

À l'autre extrémité de la salle, Dorothy se pencha vers Bridget.

— La duchesse aurait pu venir, pour voir son fils honoré par le roi. Son comportement prouve qu'elle n'a rien d'une aristocrate. Ce n'est qu'une bourgeoise! Cette horrible duchesse n'a aucune dignité. Durant toutes les années où son mari fut gouverneur d'Irlande, elle n'a passé qu'un mois là-bas. Elle a snobé les Irlandais pour retourner à Chatsworth. Pas étonnant que son mari se soit tourné vers ses deux autres amours.

Bridget arqua les sourcils d'un air interrogateur.

— Le jeu et l'alcool! fit Dorothy en riant. Je vois que le nom de Johnny Ponsonby figure sur la liste des honneurs. Le vieux Devonshire a réussi à le faire nommer baron de Duncannon. C'est uniquement pour calmer la mégère. Quand Catherine Cavendish l'épousera, elle deviendra lady Duncannon.

Bridget Gunning fulminait de constater que la plupart des relations de ses filles allaient se marier. Ses filles étaient pourtant bien plus belles que toutes ces gamines, surtout Maria. Bridget n'en fut que plus déterminée. Il était temps de prendre les choses en main.

Sans le vouloir, le roi George devint son allié lorsqu'il appela Maria pour lui reprocher son amitié récente avec un adversaire politique. Celle-ci décida sur-le-champ de cesser de battre froid George Coventry. Il lui suffirait d'un geste pour qu'il se jette à ses pieds. Mais, en voyant le comte rire avec la jeune fille que John Campbell avait présentée au roi, elle connut un instant de panique. Sa mère l'avait bien prévenue qu'il ne fallait pas courir deux lièvres à la fois, au risque de se retrouver bredouille.

Elle posa une main possessive sur la manche de Coventry.

— George, me présenterez-vous votre amie ?

— Avec plaisir. Voici Mary Montagu, fille du duc de Buccleuch. Mlle Maria Gunning.

Déterminée à séparer George de lady Mary, elle demanda d'un ton doucereux :

— N'est-ce pas John Campbell votre cavalier, ce soir ?

— En fait, il m'a escortée depuis l'Écosse ! répondit lady Mary en riant. John et moi nous connaissons depuis l'enfance.

Maria ferma son éventail.

— George, j'ai soif. Auriez-vous l'obligeance de me trouver un verre de ratafia ?

— Certainement.

Il s'inclina face à lady Mary.

— Souhaitez-vous un rafraîchissement, ma chère ?

— Non, merci, lord Coventry. Ce fut un plaisir de vous revoir.

— Je suppose que c'est une riche héritière, commenta Maria d'un ton acerbe dès qu'elle se fut éloignée. Une épouse idéale ?

Le sang de George ne fit qu'un tour. Maria serait-elle jalouse de l'attention qu'il portait à une autre femme ?

— Une épouse idéale pour John Campbell, à n'en pas douter. Hamilton et moi avons plaisanté au sujet des domaines de Buccleuch, Bowill et Boughton.

Ces paroles ne firent rien pour la rassurer. Quel homme pouvait la choisir, alors que d'autres jeunes filles avaient des châteaux et une fortune ? Elle sirota son verre tout en essayant d'obtenir une invitation.

— J'aimerais voir la nouvelle pièce qui se joue à Drury Lane, *Les Reines rivales*. Je ne suis pas allée au théâtre depuis des semaines.

— Me feriez-vous l'honneur de m'y accompagner vendredi soir, Maria ? Avec votre mère et votre sœur, bien sûr.

— Avec plaisir, mais pourquoi inviter Elizabeth ? La pièce parle de reines rivales, et non de sœurs rivales.

— Vous avez un humour exquis, Maria, dit-il, attendri.

Dans le fiacre qui les ramenait chez elles, Bridget oublia de se lamenter de ne pas posséder une voiture pour se concentrer sur son problème majeur.

— Je sais de source sûre que Catherine Cavendish sera la prochaine à se marier. Le vieux Devonshire a acheté à John Ponsonby le titre de baron de Duncannon pour qu'elle puisse l'épouser. J'ai l'impression qu'il va falloir forcer la main à ces messieurs. Nous sommes à Londres depuis cinq mois. Le temps presse.

— Difficile de mettre le grappin sur un homme quand on n'a rien à lui offrir. Nous sommes en concurrence directe avec des filles de ducs ! gémit Maria.

— Vous avez votre beauté ! Avec un peu d'intelligence, elle peut devenir une arme redoutable.

— C'est ce que j'ai essayé de faire ce soir. Le comte de Coventry m'emmène au théâtre vendredi.

— Je suppose que ta sœur et moi sommes également invitées ?

Elizabeth émergea de sa rêverie.

— Charlie m'a invitée à Burlington Gardens, vendredi soir. Elle souhaite que je la soutienne à l'occasion de sa première réception de maîtresse de maison.

— Que diable connais-tu aux réceptions données par des familles telles que les Burlington ou les Devonshire ?

Le ton acerbe de sa mère avait en général pour effet de lui clouer le bec, mais c'était son unique occasion de voir John.

— Charlie accorde beaucoup d'importance à mes conseils. Elle croit que nous menions la grande vie en Irlande.

— Il vaut mieux que tu viennes au théâtre. Coventry invitera peut-être le duc de Hamilton qui te servira de cavalier, suggéra Bridget.

Elizabeth se mura dans le silence.

— Ce serait plus intime si George et moi n'étions pas en compagnie d'un autre couple, déclara Maria. J'ai l'intention de lui forcer un peu la main.

— Tu as sans doute raison, Maria. Il faut à tout prix faire de toi une comtesse. La tâche sera bien plus facile que d'obtenir une demande en mariage pour ta sœur.

Elles arrivèrent chez elles vers onze heures, au moment où Jack partait pour quelque cercle de jeu. De fort mauvaise humeur, Bridget s'exclama :

— C'est humiliant de devoir se rendre à St. James en fiacre ! Cela fait des mois que j'attends cette voiture que tu me promets. Cinq longs mois !

Je n'aurai pas les moyens de m'offrir une voiture et son attelage avant cinq années, songea Jack. Il était si endetté qu'il ne savait plus vers qui se tourner. Chaque soir, il faisait la tournée des tripots, espérant un gain conséquent qui le sortirait des ennuis. Comme tous les joueurs, il gagnait parfois de petites sommes, mais ce n'était pas suffisant.

— La chance est avec moi, ce soir, assura-t-il. Je le sens !

Elizabeth referma la porte de sa chambre.

— Heureusement que papa était sur le point de sortir. Maman cherchait vraiment l'affrontement.

— Papa et moi avons appris à dire ce qu'il faut quand elle sort les griffes. Toi, tu finis toujours par te faire griffer.

Elizabeth prit la perruque que sa sœur venait de lancer sur la coiffeuse et la posa sur sa tête.

— Merci d'avoir dit que tu préférais aller au théâtre sans moi. Ainsi, je pourrai aller chez Charlie.

— Si tu espères y voir John Campbell, tu vas au-devant d'une désillusion. Non seulement il a présenté lady Mary Montagu au roi ce soir, mais il l'a escortée depuis l'Écosse. Savais-tu qu'elle est la fille du riche duc de Buccleuch ? Ils possèdent les châteaux de Buccleuch, Bowill et Boughton, dans le Northamptonshire. D'après George, les amis de John s'attendent à ce qu'il l'épouse.

Elizabeth eut l'impression de recevoir un coup de poignard en plein cœur. Une petite voix lui disait que sa sœur ne cherchait qu'à lui faire de la peine, qu'elle ne devait pas la croire. Bouleversée, elle reprit espoir en songeant au visage de John, lorsqu'il l'avait regardée. Il affichait un air à la fois tendre et féroce, très possessif. La douleur de la jeune fille s'envola.

— Bonne nuit, Maria. J'espère que tu apprécieras la pièce.

Le valet en livrée qui lui ouvrit prit sa cape et disparut aussitôt, tandis que la jeune marquise de Hartington venait accueillir Elizabeth, vêtue d'une robe en taffetas gris. Dandy se mit à agiter la queue et à japper de joie. Elle le souleva dans ses bras et déposa un baiser sur sa tête. Puis elle suivit son amie dans l'élégant salon.

— Il se plaît à Burlington Gardens ? s'enquit-elle.

— Beaucoup, répondit John, debout près de la cheminée, un verre à la main.

Elizabeth retint son souffle. Il semblait plus grand, plus brun et encore plus séduisant. Il la dévorait de ses yeux de braise tandis qu'elle câlinait le petit chien.

Charlie ignora la remarque de John.

— Dandy s'est tout de suite senti chez lui, expliqua-t-elle. Et Will lui a appris à sortir dans le jardin pour faire ses besoins.

Will enlaça son épouse.

— Il ne me reste plus qu'à vous dresser, vous aussi.

Charlie lui donna une tape et leva les yeux au ciel. John et Elizabeth ne les remarquèrent même pas. Ils étaient seuls au monde.

— Elizabeth, si vous faisiez visiter la maison à John ? Pendant ce temps, je m'occuperai du dîner.

— Ma femme est une telle fée du logis qu'elle a déjà appris qu'il y avait trois repas dans la journée.

— Ne vous en faites pas, mon chéri, se moqua-t-elle. Moi, je veux bien rire de vos plaisanteries douteuses.

John posa son verre sur la cheminée et rejoignit Elizabeth. Ils quittèrent la pièce comme s'ils étaient en transe. Dès que la porte se fut refermée, il la prit dans ses bras et la souleva de terre. Il la fit virevolter en riant de bonheur.

— Seigneur, vous m'avez manqué !

— Vous aussi !

— Beaucoup ? Montrez-moi combien je vous ai manqué !

En riant, elle tendit les mains pour indiquer une longueur de quelques centimètres.

— Vous êtes vraiment sans cœur ! gronda-t-il en la chatouillant.

Très vite, les rires firent place à une certaine gravité, à mesure que le désir montait entre eux. Il la fit glisser le long de son corps pour la poser à terre et l'embrassa avec une ardeur passionnée.

Il avait les lèvres brûlantes. Beth y décela un goût de cognac. Son parfum, mélangé à celui du cuir et du tabac, était enivrant. Pendant une demi-heure, ils échangèrent baisers et mots doux. Puis ils se rappelèrent qu'ils se trouvaient à Burlington Gardens. Bras dessus, bras dessous, ils déambulèrent dans les couloirs. Dans chaque pièce, John enlaçait Beth et l'embrassait à perdre haleine. Devant un miroir, il se plaça derrière elle pour qu'elle le voie prendre ses seins d'un geste possessif, tandis qu'elle se frottait contre son membre palpitant de désir.

Lorsqu'ils atteignirent l'escalier majestueux, John porta la jeune fille vers les chambres à coucher.

— Si je le pouvais, je recommencerais tous les soirs, murmura-t-il à son oreille.

Il entra dans la chambre des jeunes mariés, où trônaient une immense cheminée de pierre et un lit à baldaquin, et s'arrêta net, regrettant qu'il ne s'agisse pas de leur propre chambre. Il déposa Elizabeth et ils quittèrent vite la pièce, dont l'intimité les troublait.

— Si seulement nous étions chez moi dans le Kent...

Elle frotta la joue contre son épaule.

— La dame en gris doit être à sa fenêtre, guettant l'arrivée de son amant.

— Vous êtes ma dame en gris, dit-il en lui caressant le visage. J'aimerais que vous m'attendiez, ce soir.

Ils baissèrent les yeux et éclatèrent de rire. Dandy les observait, la tête penchée de côté.

— Will et Charlie semblent très heureux ensemble.

— Ils le sont, admit Beth. Malgré la réprobation de la duchesse, ils forment un couple bien assorti à tous les points de vue…

Charlie les vit redescendre les marches, enlacés.

— Beth vous a-t-elle montré la nursery ?

— Une nursery ? Vous envisagez donc de fonder une famille bientôt ?

— Plus vite que vous ne le pensez, répliqua Charlie en riant. J'attends déjà un enfant !

— Eh bien, toutes mes félicitations, Devonshire ! Tu n'es pas seulement maître des écuries royales, on dirait !

— Oh… il a tout d'un étalon, pourtant, plaisanta Charlie.

Elizabeth rougit. John se rappela combien elle était innocente. Se disant qu'il avait de la chance, il lui baisa la main. Il mourait d'impatience de poursuivre son initiation.

Ils dînèrent tous les quatre dans une atmosphère gaie et détendue.

— Je suis heureuse que vous ayez pu venir. Vous êtes nos meilleurs amis, déclara Charlie.

— J'ai bien failli ne pas venir. Maria est allée au théâtre avec George Coventry, et ma mère voulait que je les accompagne. Je lui ai affirmé que vous aviez besoin de mon aide pour votre premier dîner de femme mariée.

— Quelle bonne idée ! s'exclama Charlotte. Qu'en pensez-vous, Will ?

— Vous aimeriez donner une réception, dans huit jours, par exemple ?

— Oui ! Un bal costumé ! Qu'en dites-vous, Beth ?

— Eh bien, je n'ai pas de déguisement, répliqua la jeune fille, hésitante.

— Ce sera plus amusant d'en fabriquer un vous-même ! Will, je veux que l'on fasse venir des plantes de Chiswick pour notre serre. Nous engagerons des domestiques de Devonshire House.

— Comment refuser ? soupira Will. C'est elle qui dirige cette maison.

— J'ai toujours rêvé de me déguiser en homme, confia Charlie à Beth. Je m'imagine très bien en costume noir, avec un catogan. Je circulerais parmi les hommes et j'écouterais ce qu'ils racontent lorsqu'ils sont entre eux. Hélas, c'est impossible.

— Qu'est-ce qui vous en empêche ? s'étonna Beth, qui avait souvent interprété des rôles masculins.

— C'est impensable ! Les ragots iraient bon train et je ferais honte à mon mari. Quant à ma belle-mère, elle aurait une raison de me détester, cette fois.

Les deux amies passèrent l'heure suivante à mettre au point leur projet, tandis que John et Will bavardaient tranquillement. À un moment donné, celui-ci fit un signe. John s'étira.

— Il est temps pour ces jeunes gens d'aller se coucher, annonça-t-il. Je vous raccompagne chez vous, Elizabeth.

— Oh, mais c'est impossible… Ma mère…

— Elle ne sera pas encore rentrée du théâtre. Venez, je n'accepterai pas un refus de votre part.

John ordonna à son cocher de les conduire à Great Marlborough Street. Durant le trajet, Beth faillit l'interroger sur lady Mary Montagu, mais elle n'osa pas. Elle finirait bien par apprendre la vérité sur la nature de leurs relations, mais, ce soir, elle n'avait pas envie de savoir. Blottie dans ses bras, elle se laissa envelopper par sa chaleur. Lorsque ses mains possessives se glissèrent sous sa cape, elle guida ses doigts vers le bouton de cuivre cousu dans l'ourlet.

— Je l'ai touché des milliers de fois durant votre absence.

Sa main se posa sur un sein.

— Dans mes rêves, je vous ai caressée tout autant de fois. Et vous, vous avez rêvé de moi, Beth ?

— Oui. Parfois, je nous voyais nager dans la rivière.

Il la serra plus fort et déposa un baiser dans ses cheveux.

— Si seulement je pouvais vous ramener chez moi…

— J'aime beaucoup Sundridge, répondit-elle. Dormirez-vous là-bas, ce soir ?

— Oui, mais je reviendrai samedi pour le bal masqué, promit-il.

Le trajet leur parut trop court. John en voulait davantage, et il avait la ferme intention de l'obtenir. Il dressait déjà des plans pour la fête à venir. Déguisés, il leur serait plus facile de s'éclipser en toute discrétion. Il ne pouvait l'emmener à Sundridge, mais il possédait une résidence en ville.

17

Quelques jours plus tard, Bridget et Maria découvrirent une invitation au bal costumé de lady Hartington. Elizabeth crut bon de s'excuser :

— Je regrette, mais je n'ai pas réussi à la dissuader de donner un bal costumé !

— Tu regrettes ? fit Maria. Moi, je trouve cela très exaltant, au contraire.

— Mais les costumes vont nous coûter cher ! protesta sa sœur.

— Pas du tout ! À quoi bon avoir pour amie la vedette du théâtre de Drury Lane si ce n'est pour lui emprunter des costumes ? lança Bridget avec sa franchise habituelle. Cette fois, je compte briller de mille feux !

Dans la journée, Peg les autorisa à se servir dans les malles du théâtre. En échange, l'actrice exigea une invitation au bal costumé pour elle et David Garrick.

— Garrick et moi connaissons les Devonshire, après tout. Naturellement, nous arriverons plus tard dans la soirée, après la représentation, expliqua-t-elle.

Elizabeth savait qu'il lui serait facile de demander à Charlie de les inviter.

Sa rousseur et sa folie des grandeurs incitèrent Bridget à incarner la reine Elizabeth. Elle trouva un col amidonné et une robe de brocart pourpre, dont les manches étaient ornées d'une profusion de petites perles de verre.

Maria dénicha une robe en tulle argenté dont le décolleté et la traîne diaphane étaient ourlés de fourrure blanche. Elle fit perdre à la costumière plus d'une heure à chercher le diadème assorti.

En découvrant une robe noire parée de plumes, Elizabeth songea aussitôt à Léda, qui s'était transformée en cygne. Un masque était fixé au chapeau, couvert lui aussi de plumes noires. Elle espérait que sa mère n'y verrait aucune objection, comme elle en avait coutume. Heureusement, Bridget était trop occupée à préparer le costume de Maria pour y accorder davantage qu'un vague coup d'œil.

— Merci, Peg. Nous nous verrons samedi soir, conclut-elle en emmenant ses filles.

De retour à la maison, Elizabeth adressa une lettre à Charlie. Bridget insista pour que Maria envoie un billet doux à Coventry, pour s'assurer de sa présence au bal.

Au cours des jours qui suivirent, Elizabeth eut l'impression que sa mère et sa sœur échangeaient constamment des messes basses. Sans doute complotaient-elles quelque intrigue, mais elle se réjouissait d'en être exclue.

À quelques jours de la fête, Bridget demanda à Elizabeth de lui décrire en détail Burlington Gardens, puis de dessiner un plan de la maison, avec les pièces adjacentes à la salle de bal. Fait étrange, Bridget ne semblait guère insister pour que son mari l'accompagne. Elle préférait certainement le voir gagner de l'argent pour acheter une voiture.

À Sundridge, John Campbell inspectait les travaux effectués par ses métayers. Dans la campagne du Kent, les mois de janvier et février étaient très calmes. Au printemps, la culture du houblon repartirait de plus belle.

Il prit connaissance de son courrier et rédigea un rapport destiné au roi, puis un autre pour le fils du souverain, le duc de Cumberland, leur annonçant que les recrues passaient l'hiver à Glasgow et qu'ils seraient prêts à prendre les armes en mars. John répondit ensuite à une lettre de son frère Henry, dont le régiment d'infanterie patrouillait la région située entre les Pays-Bas et la France, ennemie jurée de l'Angleterre. John lui raconta avec humour les fêtes de fin d'année à Inveraray, lui précisant combien ses plaisanteries avaient manqué à tous. Il se garda toutefois d'évoquer les recrues qu'il était chargé de sélectionner pour le roi, au cas où son courrier tomberait entre les mains de l'ennemi.

Le vendredi, il se rendit à Londres afin de se préparer pour le bal du samedi. Il opta pour un costume noir de la tête aux pieds, avec une cape noire, le tout complété d'un masque acquis lors d'un carnaval à Venise.

Le samedi matin, il commanda des fleurs pour sa résidence de Half-Moon Street, et ordonna à sa cuisinière de préparer un repas pour une personne, homard et champagne, avant d'accorder leur nuit à tous ses domestiques.

Il veilla à être parmi les premiers arrivés à Burlington Gardens. Il constata avec grand plaisir que son ami Will ne l'avait pas reconnu.

Il ignorait quel costume Elizabeth avait choisi. La maison s'emplit rapidement. Ce n'est que parce que Bridget avait décidé d'incarner une personne qui lui ressemblait beaucoup, et parce qu'il était difficile de dissimuler la beauté de Maria, qu'il comprit que la femme en noir ne pouvait être qu'Elizabeth. Ses mèches blondes étaient cachées sous un chapeau orné de plumes et un masque voilait son visage, de sorte que personne ne pouvait la reconnaître.

Les dames furent vite emportées par la foule, même si Elizabeth semblait rester en retrait, cherchant quelqu'un des yeux. John s'approcha d'elle par-derrière.

— Ce soir, Jupiter ne retrouvera pas Léda.

Elle fit volte-face et murmura sensuellement :

— Je suis attirée par votre magnétisme animal. Je ne puis résister à l'envie de vous toucher…

Sur ces mots, elle glissa une main sous la cape et caressa son torse musclé.

Il vit ses yeux scintiller de désir. Il la prit par la main et l'entraîna vers la sortie. Elle parut inquiète.

— Où m'emmenez-vous ?

— Un cygne est une proie facile pour une panthère. Je vous ai traquée et capturée. À présent, je vais vous emmener dans ma tanière et vous dévorer.

— Je n'ose pas partir… Ma mère est là.

— Nul ne s'en rendra compte. Je vous ramène dans quelques heures, dit-il en balayant du regard ses seins. Après vous avoir plumée !

Cette promesse lui coupa le souffle.

— Promettez-moi que nous ne quitterons pas Londres.

— C'est promis. Et je vous garantis aussi du plaisir.

Elle hocha la tête, incapable de prononcer un mot. Soudain, elle ressentit un tel désir qu'elle l'aurait suivi au bout du monde. Main dans la main, ils s'éclipsèrent de Burlington Gardens et coururent vers la voiture de John qui les attendait.

Les hôtes de la soirée portaient de superbes costumes médiévaux. Charlie semblait plus grande, et les longues jambes de Will étaient mises en valeur par son collant. Michael Boyle était venu en Henry VIII et George Coventry en cavalier. Quiconque lui aurait dit qu'il était superbe aurait menti.

Maria Gunning trouva George en train de boire à la santé de Catherine Cavendish et lord Duncannon, à l'occasion de leurs fiançailles. Elle fit quelques allusions à peine voilées sur son souhait d'être, elle aussi, une mariée de juin comme Catherine. Hélas, George ne parut pas les saisir. Elle s'accrocha à lui comme une sangsue.

Plus flatté que jamais, George se dit qu'il aurait peut-être de la chance, ce soir. Lorsque Maria le frôla pour la seconde fois, il se sentit pousser des ailes.

— Ma voiture est dehors, Maria. Si nous faisions une petite promenade ?

— Je préfère rester ici et danser, monsieur. Mais plus tard, peut-être… Je pourrais accepter d'être raccompagnée chez moi… seule.

Cette perspective intensifia son désir pour elle, au point que des gouttes de sueur perlèrent sur son front.

— Il fait terriblement chaud, ici.

— En effet. Si nous allions boire quelque chose ? Sinon je vais fondre.

Sa mère lui avait recommandé de le faire boire.

George lui baisa la main.

— C'est votre cœur que j'ai envie de faire fondre, Maria.
— Vous avez déjà réussi, George. Vous voulez vérifier par vous-même ?

Elle prit sa main et la posa sur son sein, au-dessus de la fourrure blanche, sur une parcelle de peau nue.

Maria accepta un verre de vin, mais incita George à choisir un alcool plus corsé. Elle prit un verre de whisky sur un plateau et le leva vers les lèvres du comte.

— Je suis sûre que vous aimez les alcools qui montent à la tête.

— C'est vous qui me montez à la tête, Maria. Vous m'enivrez.

— Vous êtes si romantique, George.

En voyant sa mère en compagnie du prince de Galles, elle lui adressa un regard interrogateur. Bridget fit non de la tête. La jeune fille se rappela qu'elle lui avait recommandé de passer à l'action après l'arrivée de Peg Woffington.

— Allons danser, George. Je veux sentir vos bras autour de moi.

Dans la confortable résidence de Half-Moon Street, John et Elizabeth étaient attablés face à face, près du feu. Il prit une queue de homard qu'il décortiqua. Puis il trempa la chair dans la sauce et l'offrit à la jeune fille.

— Mmm… gémit-elle, les yeux fermés. De l'ambroisie.

— Et vous êtes une déesse.

— J'avais oublié que Léda était une déesse.

Ses yeux brillaient d'amour.

— Pourquoi tenez-vous à me faire manger ?

— Pour vous donner de l'appétit pour d'autres plaisirs… et pour moi.

— J'ai toujours faim de vous, dit-elle en s'humectant les lèvres. Je dois prendre garde à ne pas souiller mes plumes de sauce.

Il vint se placer derrière elle et dégrafa les boutons de sa robe.

— Je vous avais bien dit que je vous plumerais, murmura-t-il à son oreille. Levez-vous.

Elle obéit, les jambes tremblantes. En arrivant, elle avait ôté son chapeau et son masque, pour libérer ses cheveux qui cascadaient sur ses épaules. Avec mille précautions, il lui ôta sa robe qu'il posa délicatement de côté. Puis il prit la jeune fille sur ses genoux et se mit à lui faire manger du homard, tout en léchant ses lèvres pleines de sauce entre deux bouchées.

Elle ne portait qu'une fine camisole. John glissa la main sous le tissu pour caresser sa peau soyeuse, puis s'insinua entre ses cuisses, en haut de ses bas. Pour détourner son attention, il lui fit boire une gorgée de champagne. Il glissa un doigt dans les replis humides et fit un mouvement de va-et-vient jusqu'à ce qu'elle se mette à gémir de plaisir.

Après une première extase, il ôta la main d'entre ses cuisses, puis porta les doigts à ses propres lèvres pour goûter sa saveur.

— De l'ambroisie... souffla-t-il.

Elle enfouit le visage dans le creux de son épaule, sidérée qu'il apprécie la saveur de son corps.

— John, vous êtes vraiment un coquin !

Il la regarda dans les yeux.

— Pas du tout. Tout m'enchante, chez vous.

Oubliant le dîner, il finit de la déshabiller et se dévêtit à son tour. Puis il la porta dans sa chambre où il la déposa sur le lit. Ses cheveux s'éparpillèrent sur l'oreiller.

— Vous êtes d'une beauté saisissante. Vous avoir pour moi seul l'espace de quelques heures est paradisiaque.

— Nous ne pouvons rester trop longtemps. Et surtout, il ne faudra pas nous endormir comme la dernière fois.

— Je vous promets que nous ne dormirons pas, dit-il avec un sourire.

L'air embaumait la narcisse et la jacinthe. Prenant un pied délicat entre ses mains, il déposa un baiser sur sa cheville. Puis ses lèvres remontèrent très lentement le long de sa jambe fuselée. Lorsqu'il s'allongea près d'elle, elle était pantelante de désir. Il s'empara de ses lèvres.

Il la serra contre lui en roulant sur le lit.

— Viens sur moi, ordonna-t-il.

Son cœur battait à tout rompre. Dès qu'il l'eut légèrement pénétrée de son membre raidi, il sut qu'un seul coup de reins suffirait pour qu'il la fasse totalement sienne. Les dents serrées, il se contrôla pour ne pas déchirer son hymen.

— Aime-moi, Beth.

Elle se pencha afin de lui caresser le torse et les épaules de ses cheveux. Quand elle glissa la langue dans sa bouche, il se mit à lui caresser les hanches et les fesses, faisant naître dans sa gorge des plaintes de plaisir. Elle se frotta le long de sa verge dressée à un rythme qui les mena presque vers la folie.

— Prends-moi.

Les paroles de John la ramenèrent soudain à la réalité. Il ne faut pas que nous fassions un enfant, songea-t-elle, affolée. C'est ce qui est arrivé à Will et Charlie !

Il poursuivit son mouvement de va-et-vient sans la pénétrer. Très vite, elle serra les cuisses sur ses hanches et rejeta la tête en arrière, secouée de spasmes de plaisir, submergée par une extase indicible. Enfin, elle s'écroula sur son corps moite.

Il lui caressa doucement le dos, les hanches, les fesses, son membre toujours dressé. Il murmura des mots d'amour pour attiser son désir. Quand elle se mit à titiller ses mamelons, il la fit rouler pour la dominer de son corps.

Il plongea dans son regard voilé de passion. Son instinct lui disait que le moment était venu de la faire sienne. Doucement, il insinua son membre dans son sexe humide.

— Ouvre-toi, mon amour… enroule les jambes autour de ma taille.

Elle obéit en étouffant un gémissement, se cambrant pour recevoir ce qu'elle désirait au plus profond d'elle-même. L'espace d'un court instant, elle crut que sa verge était trop imposante pour elle, qu'elle ne parviendrait pas à entrer totalement. Elle retint son souffle et, comme par miracle, il la pénétra entièrement et demeura immobile. Elle aimait cette sensation de plénitude, le poids de son corps sur le sien. Lorsqu'il l'embrassa avec ardeur, elle gémit de plus belle.

D'abord, il se montra doux et lent, mais, n'y tenant plus, il intensifia ses coups de reins jusqu'à l'explosion. Il répandit sa semence en elle avec un cri bestial. Ensuite ils demeurèrent pantelants, ivres de bonheur.

Enfin, John s'écarta et l'attira dans ses bras.

— Je t'ai fait mal, mon amour ? demanda-t-il en effleurant sa tempe d'un tendre baiser.

— Oui… enfin, non. J'ai failli hurler de plaisir, souffla-t-elle.

— Tu l'as fait, chérie, dit-il en la serrant dans ses bras protecteurs. Je ne pourrais jamais vivre sans toi. Je veux que tu viennes habiter à Sundridge. Tu crois que tu y serais heureuse ?

Il posa un doigt sur ses lèvres.

— Non, ne réponds pas tout de suite. Je veux que tu y réfléchisses sérieusement.

Tandis que John l'habillait, Elizabeth nageait dans le bonheur. Puis, les paupières lourdes de sensualité, elle le regarda se vêtir à son tour. Il remit en place le chapeau à plumes noires. Il glissa enfin une fleur blanche dans son décolleté et l'embrassa une dernière fois, avant de retourner au bal.

Peg Woffington et David Garrick se rendirent à la soirée dès la fin de leur représentation. Ils avaient gardé leurs costumes de scène. David se précipita à la rencontre de Will Cavendish, qu'il connaissait. Peg n'eut aucune difficulté à reconnaître Bridget.

— Nous avons tout de deux reines rivales, plaisanta-t-elle.

— Nous ne serons jamais rivales. Nous sommes les meilleures amies du monde. Je t'en prie, Peg, ne me lâche pas d'une semelle.

L'actrice repéra Maria, une main possessive posée sur le bras du comte de Coventry. Elle lui adressa un signe de la main. Bridget l'imita.

— Je ne vois pas Elizabeth…

— Cette imbécile est sans doute en train d'aider son

amie Charlotte à s'occuper des invités au lieu de se chercher un mari.

À l'autre extrémité de la pièce, Maria prit le geste de sa mère pour un signal. Elle se hissa sur la pointe des pieds et murmura quelques mots à l'oreille de son cavalier.

— George, je ne supporte plus cette foule. Si nous trouvions un coin plus tranquille ?

Elle le prit par la main et l'entraîna hors de la salle. Traversant une pièce qui faisait office de vestiaire pour l'occasion, elle ouvrit la porte du jardin d'hiver, pour le plus grand bonheur de Coventry. À peine étaient-ils entrés qu'elle entreprit de caresser le membre gonflé du comte.

— J'aime votre costume, George. Vous êtes si… viril.

— Maria, c'est vous qui me rendez viril, dit-il en la plaquant contre lui pour mieux lui faire sentir l'intensité de son désir.

Elle leva son visage, appelant un baiser et aspirant la langue de George dans sa bouche. Elle interrompit leur baiser pour se caresser les seins d'un air suggestif.

— Autrefois, les robes étaient coupées de telle sorte que les messieurs pouvaient sortir un sein et jouer avec.

D'un geste, George fit glisser la robe argentée sur ses épaules, jusqu'à sa taille, pour pétrir ses seins ronds. Il se pencha afin de prendre un mamelon entre ses lèvres.

La porte de la serre s'ouvrit avec fracas.

— Maman ?

Abasourdi, George croisa le regard accusateur d'Elizabeth Tudor, qui semblait sur le point de l'enfermer dans la Tour de Londres.

Bridget fit entrer Peg.

— Ferme vite la porte avant que les invités ne voient ma fille innocente se faire violer !

Feignant un malaise, elle chancela dans les bras de son amie. L'actrice se dit que mère et fille avaient décidément raté leur vocation.

George s'écarta de Maria et s'approcha de sa mère, l'air implorant.

— Chère madame Gunning, jamais je ne violerais votre fille. J'aime Maria. Mes intentions ont toujours été honorables, je vous l'assure.

Bridget retrouva vite ses esprits et passa à l'offensive.

— Vous avez l'intention d'adopter une attitude honorable ?

— Absolument... absolument. J'allais demander à Maria de m'épouser.

— Oh, George ! J'adorerais devenir la comtesse de Coventry !

Une fois rhabillée, Maria avait tout d'un modèle de vertu.

— La date du mariage ? insista Bridget.

— Euh... peut-être à Pâques... Oui, à Pâques. Pâques tombe assez tôt, cette année.

Peg s'avança et leva un bras comme pour déclamer une tirade.

— Permettez-moi d'être la première à vous féliciter, milord. Votre épouse sera certainement la plus belle comtesse que Londres ait connue.

Hébété, George se rendit compte que c'était sans doute la vérité. Il retrouva peu à peu ses esprits.

— Il faut que je m'entretienne avec votre père, Maria...

— C'est inutile, lord Coventry, assura Bridget. Je parle au nom de mon mari. Nous sommes ravis de vous accorder la main de notre fille. À présent, retournons au bal. Les rumeurs vont vite. Je suis certaine que la nouvelle de votre demande en mariage est déjà sur toutes les lèvres.

En regagnant la salle, la première personne que vit Maria fut Elizabeth, en grande conversation avec Charlie. Elle laissa George sur le seuil et se précipita vers sa cadette.

— Tu peux me féliciter, lui dit-elle. George vient de me demander en mariage. Je vais être comtesse de Coventry !

Les deux jeunes filles l'embrassèrent et lui souhaitèrent tout le bonheur du monde. Puis Charlie partit annoncer la nouvelle à Will. Maria prit la main de sa sœur pour l'entraîner vers George.

— Est-ce que mon titre de comtesse sera supérieur à celui de marquise de Charlie ? s'enquit-elle avec enthousiasme.

— Non, Maria. L'ordre est le suivant : duchesse, marquise, comtesse.

— Enfer et damnation ! Certaines ont vraiment de la chance !

Elizabeth serra la main de Coventry.

— Félicitations, cher comte. Je suis ravie que vous deveniez mon beau-frère.

Il lui baisa la main.

— Vous m'honorez, Elizabeth.

Charlie trouva Will dans la salle à manger.

— Votre ami George vient de demander Maria Gunning en mariage !

— C'est incroyable ! Notre bal va remporter un succès fracassant. Dommage que vous n'arriviez que maintenant. John vient de partir. Il l'apprendra bien assez vite. Je vais aller présenter mes vœux au futur marié. Un peu de solidarité dans l'épreuve lui fera du bien !

Après le bal, Coventry raccompagna Maria dans sa voiture.

Elizabeth, quant à elle, flottait sur un nuage de bonheur. Elle ne voulait pas gâcher le plaisir de sa sœur en lui révélant quoi que ce soit sur John et elle. Elle avait le temps, car John ne l'avait pas encore demandée en mariage officiellement, même s'il lui avait recommandé de songer à vivre avec lui à Sundridge. Elle était impatiente de lui dire oui.

18

Lorsque la séance du Parlement fut levée pour le déjeuner, George Coventry rejoignit Hamilton, son ami et rival. Depuis ses fiançailles du samedi, George s'était fait à l'idée d'épouser Maria Gunning, la plus belle femme de Londres. Les dix mille guinées qu'il allait gagner grâce à son pari avec Hamilton seraient la cerise sur le gâteau.

— Tu n'es pas venu au bal costumé chez Will et Charlie, samedi ?

Hamilton afficha un air de dédain.

— J'accepte les invitations à un bal, mais je suis un duc, George. Je ne me ridiculise pas en revêtant un costume !

— J'ai demandé Maria Gunning en mariage.

— Pas possible !

— J'ai l'impression que je vais gagner notre pari, finalement. Tu n'as guère fait de progrès auprès de sa sœur. Je m'étonne que tu ne l'aies pas encore arrachée aux griffes de Sundridge.

— Sundridge ! Il était présent au bal ?

— Je ne me rappelle pas l'avoir vu, non.

— Je ne l'ai jamais vu en compagnie d'Elizabeth Gunning. Il n'était pas son cavalier chez Almack. À l'audience du roi du Nouvel An, il était accompagné de lady Mary, la fille du duc de Buccleuch.

— Avant de partir pour l'Écosse, John était complètement amoureux d'elle. Crois-moi, James, je sais reconnaître un homme fou de désir pour une femme.

Hamilton réprima un sourire. La perspective de dérober la proie de son plus grand rival l'excitait au plus haut point. Mais il dit simplement :

— La moitié des hommes de la capitale, y compris le roi, sont amoureux d'Elizabeth Gunning, mais je l'ai trouvée à la fois timide et innocente, au contraire de nombreuses jeunes filles que nous connaissons.

George rougit au souvenir du comportement de Maria, dans la serre. Il se calma aussitôt. Il n'avait pas encore réussi à obtenir satisfaction, même après une demande en mariage.

Hamilton le toisa d'un œil méfiant. De toute évidence, il n'était pas parvenu à ses fins. Sinon, il aurait réclamé son argent. Sa soirée de jeu de samedi s'était révélée bien plus fructueuse que le bal masqué. Il avait endetté Jack Gunning de sept mille livres. Mais Hamilton savait qu'il n'avait pas de temps à perdre, si Campbell désirait Elizabeth et si lui-même voulait remporter son pari contre Coventry. Il détestait perdre.

Bridget s'empressa d'emmener Maria chez les modistes de Bond Street pour préparer son trousseau. Elle comptait ouvrir des comptes pour la future comtesse afin que son époux règle les factures après le mariage. Emma les accompagna pour porter leurs achats.

Dès qu'elles eurent quitté la maison, Elizabeth décida de rendre son costume à plumes noires à Peg Woffington. C'était le prétexte idéal pour parler avec l'actrice, qui était bien plus tolérante que sa mère. La jeune fille se rendit à pied à Soho Square, au domicile de Peg.

— Ma chérie ! J'étais justement d'humeur à bavarder. Entre donc boire une tasse de thé.

— Merci de m'avoir prêté ce superbe costume. Depuis le départ, j'ignore comment nous aurions fait sans vous.

— De toute évidence, le costume a fait des étincelles pour Maria, même si je soupçonne Bridget d'avoir forcé un peu les choses. Je tire mon chapeau à ta mère. Elle a accompli un véritable exploit. Une de casée, il ne reste plus que toi. Quoi de neuf, de ce côté-là ?

— Eh bien, il y a quelqu'un qui compte beaucoup pour moi, avoua Elizabeth.

— Qui est-ce ? À moins que ce ne soit un secret...

— En quelque sorte. Je n'en ai pas encore parlé à maman. En fait, je tenais à vous voir auparavant.

— Pauvre enfant. Bridget te tient d'une main de fer, n'est-ce pas ?

Vous savez très bien qu'elle me tyrannise et que je ne suis pas sa préférée, songea Beth.

Peg leur servit du thé.

— Je suis très flattée que tu te confies à moi, Elizabeth.

— Il ne s'agit pas d'un comte, comme le fiancé de Maria. Toutefois, il a un titre. C'est un lord.

— Vraiment ? Vas-tu me dire son nom ?

— C'est Sundridge. Lord Sundridge, souffla-t-elle.

— Sundridge ? répéta l'actrice. Ce n'est autre que John Campbell !

— Oui ! C'est bien ainsi qu'il se nomme. Vous le connaissez ?

— Ma chère enfant, le monde entier le connaît. Ne le prends pas mal, chérie, mais il ne peut sérieusement s'agir d'une affection réciproque.

C'est plus que de l'affection, c'est de l'amour...

— Pourquoi pas ?

Peg se leva et alla chercher un ouvrage sur les grandes familles du royaume qu'elle feuilleta.

— Voilà ! John Campbell est l'héritier du duc d'Argyll. Il est aussi marquis de Kintyre et de Lorn, comte de Campbell et de Cowal, vicomte de Lochow et baron d'Inveraray, Mull, Morven et Tyrie du royaume d'Écosse. Il héritera également de plusieurs postes auprès du roi.

— Argyll ? répéta la jeune fille dont les mains se mirent à trembler.

— Son père n'est autre que le quatrième duc d'Argyll. John Campbell sera le cinquième.

Soudain livide, Beth posa sa tasse.

— Il devra se marier avec une jeune fille aussi fortunée que Charlotte Boyle, une jeune fille au sang bleu. N'attends aucune demande en mariage de sa part, Elizabeth. Ce serait une mésalliance.

— Il ne peut s'agir du même John Campbell, murmura-t-elle, la gorge serrée.

Le doigt de Peg glissa sur la page du livre.

— « John Campbell, baron de Sundridge dans le comté de Kent, fils aîné et héritier du duc d'Argyll. » Tu vas bien, chérie ? demanda-t-elle en levant les yeux.

— Oui… oui… Il faut que je m'en aille. Merci pour…

Elizabeth parvint à sortir de la maison. Elle respira à pleins poumons pour ne pas s'évanouir. Il fallait qu'elle remette de l'ordre dans ses idées et ses émotions. Elle rentra chez elle à pied, totalement bouleversée.

Pendant deux jours, elle se replia sur elle-même. Tout à leurs préparatifs de mariage, Bridget et Maria ne se rendirent compte de rien. Puis un bouquet de fleurs fut livré, sans carte.

Bridget le tendit à Maria.

— Elles viennent de ton fiancé.

Elizabeth savait que les narcisses et les jacinthes ne pouvaient être que de John. Le message était clair : « Je ne peux vivre sans toi. » Comme elle avait été stupide de douter de lui ! Elle mourait d'envie de le revoir. Profitant de ce que sa mère et sa sœur se rendaient à l'essayage de la robe de mariée, elle prit son courage à deux mains et partit pour Half-Moon Street. Elle remarqua à peine les regards malveillants des passants, car une femme ne se promenait pas seule à Mayfair. Au terme de trois kilomètres de marche, elle arriva en fin d'après-midi. Le jour commençait à tomber. Elle reconnut tout de même lady Mary Montagu et sa tante qui quittaient la maison de John. Ses doutes ressurgirent, mais elle parvint à les repousser pour actionner le heurtoir. Un domestique vint lui ouvrit et la dévisagea.

— Elizabeth Gunning. Je voudrais voir lord Sundridge, balbutia-t-elle en rougissant.

— Veuillez m'excuser, mademoiselle Gunning, répondit-il en écarquillant les yeux. Votre beauté…

John apparut au sommet de l'escalier. En la reconnaissant, il descendit les marches en courant :

— Elizabeth ! Montez vite !

D'une main ferme posée dans son dos, il la fit entrer et referma la porte.

— Vous ne devriez pas venir me voir seule et en plein jour, déclara-t-il d'un ton autoritaire.

— Ce serait parfaitement acceptable la nuit, à l'insu de tous ?

— Non plus, répliqua-t-il en secouant la tête. Je songeais seulement à votre réputation.

Il voulut la prendre dans ses bras, mais elle s'écarta de lui.

— En revanche, vous jugez acceptable que lady Mary Montagu vous rende visite ?

— Elle était accompagnée de sa tante, la comtesse de Carlyle. Je pensais que vous saviez parfaitement ce qui est acceptable ou pas.

— Comme vous avez jugé évident que je sache que vous êtes l'héritier du puissant duc d'Argyll ! lança-t-elle.

— Elizabeth, tout le monde sait qu'Argyll est mon père. Vous ne pouviez l'ignorer…

— Tout le monde le savait, sauf cette innocente Elizabeth Gunning, dit-elle en relevant fièrement la tête pour repousser ses cheveux en arrière.

Elle se tut, le cœur battant, attendant qu'il lui confirme qu'il voulait l'épouser.

— Mon amour, mon cœur est à vous ! Mais un mariage est impossible, à cause de mon devoir envers ma famille.

Il tendit les mains vers elle.

— Ne me touchez pas ! s'exclama-t-elle.

Elle traversa le vestibule, puis fit volte-face et posa sur John un regard meurtrier.

— Je suis assez bonne pour coucher avec vous, mais pas assez pour épouser un Argyll, c'est cela ?

Dans sa robe de taffetas bleu saphir, les cheveux cascadant sur ses épaules, elle n'avait jamais été aussi belle. Il eut envie de la prendre dans ses bras. De l'allonger sur le tapis, devant la cheminée, et de la faire sienne. Il avait besoin qu'elle se donne à lui, qu'elle lui dise qu'elle l'aimait. Elle représentait un défi irrésistible.

Il parvint à l'enlacer.

— Nom de Dieu, Elizabeth, je sais parfaitement que vous ne possédez aucun château en Irlande. Je sais que vous êtes sans le sou et que tout ceci n'est qu'une mascarade !

Elle se figea.

— Si je vivais dans un château et si j'étais celle que je prétends être, vous m'épouseriez ?

— Vous savez bien que ce serait impossible.

— Alors votre remarque n'était pas nécessaire. Vous êtes grossier et méchant !

Sur ces mots, elle le gifla violemment. Elle n'était pourtant pas de nature violente. Elle n'avait même jamais frappé personne. Elle voulut s'écarter, mais il la saisit par le poignet.

— Chérie, je ne cherchais en rien à vous déshonorer. Je vous adore ! Si vous venez vivre avec moi à Sundridge, je vous donnerai tout ce que vous voudrez.

— Et je deviendrai votre dame en gris, à attendre à la fenêtre, pendant que vous mentirez à votre épouse au sang bleu, lady Mary !

Cette flèche le blessa. Il lui lâcha le poignet.

— Pardonnez-moi, Elizabeth…

Il s'attendait à ce qu'elle lui réponde qu'il n'y avait rien à pardonner, qu'elle l'aimait. Mais elle ne dit rien.

— Tu sais quelle date nous sommes ? demanda Bridget à Jack, qui rentrait au petit matin, après avoir passé la nuit à jouer.

Face à son air absent, elle jugea bon de répondre à sa propre question :

— Nous sommes en février ! En février, tu m'entends ? Notre bail expire à la fin du mois et nous n'avons pas d'argent pour le renouveler.

En songeant aux reconnaissances de dettes qu'il avait signées au profit de Hamilton, Jack se sentit pris au piège.

— Nous nous en sortirons. Maria épouse un homme riche.

— Le mariage n'a lieu qu'à Pâques, après la saison parlementaire. Ce sera en mars, mais, je te le répète, notre bail arrive à terme à la fin du mois ! Si les huissiers nous jettent à la rue, il n'y aura pas de mariage.

— Attendons le 1er mars. Nous irons à l'agence pour les convaincre de prolonger le bail de six mois.

Bridget ne parut guère rassurée.

— Pour ce qui est du trousseau et des préparatifs du mariage, j'ai ouvert des comptes au nom de la comtesse de Coventry, et George paiera l'addition. Maria tente de le persuader d'acheter une maison à Londres. Hélas, sa résidence familiale se trouve à Coventry. Il possède bien une résidence dans Bolton Street, mais elle ne convient guère à une famille. S'il fait rapidement l'acquisition d'une demeure, nous pourrons peut-être y organiser les noces.

— La coutume veut que les noces ne se déroulent pas chez le marié, remarqua sèchement Jack.

— La coutume ne veut pas non plus que la mariée soit à la rue pour cause de dettes, ce qui risque bien de nous arriver d'ici Pâques !

Jack pria en silence pour que sa femme n'apprenne jamais à quel point il était endetté.

Quelques jours plus tard, Bridget reçut un message de James Douglas, duc de Hamilton, qui l'étonna et l'enchanta à la fois. Jack et elle étaient invités à dîner chez le duc, dont l'appartement donnait sur le parc, à Grosvenor Square.

Jack ne partageait pas l'enthousiasme de sa femme. Il tenta même de lui faire décliner l'invitation. En vain. Le soir convenu, il fut contraint d'enfiler son plus beau costume pour se jeter dans la gueule du loup.

En arrivant devant Hamilton House, Bridget se rendit compte qu'ils étaient les seuls invités, ce qui l'impressionna quelque peu. Elle était déjà entrée dans des demeures opulentes, comme Devonshire House, mais avait toujours réussi à se fondre parmi la foule.

Ce soir, c'était une autre histoire. Elle avait l'impression de jouer le premier rôle d'une pièce à trois personnages. Tous les projecteurs seraient braqués sur elle.

Bridget se redressa fièrement et afficha un sourire assuré. Elle sirota le porto coûteux que Hamilton lui servit. Quand ils s'attablèrent, elle répondit de son mieux à ses questions, citant au passage quelques noms connus – celui de la princesse Augusta, par exemple. Elle évoqua l'invitation de la princesse à une fête de la Saint-Valentin donnée à Leicester House. Bridget trouvait Hamilton intimidant, avec son corps trapu, ses yeux noisette si calculateurs et rusés. Elle voulut impliquer Jack, qui s'intéressait davantage à son whisky qu'à la conversation. Il ne lui était décidément d'aucun secours...

Telle une araignée, Hamilton observa le couple qui venait de se prendre dans sa toile. Il prenait un malin plaisir à les regarder se débattre avec la conversation en cours et les couverts à poisson, endurer de longs silences gênés. Il jaugea Bridget, avec sa poitrine généreuse, sa bouche pulpeuse. Elle n'avait rien d'une dame, mais elle devait être une excellente partenaire au lit, à condition d'aimer les dominatrices. Au moment du dessert, il passa à l'offensive :

— Sans doute vous demandez-vous ce que je vous veux...

Aussitôt, Jack s'agita sur son siège.

— Pas du tout, Votre Grâce ! répondit son épouse avec un rire forcé.

— Je voulais vous demander la main de votre fille.

Seigneur, songea Bridget, si nous avions attendu quelques jours de plus, elle aurait pu devenir duchesse et non comtesse !

— Votre Grâce, Maria est fiancée au comte de Coventry. N'avez-vous pas lu le faire-part paru dans le journal, hier ?

— Votre fille Maria ne présente pas le moindre intérêt à mes yeux, rétorqua-t-il d'un ton sardonique.

Bridget en demeura sans voix. Elizabeth... Il voulait épouser Elizabeth !

— Elizabeth est très jeune, Votre Grâce. Des fiançailles, peut-être... De longues fiançailles.

— C'est hors de question, dit-il avec un regard dur. Je souhaite l'épouser tout de suite.

— Votre Grâce, nous avons déjà les frais du mariage de notre fille aînée, insista-t-elle. Tout cela est fort onéreux.

— Le mariage d'Elizabeth ne vous coûtera rien. Il se fera dans l'intimité et restera secret jusqu'à ce qu'il soit un fait accompli. Je bloquerai des fonds en votre nom jusqu'au mariage.

— À quelle somme songiez-vous, Votre Grâce ?

— Trois mille livres.

Bridget comprit qu'il serait stupide de ne pas marchander.

— Seulement ?

Il la regarda droit dans les yeux.

— Ne me poussez pas trop loin, madame Gunning. Je suis disposé à annuler les dettes de jeu de votre mari, qui me doit sept mille livres, ce qui porte le total à dix mille.

Bridget se contint, mais elle fulminait intérieurement. Espèce d'ordure, Jack Gunning ! Comme toujours, tu n'en fais qu'à ta tête et tu n'es bon à rien ! Comme d'habitude, c'est à moi de jouer le rôle du chef de famille ! Dès que j'aurai perdu mes deux trésors qui seront mariées, je vais me retrouver à la rue !

Elle sourit à Hamilton.

— L'honneur que vous faites à ma fille m'a presque convaincue, Votre Grâce. Mais je vous le répète, elle est bien jeune pour quitter le nid familial. Ma fille et moi sommes très proches. Je ne la sens pas prête à vivre loin de sa mère, dans l'immédiat.

Sentant la victoire à portée de main, Hamilton vida son verre de cognac.

— Cette maison est immense. Cela fait cinq ans que je n'ai pas mis les pieds dans l'aile nord. Vous pourrez vous y installer.

Lorsque les deux parties eurent trouvé un accord, Hamilton renvoya le couple chez lui dans sa voiture.

— Attends un peu d'arriver à la maison, Jack. Tu vas avoir affaire à moi ! En attendant, je ne veux pas que Maria soit informée de la chance miraculeuse de sa sœur. Elle sera contrariée d'apprendre qu'Elizabeth est sur le point de devenir duchesse, et je ne veux pas lui faire de peine. De plus, elle est incapable de garder un secret, or le duc tient à une discrétion absolue. D'ailleurs, je pense que nous ne dirons rien à Elizabeth non plus. Attendons que l'argent soit bloqué à notre nom.

Jack était livide. Il se sentait terriblement coupable.

— Et si Elizabeth n'a pas envie d'épouser James Hamilton ?

— Ne sois pas ridicule ! Et ne va surtout pas lui mettre cette idée stupide dans la tête ! C'est la chance de notre vie ! Désormais, nous n'avons plus à nous soucier de renouveler ce maudit bail. En fait, nous n'aurons plus à nous soucier de rien !

Bridget faillit sourire, mais elle se ravisa.

— Ce n'est pas grâce à toi, espèce d'incapable !

Lorsque la voiture s'engagea dans Great Marlborough Street, le visage de Bridget s'illumina.

— Voilà qui résout la question du mariage de Maria. Les festivités auront lieu chez la nouvelle duchesse de Hamilton !

Depuis sa dispute avec John, Elizabeth était déprimée, au point que sa sœur finit par s'en rendre compte.

— Ce n'est pas la peine de bouder parce qu'un homme m'a demandée en mariage et pas toi. Nous avons toujours su que je serais la première à me marier.

— Maria, je m'en réjouis pour toi ! George est un vrai gentleman. Je regrette d'être de mauvaise humeur. Cela n'a rien à voir avec toi. C'est personnel.

— Ah bon ? Cela concerne John Campbell ? George m'a parlé de la rumeur sur son mariage avec lady Mary Montagu.

Je m'en moque éperdument ! songea Elizabeth.

Alors pourquoi ai-je l'impression d'avoir reçu un coup de poignard en plein cœur ?

— Oh, à propos de mariage, reprit Maria. J'ai décidé que tu porterais du rose en tant que demoiselle d'honneur. Quand tu te rendras aux essayages, tu vas pâlir d'envie face à ma robe. La traîne et le voile sont aussi légers qu'un nuage... Je dois me dépêcher. George et moi allons visiter des maisons. J'emmène Emma pour m'assurer que George ne posera pas la main sur moi...

Une fois Maria sortie, Bridget jugea le moment opportun pour révéler à Elizabeth son avenir prometteur.

— Viens t'asseoir. Jack et moi avons une nouvelle incroyable à t'annoncer.

Elizabeth lança un regard inquiet à son père. Les révélations de Bridget faisaient souvent l'effet d'un tremblement de terre.

— Tu sais sans doute que nous avons dîné chez le duc de Hamilton, l'autre soir. Sa somptueuse demeure, à Grosvenor Square, dépasse tout ce que j'avais imaginé. Naturellement, j'étais curieuse de savoir ce qu'il nous voulait. Jamais je n'aurais pu le deviner !

Bridget leva les mains au ciel avec emphase.

— James Douglas, duc de Hamilton, nous a demandé ta main !

Elizabeth sentit le sol se dérober sous ses pieds, au point qu'elle dut s'agripper aux accoudoirs de son fauteuil. La gorge sèche, elle entendit une petite voix intérieure crier : Non... *non !*

La peur instinctive qu'elle avait ressentie lors de leur première rencontre revint à la surface. Elle revit sa silhouette imposante, son regard voilé et dur à la fois, cruel.

— Je ne peux accepter cette proposition, murmura-t-elle en s'humectant les lèvres.

— Ne sois pas ridicule ! fit Bridget. Nous avons accepté en ton nom car tu es mineure. Je sais que tu appréhendes de devenir la duchesse de Hamilton, Elizabeth, mais tu vas te faire à l'idée. Tant d'honneur et de prestige rejaillissant non seulement sur toi mais sur toute la famille, cela relève du miracle ! Tu es bénie des dieux, Elizabeth !

Beth se leva si brutalement qu'elle renversa son fauteuil. Elle prit ses jambes à son cou pour se réfugier dans sa chambre.

Quand Jack voulut la suivre, Bridget l'en empêcha.

— Laisse-la ! Tu l'as toujours gâtée. Il suffit de l'ignorer un peu. C'est tout ce qu'elle mérite...

Plus tard, en se couchant, Maria voulut lui parler des demeures qu'elle avait visitées avec George. Beth fit semblant de dormir, de sorte que son aînée abandonna vite la partie. Tenaillée par l'angoisse, la jeune fille ne trouva pas le sommeil.

Pendant des heures, elle tenta de chasser de son esprit les images du duc de Hamilton, en vain. Jamais je n'épouserai cet homme, songea-t-elle. Mais, tout au fond d'elle-même, elle sentait que sa mère finirait par avoir le dernier mot, comme toujours. Je n'épouserai pas Hamilton ! Je ne l'aime pas et je ne pourrai jamais l'aimer ! Quand il me posera la question, je lui répondrai non. *Non !*

Elle sombra dans le sommeil peu avant l'aurore. Elle se mit à rêver qu'elle se trouvait à Sundridge, chez John. Elle disposait des fleurs jaunes dans un vase chinois bleu et blanc. La maison respirait la joie et le bonheur. En se retournant, elle le vit, les bras ouverts, et se précipita vers lui en riant.

À son réveil, Elizabeth sut que son rêve venait de résoudre son cruel dilemme. Soudain, tout était simple. Elle irait voir John pour lui annoncer qu'elle acceptait de vivre avec lui à Sundridge. Sous la protection d'Argyll, elle échapperait aux assiduités de Hamilton. Elle serait également libérée de l'emprise de sa mère. Le fait que John ne puisse l'épouser lui semblait moins terrible que la veille. Elle l'aimait. Rien d'autre ne comptait. Elle préférait vivre avec un homme sans mariage que sans amour.

Dans la matinée, elle devait se rendre chez la couturière pour essayer sa robe de demoiselle d'honneur. Elle trouverait bien un moyen de s'éclipser pour rendre visite à John.

19

Depuis quelque temps, John Campbell passait de douces nuits. Dès qu'il se retrouvait dans les bras de Morphée, il avait des visions sensuelles d'Elizabeth. Mais quand il était réveillé, il pensait sans cesse à elle. Depuis leur querelle, un sentiment de vide le tenaillait. Il s'était attardé à Londres, espérant envers et contre tout qu'elle changerait d'avis et viendrait vers lui. Ce jour-là, il avait décidé de retourner dans le Kent. En ce mois de février, il fallait préparer le printemps, qui semblait précoce cette année. Il écrivit un message à son régisseur de Sundridge pour l'informer de son arrivée et le remit à Robert Hay.

— Monsieur, ceci vient d'arriver, déclara son secrétaire en lui tendant une enveloppe portant le sceau royal du duc de Cumberland.

John brisa le sceau et parcourut la lettre.

— Je suis convoqué au ministère de la Guerre. Je n'en aurai pas pour longtemps. Ensuite, nous partirons pour le Kent. Emballez mes dossiers, Robert.

À Whitehall, un garde en uniforme le salua et l'introduisit.

Dès qu'il l'aperçut, William, le fils du roi, duc de Cumberland, vint au-devant de lui.

— John, j'ai de mauvaises nouvelles. J'ai préféré vous tenir informé en personne plutôt que de passer par la voie officielle. Votre frère et deux de ses hommes sont morts au combat.

— Henry ? Tué ? Mais nous ne sommes pas en guerre !

— Pas officiellement. Il patrouillait à la frontière française lorsque a éclaté une échauffourée. Le capitaine Campbell et deux de ses lieutenants ont été séparés de leur groupe et sont tombés sous les balles ennemies.

— Y a-t-il une possibilité qu'il s'agisse d'une erreur ?

— J'ai tout de suite vérifié. La nouvelle est confirmée. Je suis désolé.

John ferma un instant les yeux. Seigneur, pas Henry ! Il était trop jeune pour mourir !

— Pourriez-vous faire rapatrier son corps à Inveraray ?

— J'ai déjà tout organisé.

Comment sa mère allait-elle supporter cette perte ? Puis il pensa à son père, qui croulait déjà sous le poids des ans et des responsabilités. John maudit le destin d'avoir placé son frère si près des lignes ennemies. Un soldat en temps de paix ne risquait pas sa vie, en principe.

— Merci de m'en avoir informé en personne, conclut-il. Je pars immédiatement pour l'Écosse.

Chez la modiste, Elizabeth s'enthousiasma face au choix de sa sœur, mais son esprit était ailleurs tandis qu'elle essayait sa robe de demoiselle d'honneur. Elle ne pensait qu'à aller voir John pour lui annoncer qu'elle s'installerait chez lui aussitôt après le mariage de Maria. Et s'il refusait d'attendre ? S'il lui demandait de partir avant Pâques ? Alors elle s'en irait le jour même. Il suffisait d'un mot de John pour qu'elle ne remette plus jamais les pieds à Great Marlborough Street.

Finalement, Bridget et Maria décidèrent de partir. Sur le trottoir, elles hélèrent un fiacre. À mi-chemin, Elizabeth prit son courage à deux mains et déclara :

— J'ai besoin de prendre l'air. J'ai la migraine. Je crois que je vais rentrer à pied.

Sa mère ne protesta pas, à son grand soulagement, et dit au cocher de s'arrêter.

Dès que le véhicule se fut éloigné, Elizabeth fit demi-tour et partit en direction de Half-Moon Street d'un pas léger. Bientôt, elle serait avec John. Elle n'avait rien à craindre.

Elle gravit les marches en courant et actionna le heurtoir. Face au domestique qui avait vanté sa beauté, elle rougit légèrement.

— Lord Sundridge, je vous prie.

— Mademoiselle Gunning, je suis désolé, mais Monsieur a quitté Londres il y a une heure.

— Mon Dieu... Serait-il parti pour le Kent ? demanda-t-elle en masquant sa déception.

Après tout, Sundridge ne se trouvait qu'à vingt-cinq kilomètres.

— Non, mademoiselle. Il est retourné en Écosse.

Elle eut l'impression que le sol s'écroulait sous ses pieds.

— Merci, murmura-t-elle.

Elle descendit les marches du perron et s'éloigna sans même s'en rendre compte. Au coin de la rue, elle se demanda où elle allait. Dévastée, elle comprit qu'il ne lui restait plus que Great Marlborough Street.

Lorsque Elizabeth descendit du fiacre pour rentrer à pied, Bridget se dit que le moment était venu d'annoncer à Maria que le duc de Hamilton avait demandé la main de sa sœur. À la maison, elle ôta sa capeline et aborda prudemment le sujet :

— Ces derniers temps, ta sœur ne dit pas grand-chose. C'est parce qu'elle est un peu dépassée par les événements.

— Oh, je sais tout, en ce qui concerne Elizabeth ! assura Maria en remettant de l'ordre dans ses cheveux. Elle se croyait amoureuse de John Campbell. Depuis qu'elle a entendu cette rumeur de mariage entre Campbell et lady Mary Montagu, la fille du duc de Buccleuch, elle boude.

— John Campbell ? Elle est amoureuse de John Campbell ? s'exclama sa mère en la secouant par les épaules. Que veux-tu dire ?

— Elle l'a rencontré au château de Dublin, tu te souviens ? Ensuite, elle l'a revu à Chiswick. Depuis, elle est amoureuse. Selon George, Campbell est l'héritier du puissant duc d'Argyll et il doit épouser lady Mary Montagu. Tu imagines ? Elizabeth pense que le fils d'un duc pourrait la demander en mariage !

Bridget entraîna Maria dans le salon, contenant à peine son sentiment de panique.

— Assieds-toi et réfléchis bien. Elizabeth a-t-elle eu des nausées ? Crois-tu qu'elle puisse être enceinte ?

— Non... non, je ne crois pas, répondit Maria, apparemment choquée.

— Emma !... Emma !

— Que se passe-t-il, madame ? demanda la jeune femme en accourant.

— Votre travail est de chaperonner mes filles ! Elizabeth s'est-elle retrouvée seule en compagnie de John Campbell, à Chiswick ?

— Absolument pas, madame ! répliqua-t-elle avec un regard menaçant en direction de Maria. J'ai veillé à ce qu'elle ne soit jamais seule avec lord Sundridge, tout comme Maria n'a jamais été seule avec le comte de Coventry.

— Dehors, toutes les deux ! ordonna Bridget. Je veux parler à Elizabeth en privé dès son retour.

Elizabeth traîna tout au long du chemin. Elle avait presque l'impression d'être une somnambule. Que faire, désormais, à part attendre le retour de John ? En revanche, elle savait qu'elle ne pourrait jamais épouser Hamilton.

Dès qu'elle eut franchi le seuil, elle découvrit sa mère, bras croisés, la mine grave. La jeune fille porta la main à son front. Cette fois, elle avait vraiment mal à la tête.

— Entre donc, jeune demoiselle. J'ai deux mots à te dire.

Elizabeth pensait que rien de pire ne pouvait lui arriver ce jour-là. Elle se trompait. Elle entra dans le salon et s'assit sur le siège que lui désignait sa mère. Celle-ci resta debout face à elle, emplissant l'espace de sa présence.

— Je sais tout. Tu as joué les catins pour John Campbell ! Lui as-tu donné ta virginité, la seule richesse que tu possèdes ? Viens, allons voir ce qu'il a à dire à ce sujet !

— Non. Je ne lui ai pas donné ma virginité. Et tu ne peux le voir. Il est parti pour l'Écosse.

Bridget soupira de soulagement.

— Sais-tu pourquoi il est parti pour l'Écosse, pauvre sotte ? Il est parti épouser lady Mary Montagu, la fille du duc de Buccleuch !

Elizabeth eut l'impression qu'on lui arrachait le cœur. Elle ferma les yeux pour résister à cette souffrance atroce.

Ce n'est *pas vrai* !

— Je l'ai lu avant-hier dans le journal, mentit Bridget. Ce mariage alliera deux clans très puissants. On ne parle que de cela.

Elle observa la réaction de sa fille sans dissimuler sa satisfaction.

— N'en parlons plus, reprit-elle. La proposition du duc de Hamilton est providentielle.

Elizabeth eut envie de crier qu'elle n'épouserait jamais Hamilton. Mais elle n'osa pas défier ouvertement sa mère.

— Je ne souhaite pas épouser le duc de Hamilton, déclara-t-elle posément en serrant les mains pour les empêcher de trembler.

Bridget laissa libre cours à sa rage et gifla sa fille.

— Va dans ta chambre !

Au moment de quitter la maison, Jack Gunning entendit les paroles de sa fille et le claquement de la gifle. Lorsque Elizabeth le croisa en courant, il vit une marque rouge sur sa joue.

Au lieu de se confronter à sa femme, il préféra faire part du souhait de sa fille à Hamilton lui-même.

Un majordome en livrée lui ouvrit et le fit patienter devant la bibliothèque.

— Justement, je voulais vous voir, déclara le duc en brandissant une enveloppe qu'il venait de sceller. J'ai rédigé des instructions précises pour votre femme. Veillez à ce qu'elle les respecte à la lettre.

— Je suis venu vous parler d'Elizabeth. Elle n'est pas satisfaite de nos accords à propos de son mariage. Ma fille est très jeune, Votre Grâce. Je crois qu'elle est un peu dépassée. Il faut lui laisser le temps de se faire à cette idée.

— Vous rendez-vous compte que j'ai débloqué une somme d'argent à votre nom ?

— Oui, Votre Grâce, mais...

— Alors vous comprenez que je viens de vous acheter Elizabeth, coupa Hamilton, le regard dur.

Il se leva et s'approcha de Jack pour lui remettre l'enveloppe.

— Suivez mes instructions ou vous irez croupir en prison pour dettes, Gunning. Vous savez que je n'hésiterais pas un instant à porter plainte contre vous.

Abattu, Jack rentra chez lui. Il s'en voulait de sa lâcheté. En tendant l'enveloppe à Bridget, il ne chercha même pas à lui expliquer sa visite chez Hamilton.

— Si nous ne suivons pas ses ordres à la lettre, il a menacé de m'envoyer en prison. Je crains que Hamilton ne soit un ennemi redoutable.

Bridget déchira l'enveloppe et parcourut la lettre.

— Inutile de nous en faire un ennemi, Jack. Je sais parfaitement où se trouve notre intérêt, contrairement à toi. Je sais qu'Elizabeth est ta préférée et que tu souhaites son bonheur. Mais si le duc est disposé à tout faire pour l'avoir, tu peux être certain qu'il s'occupera bien d'elle.

Bridget et ses filles se préparaient pour le bal de la Saint-Valentin organisé par la princesse Augusta, à Leicester House. Pour une fois, Bridget accorda plus d'attention à Elizabeth qu'à Maria.

— Non, pas la robe dorée. Tu l'as portée lors de nos deux dernières sorties. Ce soir, tu devrais porter du blanc.

— Je devrais peut-être rester à la maison. J'ai mal à la tête. Je ne voudrais pas gâcher votre soirée.

— J'ai ce qu'il te faut pour ton mal de tête. Je trouve que tu es trop souvent indisposée, ces derniers temps.

Bridget se rendit dans sa chambre et revint avec un flacon de laudanum. Elle en versa quelques gouttes dans un verre d'eau, qu'elle fit boire à Elizabeth.

— Finis vite de te préparer. Ton père nous accompagne, ce soir.

Elle glissa le laudanum dans son réticule.

— Emma, venez me coiffer.

Quand elle se retrouva seule avec sa sœur, Maria déclara :

— Il ne faut pas que les gens te prennent en pitié parce que John Campbell t'a laissée tomber pour épouser une riche héritière. Garde la tête haute, ris, fais semblant de t'amuser.

De toute évidence, Maria ne savait rien de la demande en mariage de Hamilton. Beth se réjouit de ne pas avoir à en discuter avec elle. Elle espérait simplement que Hamilton ne se présenterait pas à Leicester House...

Les Gunning arrivèrent en retard, comme il se devait. La résidence était ornée de cupidons dorés décochant les flèches de l'amour. Elizabeth salua la comtesse de Burlington, qui l'informa que Charlie souffrait de nausées et s'excusait de ne pouvoir venir. Dans la salle de bal, les lustres scintillaient de mille feux. Beth afficha un sourire forcé.

Elle se retrouva vite encerclée par des jeunes gens fascinés par sa beauté. Elle se demanda pourquoi ils ne dansaient pas avec Maria, puis se rendit compte que celle-ci était au bras de son fiancé, George Coventry. L'esprit un peu trouble, elle renonça à réfléchir et dansa.

Un jeune homme attentionné l'escorta dans la salle à manger, mais elle ne retint pas son nom. Elle refusa tous les plats en affirmant poliment qu'elle n'avait pas faim. Quand sa mère lui plaça un verre de vin dans la main, elle s'étonna.

— Bois. Cela te donnera quelques couleurs. Tu es pâle comme un linge, Elizabeth.

Elle obéit et ne sentit aucune saveur particulière.

Sa mère annonça qu'il était temps de partir et que son père se chargeait du fiacre.

— Et Maria ? demanda-t-elle.

— J'ai accordé à lord Coventry l'autorisation de raccompagner sa fiancée dans sa propre voiture, ce soir, répondit-elle d'un air entendu.

Sur ces mots, elle posa sa cape sur ses épaules et l'entraîna dehors. Puis elle la fit monter dans une élégante voiture noire. Jack les rejoignit et fit claquer la portière. La voiture s'ébranla.

Elizabeth avait les paupières lourdes. Elle bâilla, appuyée sur le dossier de la banquette, et ferma les yeux. Quand elle les rouvrit, elle descendit du véhicule, désorientée. Ils ne se trouvaient pas chez eux. Les lieux ne lui étaient pas familiers. Pourtant, ses parents semblaient savoir où ils allaient. Elle vit une pancarte indiquant une chapelle.

— Le pasteur Keith vous attend, annonça la femme qui leur ouvrit. Veuillez me suivre.

À l'intérieur, son père resta en retrait, tandis que sa mère suivait la femme dans une autre pièce. Vais-je voir un docteur à cause de mes maux de tête ? songea-t-elle.

Un homme en tenue de pasteur s'avança.

— Bienvenue dans la chapelle des mariages, déclara-t-il.

Elizabeth tressaillit. Hamilton se tenait à l'extrémité de la pièce, devant un autel illuminé de cierges. Enfin, elle sortit de sa torpeur.

— Non !

Elle tourna les talons et s'enfuit.

Sa mère la rattrapa dans l'antichambre.

— Cesse immédiatement, Elizabeth ! ordonna-t-elle en la secouant. Nous avons promis ta main au duc de Hamilton, et la cérémonie aura lieu dès ce soir.

— Je ne l'épouserai pas !

— Tu es vraiment la créature la plus têtue que je connaisse ! J'ai sacrifié ma vie entière pour te trouver un mari bien né, et voilà comment tu me remercies. Notre bail va expirer, nous n'avons plus un sou. Nous allons nous retrouver à la rue. Tu veux empêcher ta sœur de devenir comtesse de Coventry ? Si tu refuses d'épouser le duc, ton père sera jeté en prison pour dettes. Seule une fille indigne enverrait son père en prison.

Elizabeth se libéra de son emprise et se précipita vers son père.

— Elle dit que tu risques de te retrouver en prison si je n'épouse pas le duc. C'est vrai, papa ? s'écria-t-elle.

Jack prit les mains de sa fille, puis se tourna vers Bridget.

— Laisse-nous quelques instants.

Dès qu'ils se retrouvèrent seuls, il reprit la parole :

— Je ne vais pas te mentir, ma beauté. J'ai d'importantes dettes de jeu, que Hamilton a proposé d'annuler. Mais parlons plutôt de toi. Je veux ce qu'il y a de mieux pour toi. Fais-moi confiance. Quand tu seras duchesse de Hamilton, ton avenir sera assuré. Jamais je n'aurais osé espérer une telle ascension sociale. Fais-le, Elizabeth, et tu ne le regretteras jamais.

— Nous sommes réunis ce soir pour célébrer l'union de cette femme et de cet homme par les liens du mariage. James George Douglas, acceptez-vous de prendre cette femme pour épouse ? demanda le pasteur.

— Oui, répondit Hamilton avec emphase.

— Elizabeth Gunning, acceptez-vous de prendre cet homme pour époux, de l'aimer, de l'honorer, de lui obéir tout au long de votre vie ?

Elizabeth était totalement détachée de la scène qui se déroulait sous ses yeux. Elle voyait une fille en robe blanche, la tête penchée, et l'entendit murmurer :

— Oui.

Puis elle se rendit compte qu'il s'agissait d'elle-même. Elle entendit les vœux, mais ils ne touchèrent pas son cœur. Lors du mariage de Charlie, l'échange des vœux avait été un moment magnifique, plein d'émotion.

Le duc de Hamilton fouillait ses poches.

— Ce n'est pas grave, affirma le pasteur. Nous avons prévu cette éventualité, Votre Grâce.

Il sortit un écrin et le tendit au marié.

— Veuillez répéter : « Je te donne cette alliance… »

Soudain, Elizabeth sentit que le duc lui glissait une bague au doigt.

— Je vous déclare mari et femme, conclut le pasteur.

Dans une odeur d'encens et de cire, elle baissa les yeux vers sa main gauche. Il s'agissait d'un anneau de rideau en cuivre.

— Elizabeth !

Lorsque sa mère voulut l'étreindre, elle eut un mouvement de recul. Hamilton la prit par la main.

— Vous vous adresserez à ma femme en l'appelant duchesse ou Votre Grâce, décréta-t-il d'un ton sec. Nous vous souhaitons bonne nuit.

Tout lui semblait irréel, comme dans *Le Songe d'une nuit d'été*. Hamilton la fit monter à bord d'une somptueuse voiture et s'assit face à elle. Malgré la pénombre, elle devina qu'il ne la quittait pas des yeux durant le court trajet qui les séparait de Grosvenor Square.

Elizabeth était épuisée aussi bien moralement que physiquement, mais la peur la maintenait en alerte. Elle n'osait penser à ce qui allait se passer, cette nuit-là. Mieux valait se concentrer sur l'instant présent.

En arrivant à Hamilton House, le duc l'escorta jusqu'à la maison qui brillait de mille feux. Une dizaine de domestiques étaient réunis à l'entrée.

— J'ai le plaisir de vous présenter ma ravissante épouse, Elizabeth Douglas, duchesse de Hamilton. Je sais que vous la servirez loyalement.

Chaque homme s'inclina tandis que les femmes faisaient la révérence en murmurant :

— Votre Grâce.

Je ne m'appelle donc plus Gunning, songea-t-elle. Je suis Elizabeth Douglas. C'est étrange… Le duc affichait un sourire satisfait. Il la prit par le bras et lui fit monter un escalier majestueux. Une femme de chambre les suivit à distance.

— Vous avez de bonnes manières. Je suis content de vous, Elizabeth.

Ces paroles sous-entendaient qu'elle avait tout intérêt à ne pas le décevoir.

Ils entrèrent dans une suite comprenant un salon, une chambre à coucher, une salle de bains et une garde-robe. La chambre était ornée d'un tapis crème, et les murs étaient tapissés de soie bleu pâle.

— Ce sont vos appartements, expliqua-t-il. Les miens se trouvent dans l'aile opposée. Je ne vous dérangerai pas. Je me couche tard.

Il fit signe à la domestique d'avancer.

— Voici Kate Agnew, votre femme de chambre. Je vous confie à elle.

Elle se sentit soulagée.

— Bonne nuit, Votre Grâce.

— J'essaierai de ne pas être trop long, précisa-t-il en croisant son regard.

La peur l'étreignit soudain.

20

James se rendit dans la bibliothèque pour fouiller les tiroirs de son bureau.

— Où diable ai-je mis ces maudites alliances ?

Il les avait fait réaliser par le meilleur bijoutier, mais les avait oubliées au moment de se rendre à la chapelle.

Ne les trouvant pas, il rejoignit Morton, son valet, dans ses appartements.

— Je vous présente mes meilleurs vœux, Votre Grâce.

En apprenant que le duc allait ramener sa duchesse à la maison, il s'attendait à trouver une garce de la pire espèce. Mais en découvrant cette jeune fille innocente et belle, qui n'avait pas plus de dix-sept ans, il avait eu de la peine pour elle.

Hamilton lui adressa un regard accusateur.

— Vous m'avez laissé partir sans les alliances. Trouvez-les !

Il le vit ouvrir le premier tiroir du secrétaire et en sortir un écrin de velours. Puis il le laissa lui ôter son manteau et ses chaussures.

— Allez chercher mon peignoir marron. Ce sera tout… pour l'instant.

En se déshabillant, il rit de la situation. Cela faisait deux ans qu'il ne s'était pas dévêtu sans l'aide de son valet. Il ne se rappelait même pas être rentré chez lui au petit matin, au cours de cette période. Son cocher le déposait, puis Morton le mettait au lit. Il les payait bien pour ces services.

Il enfila son peignoir et ouvrit l'écrin en velours. Le rubis serti de diamants était superbe. Son épouse aussi était un beau bijou. Il allait lui procurer l'écrin qui mettrait en valeur sa beauté, pour que tous les hommes, y compris le roi, envient sa chance d'avoir un joyau qu'il était seul à posséder. Elle était la duchesse idéale : jeune, belle, douce et innocente.

James refusait le fait que sa jeune épouse suscite en lui un désir charnel qu'il jugeait décadent. La luxure, c'est bon pour les prostituées. Il ne voulait pas qu'elle soit souillée par les plaisirs de la chair ou la sensualité, car elle serait la mère de ses fils. Il sourit, très satisfait de lui-même. Sa pure mariée, aussi belle à l'extérieur qu'immaculée à l'intérieur, incarnait la perfection. Elle était désormais son bien le plus précieux.

Il glissa l'écrin dans sa poche et gagna la chambre de la duchesse.

Dans sa chemise de nuit en soie blanche, les cheveux défaits, Elizabeth était assise dans un lit gigantesque, telle une poupée. En voyant le duc s'asseoir au bord du matelas, elle écarquilla ses yeux violets, les pupilles dilatées par le laudanum. Elle avait envie de s'enfuir de cette chambre, de cette maison. Hélas, ses jambes semblaient paralysées.

Il ouvrit l'écrin noir, lui ôta son anneau de rideau pour glisser à son doigt une alliance, puis la bague en rubis. Elle fixa le superbe rubis serti de diamants. Ce rouge, symbole de l'amour, lui rappelait un cœur. Quelle ironie du sort...

— Merci. Elle est magnifique, déclara-t-elle, car c'était ce qu'il attendait d'elle.

— Vous avez des mains très délicates. Elles sont faites pour les bijoux.

Elle observa les mains de son mari, qui lui étaient inconnues. James Hamilton ne l'avait jamais embrassée. Elle n'en avait d'ailleurs jamais eu envie. Au bord de la panique, elle le vit éteindre une partie des chandelles. Elle baissa les yeux pour qu'il ne décèle pas sa terreur. Elle entendit le bruissement de son peignoir qui tomba à terre et sentit un poids sur le matelas. Lorsqu'il se pencha sur elle, elle constata avec stupeur qu'il était nu. Elle voulut s'enfuir, comme dans la chapelle, mais c'était impossible. Immobile, elle le laissa faire glisser sa chemise de nuit sur sa taille.

Il la contempla, fasciné par sa beauté. Jamais il n'avait vu femme plus délicate. Sa peau ressemblait à de la porcelaine, translucide et nacrée. Ses seins étaient parfaits. Subjugué, il tendit la main pour la caresser. Puis il se figea. S'il la caressait, il perdrait tout contrôle de lui-même. S'il se permettait de prendre du plaisir charnel, il perdrait toute sa puissance à son profit. Ce serait elle qui le dominerait.

Il la regarda longuement, sans la toucher, puis il couvrit ses seins de la chemise de nuit.

Elizabeth avait redouté qu'il ne la dévêtisse entièrement, mais il se contenta de relever le fin vêtement sur ses cuisses. Puis il lui écarta les jambes et se coucha sur elle, le souffle court. Quand il voulut la pénétrer, l'absence de désir chez Beth rendit l'opération difficile. Il n'y parvint en partie qu'à la troisième tentative.

— Je vous fais mal ?

— Non, murmura-t-elle en se mordant les lèvres pour ne pas crier, déterminée à souffrir en silence.

Lorsqu'il entra plus profondément, elle ne put retenir un cri de détresse.

— Vous voyez, je vous ai fait mal, fit-il avec une note de satisfaction dans la voix. Cette douleur est normale, Elizabeth, quand un mari brise l'hymen d'une jeune mariée. Ne retenez pas vos cris.

Un sentiment de panique s'empara de Beth. Je ne suis plus vierge, songea-t-elle. Seigneur, comment réagira-t-il en l'absence de traces de sang ? Il entama ses mouvements de va-et-vient sans ménagement. Elle souffrait le martyre, mais refusait de le lui montrer. Lorsqu'il se répandit enfin en elle, elle avait atteint les limites du supportable. En crispant les poings, elle se rendit compte que sa bague s'était retournée et lui meurtrissait cruellement la paume. Elle serra plus fort pour faire couler quelques gouttes de sang. En abaissant sa chemise de nuit sur ses cuisses, elle pria pour que ce sang lui épargne la colère de Hamilton.

Il roula sur le côté. Avant de quitter la chambre, il posa sur elle son regard voilé et vit ses larmes.

— Je vous ai fait mal, mais vous n'avez pas osé crier. Désolé, Elizabeth, dit-il en lui embrassant le front.

Elle entendit la porte de la chambre se refermer. Enfin, elle était seule. Elle demeura immobile, vidée de toute émotion, n'osant même pas penser à John Campbell de peur d'avoir le cœur brisé...

Pendant ce temps, en voyant son maître s'habiller, Morton n'en crut pas ses yeux. Cette ordure sortait le soir de ses noces !

Le duc avait mis moins d'une heure à consommer son mariage avec sa ravissante épouse. Morton comprit qu'une vierge ne servait à rien pour un débauché tel que Hamilton. Il savait qu'il ne pouvait protéger la jeune duchesse de son époux, mais il tenait à ce qu'elle sache qu'elle avait trouvé un allié en sa personne.

À son réveil, le lendemain matin, Beth comprit qu'il ne s'agissait pas d'un cauchemar. Tout était bien réel. Elle avait épousé le duc de Hamilton contre sa volonté. On lui servit le petit déjeuner au lit, puis elle prit un bain. Elle vit Kate Agnew emporter la chemise de nuit tachée de gouttes de sang révélatrices et en sortir une autre. Elle était brodée des initiales *EH* – Elizabeth Hamilton. Kate lui apporta ensuite la robe qu'elle porterait ce jour-là.

— Les fournisseurs attendent, Votre Grâce. Trois couturières, un bottier, un perruquier et un bijoutier. Si vous voulez bien vous rendre dans le salon, je vais les faire entrer.

La modiste prit ses mesures. Très vite, chacun lui présenta des catalogues de toilettes pour toutes les occasions, des échantillons de tissu de toutes les couleurs. Le perruquier voulut attirer son attention avec ses modèles, tandis que le bijoutier s'agenouilla à son côté pour lui montrer colliers et bracelets à faire rêver.

D'un regard, elle appela Kate à la rescousse.

— Le duc a laissé des instructions pour que vous choisissiez tout ce qui vous plaît, Votre Grâce.

Elizabeth ne voulait pas de ce que l'argent de Hamilton pouvait lui offrir. Cependant, si elle refusait, elle sentait bien qu'il trouverait un moyen de la punir. Elle se mit donc à examiner les tissus, soieries, satin, dentelles, taffetas, tulle et velours, des tons pastel aux couleurs les plus vives. Jamais elle n'avait rien vu d'aussi somptueux que cette profusion d'étoffes venues de toute l'Europe, voire d'Orient. Un peu hésitante, elle fit son choix.

Peu avant midi, le duc entra dans le petit salon. Ignorant les autres, il marcha droit sur elle.

Elizabeth se leva aussitôt. Elle ne voulait pas qu'il la domine de sa hauteur.

— Votre Grâce, dit-elle, sans toutefois lui accorder une révérence.

Il lui baisa la main.

— Bonjour, Elizabeth.

Il la contempla d'un regard possessif, puis daigna remarquer la présence des autres. Il s'en prit aussitôt aux échantillons d'une couturière.

— Cela n'ira pas du tout, décréta-t-il. La qualité est insuffisante. Cette dame est la duchesse de Hamilton, que diable ! Ma femme mérite ce qu'il y a de mieux. Montrez-moi ce que vous avez choisi, Elizabeth.

La jeune femme désigna une soie abricot, un satin turquoise, un velours noir. Elle comprit aussitôt son erreur, car il les rejeta au profit de sa propre sélection.

— Cette soie rose mettra en valeur votre teint. Le satin doré, ourlé de fourrure sable, créera un contraste saisissant avec votre chevelure magnifique. Je vous interdis de porter du noir. Trop sophistiqué, trop mondain.

Elizabeth comprit que seul le contrôle de la situation comptait à ses yeux. Il se moquait des couleurs. Il opta pour des décolletés plongeants dont il sélectionna les tissus et les tons.

— J'ai un rendez-vous pour déjeuner. Je vous laisse. Faites-vous plaisir, Elizabeth. Commandez tout ce qu'il vous plaira.

Elle prit son courage à deux mains.

— J'aimerais… enfin, je souhaite rendre visite à mon amie lady Charlotte, cet après-midi.

Il la prit à part, afin que les autres n'entendent pas ses paroles.

— Je préfère que vous ne rendiez pas visite à lady Hartington, aujourd'hui. L'audience royale est prévue dans quelques jours. J'ai prévenu que le duc et la duchesse de Hamilton seraient présents. La Cour sera sidérée d'apprendre que je vous ai épousée, et je tiens à leur réserver la surprise.

Elle baissa les yeux pour qu'il ne puisse déceler son ressentiment.

— À votre guise, répondit-elle.

Hamilton avait rendez-vous avec George Coventry. Impatient de le voir, il n'avait pas assisté à la séance du Parlement. Il savait, en revanche, que son ami serait fidèle au poste. Il repéra Coventry à sa table habituelle.

— James, je m'étonne que tu ne sois pas venu à Leicester House, hier soir. Le bal a fait sensation. Mlle Elizabeth Gunning a remporté un vif succès.

— Tu aimes me taquiner, George. Alors, c'est pour quand ce mariage ?

— Plus que trois semaines. Si tu acceptes d'être mon témoin, nous pourrons régler les derniers détails.

— Bien sûr ! Rien de plus naturel, puisque nous allons être beaux-frères.

Il lui tendit une enveloppe portant le blason des Hamilton.

— Beaux-frères ? Ne me dis pas que tu as l'intention de suivre mon exemple et de demander Elizabeth Gunning en mariage ?

— Elle ne s'appelle plus Elizabeth Gunning, George. Elle s'appelle Elizabeth Douglas, duchesse de Hamilton. Nous nous sommes mariés dans la plus stricte intimité hier soir, à la chapelle de Sheperd's Market.

— Tu plaisantes ! Ce n'est pas possible, James !

— Regarde ce que contient cette enveloppe.

George brisa le sceau, s'attendant à trouver un certificat de mariage. Il s'agissait d'un morceau de chemise de nuit brodée aux initiales *EH* et taché de sang.

— Ordure ! Il a fallu que tu me surpasses, quel qu'en soit le prix !

— Ne sois pas mauvais perdant, George. C'est indigne de toi.

— Ce n'est pas une question d'argent, c'est une question de principe, grommela Coventry. Je ferai faire un virement dès aujourd'hui.

— C'est très aimable, mon vieux.

— Mais ne t'attends pas à une réaction aimable de John Campbell, quand il apprendra que tu lui as raflé Elizabeth pendant qu'il avait le dos tourné.

— J'attends sa réaction avec encore plus de satisfaction que je n'attendais la tienne... Comment ? Tu t'en vas ?

— Je n'ai pas faim. Tu me dégoûtes !

Dans les écuries d'Inveraray, John Campbell sella un cheval et partit au galop sur ses terres d'Argyll. Il était soldat depuis l'âge de quinze ans et commandait des guerriers depuis plus de dix ans. Le combat l'avait endurci, mais il ne supportait pas de perdre des hommes placés sous sa responsabilité. Perdre un frère était sans commune mesure. Avec la mort de Henry, c'était une partie de lui-même qu'il avait perdue. Cependant, Henry serait toujours présent dans son cœur.

Le printemps n'était pas encore arrivé dans les Highlands, mais l'hiver s'éloignait à grands pas. Déjà, la neige avait fondu. Il aperçut un cerf majestueux aux bois imposants. Bientôt viendrait la saison des amours.

John était impressionné par le courage de sa mère dans l'adversité. Dès que la dépouille du jeune homme était arrivée dans sa maison natale, une veillée avait été organisée. John s'était juré d'affronter cette épreuve dans la dignité, mais chaque membre de la famille avait cherché le soutien auprès des autres. Seul l'amour les avait sauvés. Toute sa vie, il avait fui cet amour. Peut-être s'était-il trompé. Peut-être était-il possible que deux êtres tombent amoureux et le restent toute leur vie durant. Il enviait ses parents, qui formaient un couple uni.

Son devoir était de prendre épouse, maintenant que son frère avait disparu. Si ses parents n'avaient pas évoqué le sujet, sa sœur Anne n'y était pas allée par quatre chemins :

— John, il est temps que tu te maries et que tu aies un héritier. Tu es le dernier de la lignée. Ne pas se marier est un comportement égoïste et immature. Tu as un devoir à respecter.

— Tu es très douée pour énoncer certaines évidences, Anne.

John avait aussitôt regretté ces paroles. Sa sœur était tout aussi dévastée que lui par ce deuil.

Il respira à pleins poumons l'air frais de la campagne, levant les yeux vers de gros nuages noirs qui s'amoncelaient dans le ciel. Soudain, il y eut une éclaircie. Un rayon de soleil éclaira un promontoire rocheux qui se dressait devant lui. Il songea alors que la vie était courte et imprévisible. Il n'avait pas de temps à perdre dans un mariage sans amour, un mariage de raison. Pour la première fois, il envisagea sérieusement d'épouser Elizabeth.

Ses origines n'avaient aucune importance, à ses yeux. Mais sa famille réprouverait une telle mésalliance. Il était essentiel pour eux que son épouse ait le sang bleu. Mis devant le fait accompli, ses parents ne pourraient rien faire qu'accepter la situation.

Il gardait dans sa poche, contre son cœur, la boucle de cheveux. Beth lui manquait tant…

En retournant vers le château d'Inveraray, il se dit qu'il regagnerait Londres dès que possible.

À Grosvenor Square, Elizabeth se préparait pour se rendre à la Cour. Elle s'était baignée et avait poudré tout son corps. Ensuite, deux heures durant, elle s'était fait coiffer, maquiller, manucurer. De temps à autre, le duc de Hamilton venait inspecter le travail des domestiques.

— Je la veux dans sa robe de soie rose pâle, dit-il à Kate, qui fit signe à deux femmes de chambre de commencer à habiller la duchesse.

D'abord, le corset qui soulignait sa taille fine et mettait en valeur ses seins de façon presque provocante. Vinrent ensuite les opulents jupons, et la robe. Les femmes de chambre s'écartèrent pour que le duc puisse juger du résultat de leurs efforts.

— Non, ce n'est pas ce que je souhaitais. Essayez plutôt le damassé ivoire.

Il regagna ses propres appartements, où Morton l'attendait pour le raser.

À son retour, il sembla plus satisfait.

— Exquis, commenta-t-il. N'y a-t-il pas une perruque de ce même ton ivoire ?

— Puis-je me passer de perruque, Votre Grâce ? s'enquit Beth timidement.

Il parut sur le point d'accepter, mais répondit :

— Non.

La coiffeuse, qui s'était affairée pendant une heure, posa la perruque ivoire sophistiquée sur la tête de la jeune femme.

— Essayez le collier de rubis, ordonna ensuite Hamilton en tendant une clé à Kate.

Le duc revint en culotte de satin avec une veste de brocart ivoire. Il arborait également une perruque et portait un petit sabre ouvragé.

— Non, pas les rubis. Allez chercher les perles. Je veux que sa poitrine ne soit pas couverte.

Les perles cascadèrent sur son décolleté pour descendre jusqu'à la taille. Hamilton choisit ensuite une mouche qu'il disposa sur la courbe d'un sein. Elizabeth rougit en songeant à la dernière fois qu'elle avait porté une mouche.

Il lui tendit enfin un éventail assorti à sa toilette et la conduisit vers la glace.

— Vous êtes parfaite.

En regardant son reflet, elle eut l'impression de voir quelqu'un d'autre, même si elle devait admettre que cette couleur lui allait à merveille.

— Je vais chercher la cape, annonça Kate.

— Il y en a une neuve sur le lit, dit Hamilton.

— De l'hermine ! s'exclama la domestique, impressionnée.

— Une duchesse a le droit de porter de l'hermine.

James prit soin d'arriver bien après le début de la cérémonie. La cour était envahie de véhicules. À l'entrée, il annonça leur nom à l'huissier.

— Le duc et la duchesse de Hamilton !

Tous les regards se tournèrent vers la porte. La plupart des personnes présentes ignoraient qu'il existait une duchesse de Hamilton. Aussitôt, les commentaires fusèrent. Puis le silence s'installa face à cette vision en ivoire.

— C'est l'une des beautés, murmura quelqu'un.

— Hamilton a épousé l'une des sœurs Gunning !

Dans le fond de la pièce, certains se perchèrent sur une chaise pour mieux assister à la scène.

En entrant dans la salle, le roi George ne vit que le dos de ses courtisans. Il s'éclaircit bruyamment la gorge, puis dut tousser pour obtenir l'attention de tous. La foule forma aussitôt un demi-cercle autour du monarque, qui avança lentement. Il s'arrêta devant Hamilton et écarquilla les yeux en découvrant la présence de la jeune femme.

— Tant de beauté nous fait honneur.

— Votre Majesté, la duchesse et moi sommes honorés.

— Comment ?

Le roi remarqua la capeline en hermine posée sur le bras de Hamilton et en comprit la signification. Elizabeth fit une révérence. Les yeux du roi s'attardèrent sur son décolleté qui exposait sa peau laiteuse. Il prit sa main et la baisa.

— Votre Grâce sera toujours la bienvenue à la Cour, déclara-t-il en lui caressant ses doigts sans vergogne. Hamilton, j'exige la première danse.

— Elizabeth ! Je n'arrive pas à croire que vous ayez épousé James sans m'en parler, lança Charlie qui s'était précipitée, Wil sur ses talons, à sa rencontre dès que le roi s'était retiré.

Beth regarda son amie dans les yeux.

— J'ai refusé, mais mes parents ne m'ont pas laissé le choix !

— Vos parents ont voulu un beau mariage, Elizabeth, déclara Will avant que sa femme ne commette un impair.

— Chère marquise, dit Hamilton en les rejoignant. Will, je suis ravi de te voir. J'espère que tu es aussi heureux en ménage que je le suis. Quand George se mariera, à Pâques, notre cercle d'amis ne sera composé que d'hommes mariés. À part John, bien sûr, à moins que la rumeur de son mariage en Écosse ne soit fondée.

— C'est absolument faux, rétorqua Will. Tu n'as donc pas appris que Henry Campbell était mort au combat, sur le continent ?

Elizabeth retint son souffle. Ses oreilles se mirent à bourdonner. Elle eut soudain très chaud, puis très froid. Elle s'éventa énergiquement pour ne pas défaillir.

— Le jeune Henry ? C'est une bien triste nouvelle ! commenta Hamilton. Vous allez bien, chérie ? Connaissiez-vous ce jeune homme ?

— Je... l'ai rencontré en Irlande.

Maman m'a menti ! songea-t-elle. John n'est pas parti en Écosse pour se marier ! John, mon pauvre amour, comment supporterez-vous la perte de votre frère ?

Elle passa le reste de la soirée dans le brouillard. Les gens ne cessaient de lui présenter leurs vœux de bonheur. Elle dansa, bavarda, puis se rappela que le duc lui avait ordonné de sourire, car elle était la duchesse de Hamilton.

À minuit, il la raccompagna à la maison.

— Je suis sûr que vous êtes la plus belle duchesse que le roi ait jamais connue, déclara-t-il. Tous les hommes qui vous ont vue à mon bras étaient envieux.

Devant Hamilton House, le majordome vint les accueillir. Le duc resta en voiture.

— Bonne nuit, Elizabeth, dit-il simplement.

Le véhicule redémarra.

Soulagée, la jeune femme se dit qu'elle en avait assez d'être en représentation, de sourire depuis des heures. Au moins, elle était libérée de la présence dominatrice du duc jusqu'au lendemain. Depuis leur mariage, il n'était venu dans son lit que deux fois. Mais chaque soir, la peur la paralysait.

Kate mit une éternité à lui ôter ses bijoux, sa perruque, son maquillage, pour la préparer à se coucher. Elle s'affairait autour d'elle comme une abeille. Quand elle se retrouva enfin seule, Beth s'approcha du miroir et observa son propre reflet.

Souriez, vous êtes la duchesse de Hamilton...

Des larmes ruisselèrent le long de ses joues.

Deux jours plus tard, John Campbell arriva à Londres. Il passa l'après-midi à régler diverses questions et à dicter son courrier à son secrétaire. Il mourait d'impatience de revoir Elizabeth. Il fut presque tenté de se rendre à Great Marlborough Street, mais se ravisa. Mieux valait la rencontrer hors de la présence de ses parents. Si elle acceptait qu'il la courtise, ils seraient vite informés de ses intentions. Il se rendit donc à Burlington Gardens.

Charlotte se hissa sur la pointe des pieds pour l'embrasser.

— John, nous sommes désolés, pour Henry. Il était si plein de vie qu'on a peine à croire qu'il n'est plus de ce monde...

Will lui donna l'accolade.

— Nous n'oublierons jamais les bons moments que nous avons passés avec lui, assura-t-il.

— Merci, dit John en prenant les mains de Charlie. Vous êtes radieuse! Je suppose que vous me conseilleriez chaudement le mariage?

Elle posa une main sur son ventre.

— Je n'ai plus du tout de taille. Bientôt, je vais ressembler à un tonneau.

— Votre bonheur fait vraiment envie. À propos, Charlie, pourriez-vous inviter Elizabeth?

La jeune femme afficha un air peiné.

— C'est impossible.

— Que se passe-t-il? demanda John en observant ses amis.

— La semaine dernière, Hamilton a épousé Elizabeth.

John parut incrédule.

— Elizabeth est duchesse de Hamilton, dit Charlie.

Il les fixa un long moment, puis émergea de sa torpeur.

— Je vais le *tuer* !

21

Les parents et la sœur d'Elizabeth occupaient désormais l'aile nord de Hamilton House, à Grosvenor Square. Ne possédant aucun mobilier, ils n'avaient eu qu'à transporter leurs effets personnels de Great Marlborough Street.

Ivre de jalousie de ne pas devenir duchesse comme sa sœur, Maria regardait Elizabeth essayer une nouvelle robe, aussi somptueuse que les autres.

— Tu as peut-être un titre et une maison superbe, mais tu n'auras pas le grand avantage que m'apportera le mariage. Tu ne seras jamais libérée de l'emprise de maman !

Elizabeth baissa les yeux pour dissimuler les émotions qui la tourmentaient. Dès la première semaine, elle avait eu l'impression de passer d'une prison à une autre. L'installation de sa mère à Hamilton House n'avait fait qu'ajouter à son désespoir. Elle n'avait guère mis de temps à comprendre que Bridget rapportait tous ses faits et gestes à son mari. Désormais, elle était sous la domination de deux tyrans.

— Ton maître de danse est arrivé ! annonça Bridget en entrant dans la chambre d'un pas déterminé. Tu reprendras cet essayage plus tard. Maria, quelques leçons ne te feraient pas de mal non plus.

— Je n'ai pas une minute à moi ! protesta Elizabeth. Quand je n'essaie pas des vêtements, je prends des leçons de danse ou de musique. Demain, je commencerai à poser pour mon portrait.

— C'est un privilège et un honneur que de faire peindre son portrait. Tu es la duchesse de Hamilton ! Tu n'auras jamais assez de vêtements, et ton mari exige que tu danses à la perfection. Tu sais bien que vous croulez sous les invitations. Toutes les maîtresses de maison de Londres brûlent de t'examiner de plus près. Hamilton te couvre de cadeaux et te donne tout son amour, or tu sembles indifférente à ses attentions. Si tu n'y prends pas garde, il va regretter de t'avoir épousée. C'est un homme riche et puissant. Si tu le contraries, il peut te rendre la vie impossible, sans parler de ce qu'il peut nous infliger, à ton père et à moi. Tu devrais avoir honte !

Elizabeth savait pertinemment que Hamilton n'hésiterait pas à jeter son père en prison pour dettes.

— Je suis désolée, maman. Je m'efforcerai de lui faire plaisir.

Seule la perfection peut satisfaire ce pervers, songea-t-elle.

— Je serai une duchesse parfaite.

— George est fou de moi ! se rengorgea Maria. Quand nous serons mariés, il cherchera par tous les moyens à me faire plaisir.

— Toutes les belles femmes savent rendre leurs maris esclaves de leurs faveurs. Ta sœur semble être dénuée de tout talent sensuel, alors que toi et moi sommes des amantes nées, Maria. Je suis certaine que ton mari t'enseignera tout ce que tu dois savoir, Elizabeth. Ne te montre pas trop froide. N'oublie pas que ton corps appartient à Hamilton, désormais.

Mon corps lui appartient parce que tu le lui as vendu, songea Elizabeth, qui baissa les yeux et se promit de ne plus se plaindre. Elle ne voulait surtout pas susciter la pitié. Sa mère et sa sœur la considéraient comme la plus chanceuse des femmes, uniquement parce qu'elle avait un titre prestigieux et ne manquait de rien.

Tu aimes jouer la comédie, se dit-elle. C'est l'occasion rêvée d'interpréter un personnage, celui d'une épouse adulée et superbe. Souris. Tu es la duchesse de Hamilton.

— Viens, Maria. Ne faisons pas attendre le maître de danse.

Vêtu d'un superbe costume noir, John Campbell entra chez White's, accompagné de son meilleur ami, William Cavendish. Il fit un signe de tête à George Coventry et Richard Boyle, qui jouaient au faro. Il ne fut guère étonné de les voir : Will les avait certainement prévenus qu'il risquait d'y avoir du grabuge. S'installant pour jouer au baccarat, il remarqua non sans amusement que Will ne le quittait pas d'une semelle...

En arrivant, James Hamilton accepta le verre de whisky que lui tendait un serveur, puis se rendit directement à la table de baccarat, comme John l'avait prévu. Les rivaux se saluèrent poliment. George et Richard abandonnèrent leur partie de faro pour les rejoindre.

Hamilton but la moitié de son verre et le posa.

— Toutes mes condoléances, pour Henry. Comment ton père supporte-t-il cette épreuve ?

— Plutôt bien, compte tenu des circonstances.

— Tous ces jeunes imbéciles qui risquent leur vie pour une gloire bien vaine !

Les yeux de Campbell brûlaient de fureur. Il prit le verre et aspergea Hamilton de whisky.

— Tu salis l'honneur de mon frère en le traitant d'imbécile. Le capitaine Campbell était un soldat courageux, alors que tu es trop lâche pour endosser l'uniforme ! Cela se réglera par un duel, Hamilton. Tu as le choix des armes.

Chacun savait que les deux hommes se battraient pour Elizabeth, et que l'honneur de Henry n'était en rien impliqué.

Pris par surprise, Hamilton s'essuya le visage. Il savait que Campbell était redoutable à l'épée.

— Ce sera le sabre, décida-t-il avant de se tourner vers Coventry. Me serviras-tu de témoin ?

Coventry accepta. Il paraissait évident que Cavendish serait le témoin de Campbell. Ils se mirent d'accord pour Green Park, à l'aube.

— Je convoquerai un médecin, déclara Boyle.

— Il aura surtout besoin d'un croque-mort, marmonna Campbell, la mâchoire crispée.

Après le départ de Hamilton, Coventry sur ses talons, Will déclara :

— Il a choisi le sabre car il connaît ta réputation à l'épée et parce qu'il est plus trapu que toi. Je me demande s'il est conscient de ton expérience au sabre ?

— Quelle que soit l'arme, c'est un homme mort.

— En tant que témoin, il est de mon devoir de te demander de réfléchir. Mais je me doute que c'est inutile...

Will consulta sa montre.

— Il est à peine onze heures. Je serai à Half-Moon Street à quatre heures.

Coventry raccompagna Hamilton à sa voiture.

— James, tu as intérêt à renoncer. Tu as vu son expression ? Il est fou de rage.

— Demande à Campbell de réfléchir. Je ne voulais pas nuire à l'honneur de Henry.

— Henry n'a rien à voir dans cette histoire.

— Je le sais, nom de Dieu !

— Je viendrai te chercher à quatre heures. Sois prêt avec ton arme.

À la grande surprise du cocher, Hamilton regagna Grosvenor Square. Depuis qu'il était à son service, il n'avait jamais reconduit le duc chez lui à onze heures du soir.

Morton fut tout aussi surpris. Il prit la cape de Hamilton et lui servit un double whisky. Le duc n'était pas ivre, mais il ne semblait pas dans son assiette.

— Je serai chez la duchesse. Qu'on ne me dérange pas. Si quelqu'un se présente, qu'il patiente.

Il prit sa carafe de whisky. Il n'avait pas simplement peur, il était terrifié. Il entra dans la chambre de sa femme sans frapper. Son expression affolée ne lui échappa pas. Elle lui donnait en général une impression de puissance. Mais pas ce soir-là. Tu la domines encore, se dit-il.

Dès qu'il eut franchi le seuil, Elizabeth sentit la peur l'étreindre. Ils avaient assisté à une soirée musicale organisée par le nouveau Premier ministre et sa femme, le duc et la duchesse de Newcastle. À dix heures, Hamilton l'avait déposée à la maison avant de repartir de son côté. Elle s'était crue tranquille pour la nuit.

Quand il chassa Kate, elle se mit à trembler. Il se servit un whisky avant de prendre la parole :

— Saviez-vous que je suis devenu duc à l'âge de dix-huit ans, parce que mon père avait été tué lors d'un duel ?

— Non, Votre Grâce. Je l'ignorais.

— Il s'est battu contre lord Charles Mohun. Ils se sont entretués... Ils sont morts tous les deux sur le champ d'honneur, dit-il d'un ton amer. Mais il n'y a aucun honneur à mourir !

Il se servit un autre verre et le leva pour contempler l'alcool ambré à la lueur du feu.

— Je déteste les duels, Elizabeth.

— C'est très compréhensible...

Il regarda la jeune femme dans les yeux.

— Je ne m'attendais pas à être provoqué en duel par John Campbell.

Beth posa la main sur son cœur.

— Il vous a provoqué en duel, Votre Grâce ?

Elle se sentit pâlir.

Seigneur, tout est de ma faute... Ils se battent pour moi !

— Je veux que vous vous rendiez à Half-Moon Street et que vous lui demandiez de renoncer.

— Je ne puis aller le voir.

John doit me détester ! songea-t-elle. À peine avait-il quitté Londres que je me suis mariée !

— Si, vous le pouvez. Et vous le ferez.

Il s'approcha d'elle pour mieux la dominer de sa hauteur. Puis il posa son verre et la saisit par le poignet.

— Vous êtes l'enjeu de ce duel, Elizabeth. Je lui ai raflé la femme qu'il convoitait. À présent, il est fou de jalousie de vous savoir mariée avec moi.

— Mais c'est vous que j'ai épousé... Toute jalousie n'est pas de mise !

— Une des raisons pour lesquelles je vous ai épousée est l'attirance de Campbell pour vous. Maintenant que vous êtes à moi, il vous désire encore davantage. Vous ne savez pas grand-chose des hommes, Elizabeth, et je m'en réjouis. Le plaisir de posséder un objet d'une rare beauté provient du fait que les autres sont envieux.

Je ne suis pas un objet ! pensa-t-elle. Vous ne me possédez pas ! Jamais je ne vous appartiendrai.

— Je ne puis aller le voir, Votre Grâce.

— Il le faut. Je suis très superstitieux. Vous n'avez donc jamais entendu dire que l'histoire avait tendance à se répéter ? Nous devons combattre au sabre. Si ce duel a lieu, nous allons nous entretuer.

Il serra son poignet avec une force incroyable, au point que ses doigts puissants meurtrissaient sa chair.

— Songez au soir où votre père est rentré ensanglanté, Elizabeth ! Vous ne voudriez pas qu'il ait encore un accident fâcheux ?

Elle frémit d'effroi à ce souvenir. Hamilton était effectivement avec Jack, ce soir-là.

— J'irai, dit-elle. J'essaierai.

Il la relâcha. Elle se massa pour soulager sa douleur lancinante, décelant dans le regard de son mari une lueur de triomphe.

— La voiture vous attend. Campbell ne peut rien vous refuser.

Sur le trajet, Elizabeth se mit à trembler. Elle appréhendait de revoir John. Elle l'aimait tant, et son cœur saignait car elle était la femme d'un autre… Si John était tué, elle ne pourrait plus vivre. S'il était blessé, elle se sentirait fautive. Que dire ? Que lui dirait-il ? Elle se rappela le bouton de cuivre cousu dans l'ourlet de sa cape. En le palpant, elle se calma. Tout va s'arranger. John s'occupera de tout. Elle se rappela ce qu'elle avait ressenti dans ses bras protecteurs, et y puisa de la force et du courage. Il accepterait sa requête par amour pour elle.

À Half-Moon Street, le majordome parut étonné par sa visite. En voyant John au sommet de l'escalier, sabre à la main, Beth se précipita vers lui.

— Elizabeth ! Que diable faites-vous ici ?

Il la conduisit dans le salon où ils avaient dîné en toute intimité devant la cheminée.

— Je suis venue vous empêcher d'agir.

Il posa son arme, prit sa cape et dévisagea la jeune femme. Il l'avait considérée comme sienne et pensait la demander en mariage lors de leurs retrouvailles. À présent, ses projets d'avenir étaient anéantis. Il avait l'impression d'avoir reçu un coup de sabre en plein cœur. Jamais il n'avait vu une femme aussi élégante, avec sa robe bleu lavande et son collier d'améthystes, au-dessus de ses seins à demi exposés. Elle arborait une coiffure sophistiquée et son maquillage était impeccable. Elle avait tout d'une duchesse.

— C'est Hamilton qui vous envoie ? s'enquit-il, la mâchoire crispée.

— Oui. Son père est mort au cours d'un duel. Il redoute que l'histoire ne se répète.

— Il a raison ! L'histoire va se répéter. J'ai l'intention de le tuer.

— John, il ne faut pas ! Renoncez ! Je vous en conjure !

Il n'en croyait pas ses oreilles. Elle était en train de l'implorer au nom de Hamilton !

— Renoncer ?

Son regard se durcit. Il la toisa avec mépris.

— Je vois. Il est manifeste que le rôle de duchesse vous plaît. Je ne dois rien faire qui vous prive du privilège d'être la femme du duc de Hamilton !

— C'est faux ! Je l'ai épousé contrainte et forcée. Comment pouvez-vous être aussi cruel ?

Il semblait implacable, furieux.

— C'est vous qui êtes cruelle, Elizabeth. Dès que j'ai eu le dos tourné, vous vous êtes vendue au plus offrant. Quel imbécile j'ai été ! J'aurais dû me douter que les filles Gunning avaient quitté leur trou perdu en Irlande pour chercher fortune à Londres. Il est évident que vous n'aviez qu'une idée en tête : dénicher un fiancé titré et fortuné et lui mettre le grappin dessus. On dirait que je l'ai échappé belle.

Cette accusation haineuse blessa la jeune femme. Très vite, la douleur fit place à de la colère.

— Et il est évident que vous n'aviez qu'une seule idée en tête : me séduire, et cela dès notre première rencontre, dans ce trou en Irlande, comme vous dites.

Et vous avez réussi... Allez au diable !

— Qui a séduit l'autre ? rétorqua-t-il d'un ton cynique. Vous êtes une excellente actrice, Elizabeth. Vous jouez à merveille les ingénues, tout en visant le titre et la fortune des Argyll. Vous n'avez guère perdu de temps. Comme je ne vous ai pas demandée en mariage assez vite, vous êtes passée au suivant de ces messieurs. Directement de mon lit à celui de Hamilton. Les sœurs Gunning sont les plus grandes coureuses que Londres ait jamais connues.

Folle de rage, elle se précipita vers lui et le griffa au visage. Tous les hommes sont donc des crapules, songea-t-elle, le souffle court.

Il la prit par les poignets et repoussa son attaque.

— Sous ce masque de douceur, vous dissimulez le tempérament d'une tigresse irlandaise, dit-il avec mépris.

Quand il la lâcha enfin, elle redressa la tête avec dédain.

— Il semble que nous l'ayons échappé belle tous les deux, lord Sundridge !

Sur ces mots, Elizabeth prit sa cape. Sereine en apparence, elle était en proie à la panique. Sa visite nocturne avait mal tourné. Elle avait dit ce qu'il ne fallait surtout pas dire. Ils s'étaient lancé les pires accusations. Il avait l'intention d'aller jusqu'au bout de ce duel, de tuer ou d'être tué.

Elle fit une ultime tentative.

— Vous vous conduisez comme un barbare. Se battre sur le champ d'honneur n'a rien de glorieux. Ce n'est que de la fierté masculine mal placée.

Après le départ d'Elizabeth, John Campbell demeura un long moment immobile. Il dut se rendre à l'évidence : elle avait raison. Il avait défié Hamilton uniquement pour une question d'honneur bafoué, d'arrogance. Il n'avait pas demandé Elizabeth en mariage. Elle ne lui devait rien. Il ne pouvait s'en prendre qu'à lui-même si elle avait accepté une proposition honorable de la part d'un autre.

S'il tuait James Hamilton en duel, le nom des Argyll serait terni. Pire encore, le scandale retomberait sur Elizabeth. Son envie de la protéger prit le pas sur sa soif de vengeance. Elle l'avait imploré de renoncer à ce duel. C'était la seule requête qu'elle ait jamais formulée. Et il ne pouvait rien lui refuser.

Elizabeth redoutait de regagner Grosvenor Square. Elle songea à sauter de la voiture et s'enfuir dans la nuit pour ne pas avoir à affronter Hamilton. Mais où aller ? La maison de Great Marlborough Street n'était plus leur maison. Elle pouvait se réfugier chez Charlie, mais elle devrait retourner auprès de son mari au matin pour ne pas compromettre ses amis. Elle s'était juré de ne jamais rien trahir de son malheur. De plus, Charlie entamait son cinquième mois de grossesse. Elle ne voulait pas l'inquiéter.

Quand la voiture s'arrêta à Grosvenor Square, la jeune femme rassembla son courage. Hamilton l'attendait dans l'entrée.

— Alors ?

En le croisant pour entrer au salon, elle décela une forte odeur de whisky. Elle se tourna vers lui, évitant son regard pour ne pas qu'il remarque le dégoût qu'il lui inspirait.

— J'ai vu Sundridge et je lui ai demandé de renoncer au duel, mais je crains de n'avoir aucune influence sur lui.

— Vous osez rentrer sans avoir réussi à le persuader ? Vous êtes la plus belle femme de Londres et vous n'avez pas eu recours à vos charmes pour l'infléchir ?

Le visage de Hamilton était empourpré de colère.

— Je suis désolée.

Je suis désolée d'avoir épousé un ivrogne doublé d'un lâche, un homme incapable de livrer ses propres batailles. Je suis désolée d'avoir quitté l'Irlande pour venir dans cette ville maudite. Je suis désolée d'être la duchesse de Hamilton...

Furieux, il la gifla avec une rare violence. La jeune femme vit trente-six chandelles et ressentit une vive douleur à la pommette. Elle se releva doucement et leva les yeux vers lui.

— Quand Joshua Reynolds viendra peindre mon portrait, demain, dites-lui de ne pas représenter mes marques de coups. Si vous détruisez ma beauté, les autres hommes ne vous envieront plus. Ils auront pitié de vous.

À quatre heures, William Cavendish se présenta à Half-Moon Street.

— En tant que témoin, je me dois d'examiner ton arme. Où est ton sabre, John ?

— C'est inutile, Will. J'ai décidé de renoncer. Je suis navré de t'imposer la tâche d'informer Hamilton que ton meilleur ami est un lâche.

— Un lâche ? Tu n'as rien d'un lâche. La peur t'est totalement inconnue. Tout le monde le sait. Il faut beaucoup de courage pour renoncer à un duel. Je suppose que tu le fais pour Elizabeth.

Seigneur, pensa John, suis-je donc si prévisible ?

— Il est plus de quatre heures. Dépêche-toi d'aller à Grosvenor Square avant que Hamilton ne se mette en route pour Green Park.

Seule dans sa chambre, Elizabeth se passa de l'eau sur le visage pour éviter qu'il n'enfle trop. Il ne fallait pas que quelqu'un remarque qu'elle avait été battue par son mari. Elle vivait peut-être un enfer, mais il resterait secret.

Plus tard, elle entendit une voiture s'arrêter devant la maison. Depuis la fenêtre, elle reconnut William Cavendish. Son implication dans cette affaire l'étonnait. Puis elle comprit qu'il devait être témoin. Les hommes étaient décidément égoïstes d'apprécier ces jeux de mort. Elle s'attarda un instant pour voir Hamilton partir. Peut-être serait-ce la dernière fois qu'elle le verrait ? Elle avait beau le détester, elle ne pouvait se résoudre à souhaiter sa mort. Surtout de la main de John Campbell.

Soulagée, elle vit William Cavendish repartir seul. Cela signifiait-il que le duel était annulé ? Will avait certainement apporté à son mari un message de la part de John. Celui-ci avait accédé à sa demande !

Pourtant, son cœur ne s'emplit pas de joie. Elle se sentait très triste, au contraire. Malgré les accusations que John avait portées, il éprouvait encore des sentiments pour elle. *Ne obliviscaris*. Oubliez-moi, John. Oubliez-moi !

Quelques instants plus tard, en entendant des coups à sa porte, elle se figea. Elle ne voulait parler à personne. Ni à sa mère, ni à sa sœur, ni à sa femme de chambre.

— Oui ? fit-elle prudemment.

— C'est Morton, Votre Grâce.

Elle entrouvrit la porte. La voix de Morton était si étouffée qu'elle entendit à peine ce qu'il disait.

— Il a perdu connaissance. Demain, il aura tout oublié.

Elle sentit renaître un semblant d'espoir. Une personne paraissait bienveillante, dans cette maison.

— Merci, Morton, répondit-elle avec gratitude.

Plus tard, Elizabeth se maquilla le visage d'une crème blanche pour dissimuler l'ecchymose de sa pommette. Après l'arrivée du peintre, elle passa la matinée à choisir le meilleur cadre pour son portrait. Elle dut poser pendant plus d'une heure avant qu'il ne juge la position de ses mains acceptable, la tête inclinée comme il convenait et son sourire impeccable.

Hamilton n'apparut que vers midi, l'air enjoué, comme s'il ne s'était rien passé la veille. Il posa une boîte sur la table et en souleva le couvercle.

— Je tiens à ce que ma duchesse porte ce vêtement que j'ai fait faire spécialement pour elle. Elle tombe des épaules et forme une traîne. Les queues d'hermines indiquent son rang de duchesse.

— Quelle pensée délicate, Votre Grâce, commenta poliment Reynolds.

Elizabeth réprima un frisson de dégoût et enfila le vêtement sans manches. Hamilton jouait les maris modèles, les amoureux. Morton a peut-être raison, songea-t-elle. Quand il s'enivre jusqu'à perdre connaissance, il ne se souvient plus de rien le lendemain. Elle en prit bonne note.

22

Le mariage de Maria Gunning, célébré à Pâques, se révéla l'événement mondain du printemps. Le fait que les festivités soient organisées chez le duc et la duchesse de Hamilton fit sensation. Leur mariage secret avait privé les membres de la haute société d'un événement, et ils étaient bien décidés à se rattraper en affluant en masse à Hamilton House.

La maison était envahie de bouquets de fleurs choisies par Elizabeth. Hamilton lui avait donné carte blanche, pour compenser son refus de la voir porter la robe rose de demoiselle d'honneur prévue par Maria. Il voulait que sa femme arbore les couleurs des Douglas, le bleu et le blanc. Elizabeth s'en réjouissait intérieurement, mais fit mine de regretter la robe rose. Elle apprenait à laisser croire à Hamilton qu'il la dominait, ce qui demandait un courage qu'elle croyait ne pas avoir. Cependant, elle avait toujours vécu sous l'emprise d'une personne dominatrice et ne manquait pas d'expérience en la matière.

Pour une fois, Bridget fut obligée d'occuper un siège au fond de la salle, car Maria tenait à être l'unique centre d'intérêt de son propre mariage. Après l'échange des vœux, le duc et la duchesse de Hamilton prirent la tête du cortège, suivis de George et Maria, comte et comtesse de Coventry, pour accueillir leurs illustres invités. Le roi George n'assistait jamais aux cérémonies privées. En revanche, le prince de Galles, son fils, et sa mère, la princesse Augusta, étaient présents, de même que le duc de Cumberland. Derrière eux, le Premier ministre et sa femme, ainsi que Horace Walpole, le plus grand colporteur de ragots de la capitale.

Elizabeth embrassa Charlie et souhaita la bienvenue à Will. La grossesse de la jeune femme était visible, d'autant plus qu'elle ne faisait rien pour la cacher.

— Je suis ravie que vous vous portiez bien, et je vous envie, murmura Elizabeth.

Si le père de Will, le duc de Devonshire, accompagnait le jeune couple, la duchesse était restée à Chatsworth, refusant toujours de reconnaître sa belle-fille et son futur petit-fils ou petite-fille. Il donna à Hamilton une tape dans le dos et observa le ventre d'Elizabeth.

— Pas d'héritier en vue ? demanda-t-il sans détour.

Elizabeth rougit. Elle avait eu une nausée dans la matinée...

— Ma femme était vierge. Au contraire de certains autres, nous n'avons pas mis la charrue avant les bœufs.

Elizabeth rougit davantage de cette réflexion cruelle de son mari qui visait Charlie. Par chance, son amie n'avait rien entendu.

Soudain, elle sentit comme une tension. John Campbell venait d'arriver. Elle se demanda avec angoisse comment les deux hommes allaient réagir. Quelques jours plus tôt, ils étaient prêts à s'entretuer. Or ils bavardèrent aimablement comme si tout allait pour le mieux.

Elizabeth eut chaud, puis froid. Les yeux baissés, elle tendit la main à John, se rappelant les paroles méchantes qu'ils avaient échangées.

John la dévora des yeux. Il avait pourtant décidé de ne pas venir au mariage de Coventry, pour éviter Hamilton House. Un besoin pervers de revoir la jeune femme l'avait poussé à venir, même si la voir au côté de Hamilton était une véritable torture...

Lorsqu'il porta sa main à ses lèvres, elle leva la tête et le regarda droit dans les yeux. Ils n'échangèrent pas un mot, mais un lien invisible les unissait.

Quand tous les invités eurent franchi le seuil, Hamilton conduisit Elizabeth dans la salle de bal, qui n'avait pas servi depuis plus de dix ans. L'orchestre se mit à jouer. Il leva les mains et tous les invités se turent, curieux.

— J'ai fait composer un morceau spécialement pour mon épouse. Veuillez choisir vos partenaires pour *La Fantaisie de la duchesse de Hamilton*.

Elizabeth ne s'attendait pas à une telle surprise. Gênée, elle ne sut que dire, le rose aux joues. Elle avait envie de s'enfouir six pieds sous terre. Les couples commencèrent à parader devant elle, Maria et George en tête.

— Vous êtes la femme possédant le plus haut rang dans cette pièce, lui murmura son mari. Après la princesse, bien sûr. Votre sœur est comtesse.

Vinrent ensuite Charlie et Will.

— Charlotte est marquise. Rachel Cavendish est comtesse d'Orford et Catherine sera bientôt baronne de Duncannon. Grâce à moi, vous êtes au sommet, Elizabeth.

Les doigts de Hamilton enserraient sa main gracile. Elle redoutait qu'il ne la lui écrase au moindre impair.

— Vous m'honorez, Votre Grâce, dit-elle tout bas.

Vous m'honorez en tant que bel objet à exposer au regard de tous. Mon rôle est d'être décorative à votre bras et de susciter l'envie des autres hommes...

À la fin du morceau, les applaudissements crépitèrent. Hamilton sourit fièrement.

— À présent, allez jouer les hôtesses auprès de nos invités.

Une fois loin de lui, elle osa respirer à pleins poumons. Elle dansa avec Horace Walpole, qui se plaisait à relever toutes les bourdes de Maria. Lorsque le prince de Galles s'approcha à son tour, elle changea de cavalier. En écoutant le jeune prince, elle apprit qu'il s'était entiché de la fille du duc de Richmond, âgée de quinze ans.

— Je l'inviterai à notre prochaine réception, promit-elle, s'attirant aussitôt la sympathie du prince.

Elle dansa avec tous les invités, y compris le jeune marié.

— Maria a bien de la chance d'être aimée à ce point, George.

— Je l'emmène à Paris en voyage de noces. J'espère que les monuments lui plairont.

Pauvre George, songea Elizabeth. Elle se contentera de courir les boutiques.

— Je suis ravie que ma sœur vous ait épousé, dit-elle en l'embrassant sur la joue.

Coventry raccompagna la jeune femme auprès de son mari. Elizabeth parvint à afficher un sourire de circonstance.

Hamilton interrompit une conversation entre le fils du roi, Cumberland, et John Campbell.

— Je sais combien Elizabeth aime danser. John, et si tu l'invitais ? Je danse très peu moi-même.

En jetant son épouse dans les bras de son rival, Hamilton fut envahi d'un sentiment de puissance.

— Avec plaisir, James.

Elizabeth laissa John lui prendre la main, provoquant des étincelles entre eux.

Que diable faites-vous ici ? songea-t-elle. Vous êtes un démon !

— Bienvenue à Hamilton House, lord Sundridge.

— Merci, répondit-il en la dévorant des yeux. Vous dansez à merveille, Votre Grâce.

Ce compliment la fit sourire.

— Mon maître de danse s'est donné beaucoup de mal. Dans mon trou irlandais, je ne dansais qu'avec des sabots.

Les yeux de John pétillèrent d'amusement.

— Passer d'actrice à duchesse en l'espace de quelques mois est un véritable tour de force.

— Pour un Écossais des montagnes, vous dansez vous-même remarquablement.

— Je suis encore plus doué pour la séduction.

Seigneur, Elizabeth, je voudrais vous faire mienne ici et tout de suite...

— Vous avez sans doute une grande expérience en la matière.

— Une expérience nocturne.

Ces paroles lui rappelèrent des souvenirs torrides. Le désir qui brûlait en lui s'intensifia. Il mourait d'envie de l'enlever dans la nuit.

En virevoltant sur la piste de danse, Elizabeth se laissa envahir par la musique. Elle aurait aimé rester à jamais dans les bras de John. Si le manque physique était une torture, ses sentiments étaient encore plus intenses. Elle voulait lui appartenir corps et âme.

Lorsque la musique se tut, ils ne se séparèrent pas tout de suite. John ne supportait pas l'idée de la rendre à Hamilton. Il la prit donc par la main et l'emmena auprès de Charlie, qui observait les danseurs.

Face au regard trouble d'Elizabeth, Charlie rompit le charme.

— Me permettrez-vous de rester en votre compagnie, maintenant que vous me dépassez socialement ?

— Elle nous dépasse tous les deux, déclara John en baisant la main de Charlie.

Elizabeth rit de bon cœur, malgré les larmes qui lui montaient aux yeux.

Le bal se poursuivit tard dans la nuit, jusqu'à ce que Maria en ait assez de jouer les jeunes mariées timides. Coventry la porta jusqu'à la voiture qui les conduirait vers le port d'où ils embarqueraient pour la France.

Elizabeth demeura sagement au côté de son mari jusqu'au départ de tous les invités. Il empestait l'alcool et tenait à peine debout.

Elle ne se coucha qu'à six heures, épuisée.

Trois heures plus tard, Kate vint la réveiller pour lui annoncer l'arrivée du peintre. Durant la pose, elle étouffa plusieurs bâillements. À midi, comme de coutume, Hamilton ferait son apparition.

Ne le voyant pas venir, elle partit à la recherche de Morton.

— Monsieur est souffrant, Votre Grâce. Le Dr Bower est à son chevet, mais j'ai entendu des éclats de voix. Une altercation, sans doute, confia le valet.

Elizabeth était tiraillée entre son devoir de prendre des nouvelles de son mari et sa peur. Elle décida de s'entretenir avec le médecin au moment de son départ. D'instinct, elle devinait qu'il lui en dirait davantage que Hamilton.

Au terme d'une longue attente, le médecin descendit enfin l'escalier.

— Docteur Bower ? Je suis Elizabeth Douglas.

Il l'observa avec attention, comme pour vérifier si sa beauté était à la hauteur de sa réputation. Visiblement charmé, il la mit en garde :

— Votre mari est un homme entêté, Votre Grâce. L'abus d'alcool nuit à son foie. Je vous recommande de l'empêcher de boire et d'être prudente. Il est très énervé, et prêt à frapper quiconque ose lui dire la vérité.

— Je suis désolée qu'il soit un patient difficile, docteur.

— Ne vous excusez pas, ma chère. Il me paie suffisamment pour compenser son attitude grossière.

Après le déjeuner, Elizabeth posa durant trois heures, espérant que son portrait serait bientôt terminé. Reynolds l'informa qu'il pensait finir dans la semaine. Épuisée, elle eut envie de s'allonger un peu. Hélas, Bridget apparut, portant une brassée de journaux.

— Le mariage est dans toutes les rubriques mondaines ! C'est vraiment l'événement de la saison ! Les journalistes parlent de la beauté de Maria, ils décrivent sa robe en détail. Ils sont aussi très élogieux à ton propos, Elizabeth, louant tes qualités d'hôtesse. Mais il est normal de flatter une duchesse. Ce fouineur de Horace Walpole ne tarit pas d'éloges : « Par le passé, les duchesses avaient la réputation d'être un peu ternes. La duchesse de Hamilton a tout changé grâce à sa beauté et ses bonnes manières, sans oublier son esprit, son intelligence et son charme. »

— C'est gentil, dit distraitement la jeune femme, songeant qu'elle pourrait se coucher tôt puisque Hamilton était souffrant.

— C'est tout ce que tu trouves à dire ? Quelle ingratitude. C'est à moi que tu dois tout cela !

— *Ne obliviscaris.* Je ne l'oublie pas, répondit-elle.

Bridget se calma, ignorant le ton menaçant de sa fille.

— Nous avons reçu quatre invitations, ce matin. Et encore six cet après-midi. C'est grâce au mariage, bien sûr ! J'ai une nouvelle robe pour la réception de la comtesse d'Orford, ce soir. Et toi, que porteras-tu ?

— Je n'irai pas. J'ai décidé de me coucher tôt.

— Tu es malade ? Peut-être es-tu enceinte !

Était-ce possible ? Elle reprit espoir. Un enfant à chérir lui apporterait peut-être du bonheur. Mais qui en serait le père ? Elle chassa vite cette question.

— Non, maman. Je ne suis pas enceinte.

— Hamilton veut sans doute un héritier, mais pas aussi vite. Il aime t'avoir à son bras, montrer à tous combien sa femme est belle. C'est l'unique raison pour laquelle il t'a épousée. Il verrait d'un mauvais œil que tu grossisses si peu de temps après votre mariage.

Mieux valait qu'elle ne soit pas enceinte, finalement, songea tristement la jeune femme. Elle ne voulait surtout pas provoquer la colère de son mari.

— J'ai vu son regard de dégoût face à Charlie qui exhibe son gros ventre comme le ferait une truie, reprit Bridget.

— Charlie est magnifique ! Ne sois pas médisante.

Jamais elle n'osait parler aussi franchement à sa mère. Elle se mordit les lèvres, s'attendant à des représailles.

Bridget alla annoncer à Kate qu'elle refusait de se rendre à la réception des Orford, à Devonshire House. Kate transmit l'information à Hamilton. Sans tarder, celui-ci entra en trombe dans les appartements de sa femme, Kate sur les talons. Il avait le teint jaunâtre, mais semblait prêt à en découdre. Il examina le peignoir en soie qu'elle avait enfilé sur ses dessous.

— Vous n'êtes pas encore habillée ?

— Je pensais me coucher tôt, Votre Grâce. Je suis fatiguée.

— Fatiguée ? Mais vous n'avez que dix-sept ans. Comment pouvez-vous être fatiguée ?

Je suis lasse d'être duchesse...

Elle s'humecta les lèvres.

— J'ai dansé toute la nuit. Ensuite, j'ai dû poser pour le peintre durant sept heures.

— Quel calvaire ! railla-t-il. Habillez-vous immédiatement.

Kate alla chercher la robe bleu saphir et un corset. Elizabeth n'ôta pas son peignoir.

— En apprenant que vous étiez souffrant, j'ai cru que vous n'iriez pas non plus à cette soirée.

— Souffrant ? Vous m'espionnez ?

Il rougit de colère et fit un pas vers elle, menaçant.

— Je ne vous espionne pas. Mais quand le médecin est venu...

— Qui diable vous a parlé du médecin ?

Il fit volte-face et posa sur Kate un regard accusateur.

— Dehors ! lança-t-il, ivre de rage. Maudits domestiques ! Toujours à baver et à médire ! Je ne le tolérerai pas ! Et je ne veux pas que ma femme me désobéisse !

Il lui arracha son peignoir en soie.

Elizabeth croisa les bras sur sa poitrine dans un geste de défense, mais il la saisit et ramassa le corset tombé à terre. Il le lui enfila de force et tira brutalement sur le cordon.

Ses seins furent emprisonnés par le corset au point de la faire crier de douleur. Les mains tremblantes, elle les fit sortir du corset.

— Vous me faites mal, gémit-elle.

— Inspirez profondément !

Elizabeth obéit. Hamilton tira si fort sur le cordon qu'elle ne put réprimer un nouveau cri de douleur. Elle entendit son grommellement de satisfaction.

— À présent, finissez de vous préparer. Ne m'obligez pas à vous faire mal une nouvelle fois !

À Devonshire House, Elizabeth afficha un sourire forcé et fit mine de s'amuser. Sous la surveillance continuelle de Hamilton, elle eut du mal à échanger quelques confidences avec Charlie.

— Après avoir dansé toute la nuit, je voulais aller me coucher tôt, lui raconta-t-elle.

— Moi aussi, admit Charlie. Mais Rachel est désormais ma belle-sœur. Je ne pouvais pas lui faire faux bond. Je suis si fatiguée, ces derniers temps. Je dormirais bien un mois durant !

C'était exactement ce qu'Elizabeth ressentait.

— Quels sont vos autres symptômes, Charlie ?

— Mes seins sont sensibles et bien plus gros, ce qui plaît énormément à Will.

Elizabeth sourit malgré son angoisse. Si ses seins à elle étaient douloureux, c'était peut-être à cause de la brutalité de Hamilton.

— Vous pensez être enccinte, Elizabeth ?

— Non, non, s'empressa-t-elle de répondre.

En réalité, elle était désormais persuadée du contraire. Et tiraillée entre l'espoir et la peur.

Pendant les deux premières heures du bal, elle avait cru que John Campbell ne viendrait pas, mais à mesure qu'approchait minuit, elle se mit à souhaiter sa présence. Elle brûlait d'envie de plonger dans son regard, d'entendre sa voix, de le toucher, ne serait-ce qu'à l'occasion d'une danse...

John Campbell était lui aussi en proie à un dilemme. Il savait qu'il valait mieux éviter Devonshire House, ce soir-là, mais Elizabeth l'attirait comme un aimant. Le fil d'or qui les unissait refusait de se briser. Dès qu'il l'aperçut, il lui proposa de danser.

Tandis qu'ils tournoyaient sur la piste, John posa les yeux sur le collier de saphir de la jeune femme.

— Hamilton connaît votre amour des bijoux.

— J'ai la chance qu'il aime faire étalage de ses richesses.

Il eut envie de lui arracher ce maudit collier et de le projeter contre le mur.

— Il adore vous exhiber. C'est la raison pour laquelle il vous a épousée.

— Je ne suis pas naïve au point de croire qu'il m'ait épousée par amour ou pour mes châteaux, rétorqua-t-elle en riant.

— En effet.

Il aurait aimé enfouir les doigts dans ses cheveux dorés et l'embrasser à perdre haleine, la faire sienne. Quel imbécile il avait été ! Il avait pourtant eu l'occasion de la demander en mariage. À présent, il ne lui restait que des regrets.

Soudain, elle eut du mal à respirer. La proximité de John lui faisait tourner la tête au point qu'elle crut défaillir. Elle tenta de respirer.

— Vous ne vous sentez pas bien ? s'alarma-t-il.

Elle avait les paupières lourdes.

Je veux que vous me portiez jusque chez vous, que vous me dévêtissiez et que vous me teniez dans vos bras...

— Mon corset est un peu trop serré.

Il baissa les yeux vers ses seins généreux qui semblaient déborder du décolleté. Il était fou de jalousie qu'un autre homme ait le droit de la toucher, de lui faire l'amour toutes les nuits.

À quatre heures du matin, Hamilton décida qu'il était temps de partir. Il s'était lancé dans un concours de consommation d'alcool avec le vieux Devonshire pendant qu'ils jouaient aux cartes. Le duc avait fini par s'assoupir en ronflant.

Emma attendait la jeune femme dans sa chambre.

— Où est Kate ? s'enquit Beth.

— Hamilton l'a congédiée et m'a demandé d'être votre femme de chambre.

— Dieu merci ! Cette femme m'espionnait depuis mon arrivée dans cette maison.

Emma la débarrassa de son corset et lui ôta ses bijoux. La jeune duchesse chancela.

— Ce maudit corset était bien trop serré. Vous ne tenez plus debout, mon petit. Allez, au lit.

Elizabeth ne mit que quelques minutes à sombrer dans un sommeil paisible...

Dans son rêve, elle dansait, avec pour tout vêtement un long collier autour du cou, un autre autour de la taille et des hanches. John prit un énorme rubis posé sur son ventre et entreprit de dérouler le collier de diamants. Il la faisait tournoyer de plus en plus vite. Ce petit jeu l'enivrait de joie. Bientôt, il ne resta plus que le collier qui lui entourait le cou. John le saisit comme s'il la tenait en laisse. Elle se mit à grogner et à sortir ses griffes, ce qui le fit rire.

— J'ai toujours eu envie d'une tigresse dans mon lit.

Elle prit son élan et bondit sur lui.

— Il faut davantage qu'un barbare des Highlands pour m'apprivoiser !

Il se lécha les lèvres.

— J'ai une arme secrète...

Fascinée, elle fixa sa bouche et se rappela le plaisir qu'elle lui avait donné, la première fois.

— Je n'oublierai jamais. *Ne obliviscaris,* John, ronronna-t-elle.

23

Dès son réveil, Elizabeth fut en proie à une violente nausée qui confirma ses soupçons : elle était enceinte. Elle ressentait des émotions contradictoires. Son cœur s'en réjouissait, mais elle redoutait la réaction de Hamilton. Cette crainte la décida à garder le secret de cette grossesse le plus longtemps possible.

Cependant, il était impossible de la cacher à Emma. Elles conclurent un pacte de ne rien dire. Elizabeth aurait aimé informer son père, mais elle le croisait rarement, ces derniers temps. Depuis le mariage, ils ne partageaient plus aucun moment de complicité.

Elle détestait ces mondanités qui nécessitaient deux heures chaque soir pour s'habiller, se maquiller. Le duc exigeait la perfection de chaque détail, jusqu'aux bijoux. Elle en venait à ne plus supporter ce titre de duchesse. Elle redoutait ces réceptions où elle devait danser jusqu'à l'aube, faire semblant d'être heureuse, masquer sa fatigue, sa tristesse, et dissimuler sa grossesse.

Elizabeth en vint à se détester elle-même. Elle menait une vie dénuée de sens. Après le portrait réalisé par Reynolds, Hamilton engagea d'autres peintres, Francis Cotes, Jean-Étienne Liotard, qui venait de terminer le portrait de la princesse Augusta, et Michael Dahl, qui avait fait celui du roi.

Quant à sa mère, elle ne la supportait plus. Un soir, Bridget se montra particulièrement brutale en serrant son corset. Beth se rebella :

— Tu te moques totalement de faire du mal à mon enfant, du moment que je suis mince et décorative au bras de Hamilton !

— Alors c'est vrai ! Tu es enceinte ! Comment as-tu pu cacher cette nouvelle à ta propre mère, espèce de petite peste ? Hamilton est au courant ?

— Pas encore. Je le lui dirai moi-même, et en temps voulu. Enfin, j'en doute, puisque tu lui rapportes tout ce que je fais.

— Tu es une fille indigne. Heureusement que Maria me témoigne amour et gratitude pour avoir fait d'elle la comtesse de Coventry. Elle me manque terriblement. Mais elle est enfin de retour, après six semaines passées en France. Je suis impatiente de la revoir ce soir.

Elizabeth ferma les yeux et pria en silence pour ne pas être prise d'une nausée dans la voiture qui la conduirait vers le prétentieux château néogothique de Horace Walpole, à Strawberry Hill. Par chance, John Campbell ne risquait pas de venir, car il ne supportait pas les commérages et les manières de Walpole.

Elle s'en voulut d'avoir rudoyé sa mère.

— Je suis désolée de ne pas t'avoir dit que j'étais enceinte, mais je pensais que tu l'avais deviné. Et moi aussi, je suis heureuse de revoir Maria.

Comme toujours, Hamilton vint inspecter l'apparence de sa femme.

— Cette robe ne convient pas pour ce soir, dit-il en se tournant vers Bridget et Emma, les yeux plissés. Qui l'a choisie ?

— C'est moi, Votre Grâce, mentit Elizabeth pour protéger Emma.

— Nous nous rendons dans un château. Je veux que vous ayez l'air d'une reine médiévale.

Il se dirigea vers la garde-robe de la duchesse et choisit une robe en velours pourpre dont les manches étaient doublées de satin rose.

— C'est une soirée idéale pour porter un diadème. Je vous en ai offert plusieurs.

— Puis-je porter ma nouvelle perruque, Votre Grâce ?

— Certainement pas ! Vos cheveux dorés attireront tous les regards, avec votre diadème en améthystes et en diamants.

Ils étaient en retard. Le cocher dut rouler plus vite que de coutume. Elizabeth parvint à éviter le drame grâce à Emma, qui avait songé à lui faire manger un biscuit sec avant de partir. Elle n'avait rien avalé de la journée.

À Strawberry Hill, Maria se pavanait déjà, entourée de sa cour habituelle. Elle racontait à qui voulait l'entendre qu'elle avait détesté Paris.

— C'est une ville pleine d'étrangers qui refusent de parler notre langue !

Horace Walpole n'en croyait pas ses oreilles.

— Ma chère, les gens parlent français, à Paris.

— Je les ai trouvés très grossiers. De plus, Coventry ne cessait de s'adresser à eux dans une langue dont je ne comprends pas un traître mot. J'ai cru devenir folle. Bref, nous sommes rentrés dès que possible. Nous avons une nouvelle maison à Berkeley Square.

Elizabeth embrassa sa sœur.

— Je suis heureuse que tu sois rentrée.

— Pourquoi portes-tu cette couronne ? demanda Maria, contrariée.

— Parce qu'elle est la reine de mon château, répondit Walpole, affichant clairement sa préférence pour la cadette.

— Je n'ai pas de couronne ! protesta Maria auprès de son mari, qu'elle avait jusqu'alors ignoré.

— Elizabeth a le droit de porter une couronne ducale, ma chère.

— Et pas moi ? Jamais je n'aurais dû me contenter d'un simple comte.

Elizabeth se hissa sur la pointe des pieds pour embrasser George.

— Elle n'en pense pas un mot, lui souffla-t-elle à l'oreille.

— Hélas, je crains que oui, répondit-il, la mine grave.

Hamilton donna à son ami une tape dans le dos.

— Certains ont plus de chance que d'autres avec leur épouse, George. Allons goûter le whisky de Walpole. Je t'apprendrai à dresser une femme.

Elizabeth fut attristée à la pensée que sa sœur et son beau-frère n'étaient pas heureux en ménage.

— Tu as envie de parler, Maria ? s'enquit-elle en lui prenant la main.

— Non ! J'ai envie de danser. Je parie que j'aurai tous les pairs du royaume à mes pieds en moins de cinq minutes.

Elizabeth, elle, n'avait aucune envie de danser, mais elle n'avait pas le choix. Le duc tenait à ce que tous les invités aient cet honneur. Il aimait voir leurs regards pleins d'envie et de désir pour elle.

Au terme de trois danses, Elizabeth était épuisée. Un quadrille écossais fut annoncé. Elle préféra se retirer, car ses vêtements la serraient beaucoup trop.

Walpole tendit vers elle une main un peu molle.

— Ce quadrille est dédié à ma dame préférée. Cette nouvelle danse porte le nom d'Elizabeth Hamilton. J'ai hâte d'être son cavalier.

Elle ne pouvait offenser Horace Walpole. À la fin du quadrille endiablé, la jeune femme tenait à peine debout et respirait avec difficulté.

— Veuillez m'excuser un instant, Horace. Je dois aller me repoudrer.

Les jambes tremblantes, elle quitta la salle. À sa grande stupeur, elle se retrouva nez à nez avec John Campbell. Il s'était pourtant juré de ne pas venir. Il s'était même excusé auprès de Horace Walpole. Mais il était incapable de résister à la tentation. Elizabeth exerçait sur lui une attirance irrésistible. Sous le lustre, ses cheveux prenaient des reflets d'or. Il la caressa du regard et s'inclina d'un air taquin.

— Tiens, tiens, la reine de carreau !

— Le valet de cœur ! Hélas, je vous bats.

Il baissa les yeux vers sa poitrine à peine dissimulée.

— Voici une paire qui risque fort de me faire remporter la partie.

— J'en doute, Sundridge. Tout au plus, vous pouvez demander à voir.

— Touché. Vous avez la langue acérée, jolie tigresse !

— Votre langue n'est-elle donc pas une arme redoutable ?

— Voyons cela.

Il prit sa main et déposa un baiser sensuel dans sa paume, puis se mit à la lécher.

Une vague de désir faillit engloutir la jeune femme, qui respirait de plus en plus mal. Ses yeux violets semblaient immenses dans son visage émacié et pâle. Soudain, le masque tomba.

— John, souffla-t-elle en tendant une main vers lui.

Il la vit fermer les yeux avant de s'écrouler. Il la rattrapa juste avant sa chute.

— Chérie... murmura-t-il en observant ses traits délicats.

Elle avait les yeux cernés. Se rendant compte qu'il ne s'agissait pas d'un simple malaise, mais d'une perte de connaissance, il prit peur. Scrutant la foule, il n'eut d'autre possibilité que de chercher Hamilton des yeux. La jeune femme dans les bras, il marcha d'un pas hésitant. Jamais il n'avait enduré épreuve plus cruelle.

Il savait pertinemment où trouver Hamilton, joueur et alcoolique notoire. Il n'emmena pas Elizabeth dans le salon enfumé, mais demeura sur le seuil avec son précieux fardeau.

Dès qu'il remarqua sa présence, Hamilton se leva d'un bond. Les deux hommes se toisèrent longuement. Campbell avait envie de le tuer. Il lui remit cependant la jeune femme.

— J'espère que tu la chéris, James, déclara-t-il d'un ton menaçant.

Hamilton afficha un sourire triomphant. Tous deux avaient compris qu'elle était enceinte.

— Elle est mon trésor, John.

Elizabeth n'aurait jamais cru une telle chose possible, mais le duc de Hamilton ne ralentit en rien le rythme de leurs sorties. Lorsqu'ils ne se rendaient pas au palais de St. James ou chez les Leicester, les Burlington ou les Devonshire, ils recevaient à Hamilton House. Ils s'affichaient au théâtre, à l'opéra.

Au fil des jours, elle se sentait de plus en plus fatiguée. Elle mangeait peu et perdait du poids, même si son ventre s'arrondissait. Hamilton refusait de lui épargner ces nombreuses sorties. Non seulement il exhibait la beauté de sa femme, mais il voyait dans cette grossesse une preuve de sa virilité.

Il l'entraîna ainsi de bal en bal durant toute la saison. Sereine en apparence, la jeune femme redoutait de nuire à l'enfant qu'elle portait. De plus, elle ne voyait plus John Campbell. Dans un premier temps, elle en avait été soulagée, mais il lui manquait terriblement.

John Campbell était déterminé à couper les liens qui l'unissaient à Elizabeth. Voir son beau visage, entendre sa voix, baiser sa main, danser avec elle, sentir son parfum enivrant, puis la regarder partir au bras de Hamilton était une torture qu'il refusait d'endurer plus longtemps.

Son régiment étant appelé au combat, il se consacra à ses recrues, qui formèrent le 98e régiment des Highlanders de Sa Majesté. En mars, ils étaient venus de Glasgow à Londres. Ils manquaient encore un peu d'expérience face aux vétérans de la guerre que commandait John.

— Charlie, vous êtes radieuse ! s'exclama Elizabeth en embrassant son amie.

Elle prit Dandy dans ses bras pour le cajoler. Burlington Gardens était l'un des rares endroits où Hamilton autorisait sa femme à se rendre seule.

— J'aimerais pouvoir en dire autant de vous, Elizabeth, répondit Charlie en la dévisageant. Vous souffrez encore de nausées matinales ?

— Tous les jours. Mais cela ne me dérange pas outre mesure. Le plus difficile, c'est cette lassitude permanente. J'ai envie d'aller me coucher et de dormir le reste de mes jours. Hier soir, à Leicester House, je me suis endormie. À mon réveil, la princesse Augusta me faisait respirer des sels.

— Venez, installez-vous confortablement, Beth. J'en ferai autant. Je me sens énorme ! Je me porte bien, mais il est temps que je me retire de la vie publique jusqu'à l'heureux événement.

— Le mois de juillet arrivera vite. Avez-vous peur, Charlie ?

— Non... enfin, oui. Je ne sais rien des accouchements. Et vous ?

— Il y a un tas de questions que je n'ose pas poser à ma mère. Je me demandais s'il ne serait pas plus facile de les poser à la vôtre.

— Excellente idée ! Après le repas, nous irons la voir.

Jane les servit sur un plateau, près du feu. Pour la première fois depuis des mois, Elizabeth se sentait parfaitement détendue. Elle réussit à avaler son bouillon et un entremets.

Elles décidèrent de se rendre à Burlington House à pied, pour profiter de la splendeur des arbres en fleurs en ce mois de mai.

— Mon père est parti à Uppingham Manor pour vérifier que tout est prêt pour mon arrivée. Le paysage est superbe. Une rivière traverse la propriété. Vous aimeriez beaucoup cet endroit. Si seulement vous pouviez m'accompagner ! L'air de Londres est irrespirable, en été.

Elizabeth aurait aimé se rendre à Uppingham, mais elle savait que c'était impossible. Jamais Hamilton ne lui permettrait de quitter la capitale.

— Je dirai à Will de suggérer l'idée à James. Il vous apprécie tant ! Je suis sûre qu'il insistera pour vous recevoir à la campagne. Après tout, il y va de votre santé.

À Burlington House, elles furent accueillies par le majordome. Dandy agita frénétiquement la queue et entra en trombe.

Le domestique parut déconcerté. Il ouvrit la bouche pour s'exprimer, puis la referma, ne sachant comment gérer cette situation délicate.

Le chien se précipita à l'étage, bien décidé à débusquer Dorothy. Les jeunes femmes perçurent un cri de surprise.

— Il l'a trouvée !

En descendant les marches, quelques instants plus tard, Dorothy Boyle ne fut pas la seule à s'étonner. Elizabeth écarquilla les yeux.

— Papa... Que fais-tu ici ?

À peine avait-elle formulé sa question qu'elle rougit violemment. La raison de la présence de Jack Gunning, en l'absence du comte, était évidente. Pas étonnant que je ne te voie plus, songea-t-elle amèrement. Elle se sentit trahie. Elle se rappela les paroles qu'il avait employées pour l'obliger à se marier :

— Fais-le pour moi, et tu ne le regretteras pas.

Eh bien, elle le regrettait depuis le premier jour. Il l'avait mariée à un duc et considérait qu'il avait accompli son devoir. Au moment où Beth avait besoin du soutien, des conseils et de l'affection de son père, il batifolait ailleurs. Il n'y a donc pas un homme sur terre en qui l'on puisse avoir confiance ! se dit-elle.

— Je me souviens, lança-t-elle d'un ton acerbe. Tu cherchais une jument, je crois.

Il eut la grâce de rougir.

Après le départ de Jack, Charlie embrassa sa mère.

— Nous avons des questions un peu délicates à vous poser. Elizabeth n'ose pas aborder le sujet avec sa propre mère...

— N'en dis pas davantage, coupa Dorothy en levant une main. Je vois à quoi tu fais allusion. Venez sur la terrasse et je vais tout vous expliquer.

Elles s'installèrent sur des coussins, puis Dorothy les éclaira sur les problèmes liés à la sexualité durant la grossesse.

— Lorsqu'un ventre arrondi devient un obstacle à la position traditionnelle, il existe bien d'autres façons de s'y prendre, vous savez. Ne vous inquiétez pas, mes chéries.

— Vraiment ? Will et moi n'en connaissons que deux. J'ai la chance qu'il soit bien plus grand que moi. Soit il me prend par-derrière, soit nous nous asseyons dans un fauteuil. Je suppose que ce n'est pas très original.

Elizabeth demeura figée.

— Ton ventre est trop gros pour des gesticulations complexes, Charlie, reprit sa mère. Tu vas bientôt devoir satisfaire Will grâce à la fellation.

— La fellation ?

— Tu sais bien… les hommes adorent cela. Beaucoup préfèrent même la fellation au coït traditionnel, et peu importe s'il s'agit de la bouche d'une femme ou d'un homme !

— En fait, je souhaitais vous interroger sur l'accouchement, intervint Elizabeth d'une voix à peine audible.

Elle ne comprenait pas très bien de quoi parlait Dorothy, mais elle devinait qu'il s'agissait d'un sujet délicat.

— Naturellement, ma chérie, dit Dorothy en riant. J'aurais dû me douter que la femme de Hamilton n'aurait pas besoin de conseils en matière de sexualité. L'expérience du duc est légendaire. Bien des maisons closes auraient fait faillite sans sa clientèle, depuis dix ans.

— Combien de temps dure un accouchement ? demanda vivement Beth.

— Quand le travail a commencé, un premier enfant arrive au bout d'une douzaine d'heures. J'ai mis Charlotte au monde en un temps record. Trois ou quatre heures seulement. Mais elle n'était pas mon premier enfant.

Dorothy se rendit aussitôt compte que, par ces paroles, elle venait d'évoquer le spectre de la mortalité infantile.

— Ne pensez pas trop à votre accouchement. Parfois, l'ignorance est préférable.

— En effet, admit Elizabeth.

Personnellement, songea-t-elle, il y a des choses que j'aurais préféré ignorer.

— Contentez-vous de vous reposer, de respirer et de prendre soin de vous, et tout ira bien.

De retour chez elle, Elizabeth se sentait mal. Elle chassa de son esprit la liaison de son père avec Dorothy Boyle, ainsi que la réputation de débauché de son propre mari, mais elle ne pouvait s'empêcher de s'inquiéter pour la santé de l'enfant qu'elle portait. Elle chercha un moyen d'empêcher le duc de lui imposer toutes ces sorties. Soudain, la peur pour son enfant l'emportait sur sa crainte des colères du duc. Elle se jura d'avoir le dernier mot.

— Je crois que vous avez de la fièvre, dit Emma en touchant le front d'Elizabeth.

— Je sais. Tous les jours, à la même heure, je suis prise de tremblements. Je ne puis continuer ainsi, Emma. J'ai réfléchi à un moyen de faire entendre raison à Hamilton, mais je vais avoir besoin de votre collaboration. Cela implique quelque chose de très personnel, et j'ai un peu honte de vous le demander.

— Demandez toujours, mon enfant. Je ferais n'importe quoi pour vous.

Elizabeth rougit.

— La prochaine fois que vous aurez vos règles, il faudrait que vous portiez mes jupons de soie et que vous les tachiez autant que possible. Si nous lui faisons croire que je risque de perdre l'enfant, il devra appeler le Dr Bower.

Une semaine plus tard, Emme fit quérir d'urgence Hamilton, qui se trouvait en compagnie de son valet Morton. Il se préparait pour une soirée chez le Premier ministre. James ouvrit vivement la porte de la chambre de sa femme. Il la trouva au lit, la mine livide. Son jupon de soie maculé de sang gisait au pied du lit.

Emma les rejoignit, à bout de souffle.

— Je l'ai trouvée allongée par terre, Votre Grâce. Alors je l'ai couchée tout de suite. Je ne crois pas qu'elle ait perdu l'enfant… mais il faudrait appeler le médecin.

Une heure plus tard, Bower se présenta et exigea d'examiner sa patiente en particulier. Il dut chasser Hamilton de la chambre.

— Souffrez-vous, Votre Grâce ? demanda-t-il en posant la main sur son ventre.

— Pas en ce moment, répondit-elle en toute sincérité. Mais quand mon corset est serré, je ressens une douleur. Si je ne me rends pas chez le Premier ministre, mon mari sera furieux.

Bower en savait assez. Il sollicita un entretien avec le duc.

— Je vais être franc, Votre Grâce. Si la duchesse ne cesse pas immédiatement de danser et de porter des corsets, elle fera une fausse couche. Elle perdra ce précieux héritier. À vous de choisir. Mais vous serez l'unique responsable de la perte de votre enfant. Il lui faut du repos complet pendant les prochaines vingt-quatre heures. Puis il faut qu'elle quitte Londres pour la campagne. Votre femme a besoin de calme et d'une nourriture saine.

Après le départ du médecin, Hamilton retourna au chevet de sa femme.

— Cela vous plairait-il de passer deux mois avec lady Charlotte ? Will l'envoie à Uppingham, et je crois que vous avez besoin d'un peu de repos à la campagne, Elizabeth.

— Je ferai ce que bon vous semblera, Votre Grâce.

24

— Je crois que le travail a commencé, déclara Charlotte en lâchant sa fourchette pour saisir la main d'Elizabeth.

Les deux jeunes femmes prenaient un copieux petit déjeuner.

— Je vais prévenir votre mère, dit Beth. Ne bougez pas.

Dorothy Boyle ne se levait jamais avant onze heures, même à la campagne. Will les avait rejointes depuis quinze jours, mais il se trouvait à Chatsworth, à environ huit kilomètres de là, pour tenter de se réconcilier avec sa mère.

Dorothy envoya aussitôt un message au mari de Charlie, à son père à Londres et à la sage-femme. Puis elle passa un quart d'heure à critiquer la duchesse de Devonshire.

— L'enfant de ma fille devrait naître à Chatsworth. Un jour, Charlie, tu seras duchesse de Devonshire. Ce jour-là, je veillerai personnellement à ce que cette femme soit chassée à coups de pied !

Charlie se tordait de douleur.

— Je ne supporte pas de voir ma fille souffrir. Promettez-moi de rester avec elle, Elizabeth. Vous êtes si sereine…

— Je resterai. Charlie m'est plus chère qu'une sœur.

Dorothy s'éclipsa.

C'était le dernier jour de juin. Or l'enfant était attendu pour la mi-juillet.

— Peut-être n'auriez-vous pas dû faire une promenade en calèche, hier.

— Il n'est pas en avance, Beth. Will et moi avons été intimes dès le début.

Elizabeth sentit la panique monter en elle. John et moi étions intimes avant mon mariage avec Hamilton. Que ferai-je si mon enfant naît en avance ?

Elle chassa vite ces pensées en voyant arriver la sage-femme. Celle-ci installa Charlie sur son lit, puis descendit à la cuisine pour prendre du thé et des scones. Durant six heures, Beth veilla son amie. Elle lui massa le dos, lui épongea le front et fit de son mieux pour la rassurer. La sage-femme prit enfin le relais et mit au monde un garçon, qui deviendrait un jour le cinquième duc de Devonshire, et qui avait déjà la blondeur et les traits de son père.

Dès sa naissance, l'enfant Cavendish se vit attribuer deux nurses et une nourrice. Comme le voulait l'usage, la jeune mère resta dix jours alitée. À son arrivée, Will se rendit au chevet de sa femme qu'il couvrit de baisers et de cadeaux.

— Je regrette de ne pas avoir été présent, mon amour, mais le baptême aura lieu dans la chapelle de Chatsworth, selon la tradition. J'espère que votre santé vous permettra de voyager d'ici la fin juillet.

Ignorant ce que Hamilton attendait d'elle, Elizabeth consulta Emma. Devait-elle accompagner Charlie et Will dans le Derbyshire, ou bien retourner à Londres ? À la campagne, elle avait recouvré la santé et redoutait de reprendre sa vie mondaine… et de retrouver son tyran de mari.

Will Cavendish lui fournit la réponse.

— J'ai invité tous nos amis au baptême. Mon père vient de Londres avec le comte de Burlington. James nous rejoindra, à moins qu'il ne se rende directement à Chatsworth. J'espère que George et Maria seront également parmi nous. Cela nous rappellera le bon vieux temps !

Elizabeth savait que sa sœur insisterait pour que Coventry l'emmène à Chatsworth. Une invitation au baptême de l'héritier ne se refusait pas !

Dès la troisième semaine de juillet, Charlie jouait au volant avec Elizabeth. Celle-ci s'était rendu compte que l'exercice lui faisait le plus grand bien. À la fin du mois, les pères respectifs de Charlie et Will arrivèrent. Le duc de Devonshire conduisit tout le monde à Chatsworth.

La duchesse de Devonshire, jeune grand-mère, brillait par son absence. Chacun en fut plus soulagé qu'offusqué. Will fit visiter la vaste propriété à Charlie et Elizabeth, où il vivrait le jour où il deviendrait duc. Elizabeth apprécia les jets d'eau et la fontaine. Charlie s'intéressa davantage au terrain de quilles.

Bien qu'enceinte de cinq mois, Elizabeth n'avait pris que quelques kilos. Son ventre arrondi était à peine visible sous sa robe, grâce aux couturières de Dorothy Boyle qui avaient repris ses vêtements. Elle irradiait la santé et ses cheveux étaient plus beaux que jamais.

Le deuxième soir, ce fut la pleine lune. Après le souper, Elizabeth se promena dans le parc pour profiter de ses ultimes heures de solitude avant l'arrivée de son mari. Elle admira la beauté des jets d'eau, à laquelle la lune donnait des reflets argentés.

— Je vous retrouverai à minuit, fière Titania !

La jeune femme fit volte-face. Avait-elle bien entendu ? Son cœur se mit à battre la chamade.

— John Campbell, que faites-vous ici ? s'enquit-elle, le souffle court.

— Je suis l'un des parrains de l'enfant.

— Charlie ne m'a rien dit, fit-elle d'un ton accusateur, comme s'ils avaient conspiré dans son dos.

— Je n'étais pas certain de venir. Mais le roi m'a chargé de recruter d'autres soldats. Je suis en route pour Argyll.

Il s'approcha d'elle pour mieux la contempler.

— Vous êtes radieuse. Heureusement que Hamilton a eu l'intelligence de vous envoyer à la campagne.

Elizabeth se réjouit de constater qu'ils ne se sautaient pas à la gorge, cette fois. Le cadre enchanteur et la douceur de la nuit les incitaient peut-être à échanger leurs pensées en toute sérénité.

— J'ai beaucoup aimé ce séjour à la campagne, à tel point que je n'ai aucune envie de retourner à Londres.

— Je suis sûr que vous n'y retournerez pas de sitôt.

— Que voulez-vous dire ?

— Je connais James. Il voudra que son héritier naisse sur les terres de ses ancêtres, en Écosse. Le duc de Hamilton est laird du clan Douglas.

— Mon Dieu, je suis si ignorante !

— Innocente, corrigea-t-il en lui effleurant la joue. Vous aimerez l'Écosse, Elizabeth.

Si seulement je pouvais être celui qui vous la fera découvrir, ajouta-t-il en pensée.

— Ce pays touchera votre cœur et votre âme.

Elle frémit.

C'est vous qui touchez mon cœur et mon âme...

— John, nous ne devons pas rester seuls tous les deux.

Il ôta la main de sa joue.

— Je sais, chérie. Je resterai à distance raisonnable, ne serait-ce que pour ne pas devenir fou. Dès que le petit William sera baptisé, je me mettrai en route pour Inveraray.

Il avait chevauché de longues heures pour être certain de voir la jeune femme avant l'arrivée de Hamilton. Ces moments précieux seraient les derniers avant longtemps. Il pencha la tête, mais se ravisa.

Si je l'embrasse, nous sommes perdus...

— Bonne nuit, Elizabeth. Faites de beaux rêves.

Il ne soupçonne pas que mon enfant puisse être de lui, se dit-elle. Je ne dois pas y penser non plus. Les femmes enceintes ont souvent des lubies !

Hamilton n'arriva que le lendemain après-midi. C'est alors qu'elle se rendit compte qu'ils allaient partager la même chambre. Les entrailles nouées par l'angoisse, elle esquissa une révérence.

— J'espère que vous avez fait bon voyage, Votre Grâce.

Il posa une main sur son menton et l'embrassa sur la bouche sous les yeux de tous.

— J'aime vous voir rougir, Elizabeth. Mais je me retiendrai jusqu'à ce que nous soyons seuls.

Elle blêmit, n'osant regarder en direction de John Campbell.

Plus tard, Elizabeth se retira en même temps que les autres femmes, laissant les hommes à leurs parties de cartes et à leur whisky. Au lit, elle ne trouva pas le sommeil. La peur de ce qui allait se passer dès que Hamilton la rejoindrait l'empêchait de dormir. Les minutes se transformèrent en heures. Elle imaginait le pire. Les paroles de Dorothy Boyle revinrent à sa mémoire :

— Lorsqu'un ventre arrondi devient un obstacle à la position traditionnelle, il existe bien d'autres façons de s'y prendre, vous savez.

Elle ne parvenait à imaginer que les deux positions mentionnées par Charlie : la pénétration par-derrière et le fauteuil. Elles suffisaient à l'effrayer. Il était aussi question de « fellation », mot qui semblait avoir rapport avec la bouche. Elle frémit en espérant que Hamilton ne la rejoindrait jamais.

À trois heures du matin, tremblant comme une feuille, elle vit la poignée de la porte tourner. Elle regretta amèrement de ne pas avoir éteint les chandelles.

À sa grande surprise, c'est Morton qu'elle vit entrer. Il soutenait péniblement Hamilton, ivre mort. Le duc agita les bras comme un pantin en marmonnant des propos incohérents, avant de perdre connaissance dans un fauteuil.

Elizabeth se leva d'un bond.

— Il est évanoui. A-t-il besoin d'un médecin, Morton ?

— Non, Votre Grâce. Le duc s'évanouit toujours à trois heures du matin.

Il entreprit de dévêtir son maître.

— Cela se produit donc toutes les nuits ?

Morton opina.

— Sauf s'il a une crise gastrique. Alors il cesse le temps d'une nuit, mais recommence le lendemain. Il est dépendant à l'alcool.

Le valet sortit de ses bagages une chemise de nuit.

— En général, je le couche tout nu, mais je ne voudrais pas vous offenser, Votre Grâce.

Sans ménagement, il souleva le corps inerte du duc et le jeta sur le lit.

— Ivrogne, marmonna-t-il avec mépris.

Une fois seule avec son mari, Elizabeth l'observa, un peu inquiète. Voyant qu'il ne bougeait pas, elle osa se recoucher. Quand il se mit à ronfler, elle se sentit en sécurité et se détendit enfin. Sale ivrogne !

Soudain, elle sentit une main se poser sur son épaule. En ouvrant vivement les yeux, elle reconnut John Campbell penché au-dessus d'elle. Il posa un index sur ses lèvres pour lui signaler de ne pas faire de bruit. Elle hocha la tête. John repoussa alors les couvertures et la prit dans ses bras. Elle s'accrocha à son cou et se laissa emporter hors de la pièce. Elle remarqua qu'il était nu.

Quand ils furent dans l'intimité de la chambre de John, il s'empara de ses lèvres avec ardeur. Le cœur battant à tout rompre, la jeune femme s'abandonna avec passion. Il la déposa sur le lit et lui ôta sa chemise de nuit en soie. Puis il s'agenouilla derrière elle et écarta ses cheveux dorés de sa nuque pour l'embrasser. Sa bouche sensuelle traça un sillon brûlant le long de son dos. Elle ne put réprimer des frissons de désir. Lorsque ses mains puissantes se refermèrent sur ses seins généreux, elle s'embrasa.

Il la pencha vers l'avant et se lova contre son dos, sans cesser de l'embrasser dans le cou en murmurant des mots d'amour. Elle sentait contre ses reins l'intensité vibrante de son membre gonflé. Elle voulait qu'il la pénètre, elle voulait sentir ses coups de reins puissants. Fermant les yeux, elle gémit…

En rouvrant les yeux, Elizabeth fut un peu désorientée. L'espace d'un instant, elle ignora où elle se trouvait. Puis, voyant Hamilton allongé près d'elle, la réalité lui revint de plein fouet. Ce délicieux interlude en compagnie de John n'était qu'un rêve. Il lui manquait de tout son cœur et de toute son âme.

Incapable de supporter plus longtemps la présence de son mari, elle quitta le lit et enfila les vêtements qu'Emma avait préparés à son intention. À pas de loup, elle sortit dans le parc pour admirer l'aurore.

Le petit William fut baptisé dans la chapelle de Chatsworth. Elizabeth avait été choisie comme marraine, avant d'apprendre que John Campbell serait le parrain. Elle fit de son mieux pour sauver la face et dissimuler ses émotions. Elle se concentra sur le superbe bébé en priant pour qu'il ait une vie heureuse.

Lors de la réception qui suivit, le vin coula à flots. Il y avait assez à manger pour nourrir un village entier. Les Devonshire convièrent leurs voisins paysans à rendre hommage au petit héritier.

John Campbell ne s'attarda guère. James Hamilton fit en sorte de se trouver près d'Elizabeth lorsqu'il quitta les écuries, montant Démon.

— Nous partons également pour l'Écosse, annonça le duc. Il est grand temps que la duchesse de Hamilton découvre Hamilton.

John avait eu raison… Cette perspective enchantait la jeune femme, et pas uniquement parce qu'elle lui épargnait de retourner à Londres. Elle avait envie d'admirer la beauté des montagnes et des lochs.

— Disons que ce sera notre voyage de noces, reprit-il. N'hésite pas à venir au pavillon de chasse quand tu le voudras, John.

Il posa une main possessive sur le bras de sa femme.

— Merci, James. Je suis tenté d'accepter ton offre.

— Au revoir, lord Sundridge, dit Elizabeth, qui détestait la manie qu'avait son mari de l'exhiber comme un objet.

Tandis que la somptueuse voiture noire, ornée du blason des Hamilton, franchissait la frontière, Elizabeth regarda par la fenêtre. Emma et elle bénéficiaient d'une voiture pour elles seules, car le duc préférait voyager à cheval. Il avait envoyé Morton en éclaireur pour organiser leur hébergement.

— L'Écosse est encore plus belle que je ne l'imaginais. Regardez ! Les montagnes sont tapissées de bruyère. Je n'avais jamais contemplé d'aussi beaux paysages. Ces fougères doivent devenir rousses en automne.

— C'est très beau en été, mais j'ai entendu dire que les hivers étaient rudes, répondit Emma qui préférait de loin les bâtiments londoniens.

En fin d'après-midi, ils arrivèrent en vue d'un château en granit rose, une forteresse médiévale dotée de douze tourelles, perchée sur une colline et entourée de bois. Le gardien leur fit signe de franchir la grille, puis la voiture s'arrêta dans une cour carrée.

Des palefreniers accoururent pour s'occuper des chevaux, et des domestiques vinrent chercher les bagages. Hamilton fit descendre Elizabeth.

— Voici le château de Drumlanrig. Ces terres ont été octroyées au clan Douglas qui occupait ce château au XIVe siècle, sous Robert Bruce.

— Il est superbe, Votre Grâce.

Elle prenait enfin conscience de l'ampleur de la fortune de son mari, qui l'introduisit pour la présenter aux régisseur, intendant et domestiques.

— J'ai le plaisir de vous présenter mon épouse, Elizabeth Douglas, duchesse de Hamilton.

Elle savait déjà qu'elle portait un titre prestigieux aux yeux de la société londonienne, mais Hamilton était un nom respecté en Écosse. Elle en fut impressionnée.

Ils se reposèrent pendant une journée, puis reprirent la route. Ils firent une halte dans un autre château. Le village lui-même portait le nom de Douglas. Après le souper, Beth gagna la bibliothèque en quête d'une carte qui lui indiquerait l'étendue des terres appartenant à Hamilton. Le duc s'entretenait avec le régisseur.

— Excusez-moi, Votre Grâce, mais je cherche de la documentation sur le château Douglas.

— Vous êtes au château *des* Douglas, et non au château Douglas. Celui-ci se trouve à soixante kilomètres au sud, au bord de la mer. Je vais vous montrer.

Il étala une carte sur la table et posa un doigt sur le vieux document.

— Les étrangers se perdent souvent dans les noms. Mais vous portez mon héritier, Elizabeth. Vous n'êtes pas une étrangère.

Il rit de la voir rougir.

— Nous nous rendons à Hamilton, dit-elle. Possédez-vous encore un autre château ?

— J'en possède beaucoup, mais à Hamilton, le château de Cadzow dispose de tout le confort. Ce n'est pas une vieille bâtisse en pierre.

— Cadzow ! C'est le nom ancien de Glasgow, n'est-ce pas ?

Il opina.

— Votre culture est à la hauteur de votre beauté, ma chère. J'ai aussi un beau château près d'Édimbourg, Lennoxlove, mais la propriété n'est pas très étendue, à peine deux mille têtes de bétail.

Ce soir-là, dans son lit, Beth se dit que son mari menait une vie inutile à boire et à jouer. En tant que chef du clan Douglas et duc de Hamilton, il possédait une fortune colossale qui servait à financer ses vices.

Elle caressa son ventre rond.

— Si tu es un garçon, tu seras le prochain duc de Hamilton, murmura-t-elle. Je te promets de faire de toi un homme responsable. Je ne te laisserai pas gâcher ta vie et dilapider ta fortune comme le fait ton père.

Elizabeth poussa un soupir. Secrètement, elle espérait avoir une fille.

— Et si tu es une fille, je t'apprendrai à être courageuse, à ne pas te laisser brutaliser par les hommes, comme moi.

Deux jours plus tard, ils atteignirent enfin leur destination finale, le château de Cadzow, à Hamilton, à quinze kilomètres de Glasgow. Elizabeth découvrit que les Hamilton possédaient la majeure partie de ces quinze kilomètres. Elle tomba immédiatement sous le charme du château. De ses fenêtres, on pouvait admirer le parc, ses pelouses et ses jardins en fleurs. Non loin coulait la Clyde. Les chambres avaient été aménagées avec soin.

Les vastes écuries abritaient certains animaux de la ferme : bœufs, chevaux et ânes. Il n'y avait aucun chat, car les granges étaient peuplées de faucons. Elle aperçut toutefois un chien qu'elle se promit d'apprivoiser. Elle avait toujours rêvé d'avoir un chien, mais sa mère le lui avait interdit.

Au-delà des prés s'étendaient des forêts à perte de vue, sans doute peuplées de cerf, de loups. Amoureuse de la nature, elle était impatiente de découvrir cet univers.

À peine Emma et Elizabeth avaient-elles défait leurs bagages que le duc annonça qu'il organisait une grande réception.

— Je veux que la société de Glasgow rencontre la duchesse de Hamilton pendant qu'elle possède encore toute sa beauté. Bientôt, vous ne serez plus présentable.

Elizabeth baissa les yeux pour dissimuler sa douleur, et s'en voulut d'être ainsi blessée par ses paroles.

— Votre Grâce devra me choisir une toilette.

— Nous avons dans notre clan un artiste distingué. Gavin Douglas réalisera votre portrait. J'espère qu'Emma a pensé à apporter votre cape en hermine… À propos de fourrure, j'ai décidé de vous offrir une capeline en zibeline pour votre anniversaire. Il peut faire très froid, ici. Les navires russes qui jettent l'ancre à Glasgow transportent des peaux magnifiques. Je vous emmènerai faire votre choix.

La perspective de fouiller parmi des peaux d'animaux morts la révulsait.

— Vous êtes trop bon, Votre Grâce.

Encore un portrait… et une capeline en fourrure. Que désirer de plus pour son dix-huitième anniversaire ?

— Au fait, vous ai-je dit que j'ai fait venir votre mère ?

Elizabeth réprima un frisson d'effroi.

Il ne manquait plus qu'elle ! Autant retourner à Londres. Les séances de pose, les soirées mondaines, et sa mère pour espionner le moindre de ses mouvements…

— Comment faites-vous pour penser à tout ? répliqua-t-elle d'un ton doucereux.

Souris. Tu es la duchesse de Hamilton.

25

Habillée aux couleurs des Douglas, le bleu et le blanc, avec un collier de saphirs, Elizabeth et son mari accueillaient les invités venus de Glasgow. Son décolleté plongeant et l'éclat des pierres précieuses attiraient les regards vers sa poitrine. Le duc l'ayant autorisée à ne pas porter de perruque, sa chevelure ne passa pas inaperçue.

— Tom Calder, à votre service, dit un homme roux d'environ trente-cinq ans en s'inclinant avec respect. Puis-je vous inviter à danser le quadrille, Votre Grâce ?

— J'en serai ravie, monsieur Calder, répondit Elizabeth en se demandant s'il s'agissait du maire, du notaire ou du juge de paix.

Du moment que cet homme en kilt ne lui marchait pas sur les pieds…

— Vous appréciez la musique écossaise, les cornemuses, Votre Grâce ?

— Oh, oui. C'est un grand honneur de constater que des quadrilles sont composés en mon honneur, même si ces danses exigent beaucoup d'énergie.

— Vous êtes ravissante ! fit son cavalier avec un large sourire.

Quand la musique se tut, il l'entraîna à l'écart.

— Je suis sûr que votre mari ne peut rien vous refuser, alors je vais vous soumettre une requête.

— C'est le duc qui détient le pouvoir, et non la duchesse, je le crains.

— Je sais. Mais, avec une telle beauté, vous obtenez certainement tout ce que vous voulez de lui. Je suis le président de la Société de zoologie de Glasgow. J'espère convaincre le duc de nous céder un peu de terrain.

— Un zoo ? s'étonna Elizabeth avec un mouvement de recul. Je ne supporte pas que l'on mette des animaux en cage, cher monsieur !

Il sourit.

— Pas du tout, Votre Grâce. Nous ne les mettons pas en cage. J'ai créé une réserve naturelle où les animaux évoluent en toute liberté, ce qui évite l'extinction de certaines espèces qu'il faut protéger contre les abus des chasseurs. L'Écosse abrite des espèces uniques. Il nous faut quelques hectares supplémentaires.

Le visage de la jeune femme s'illumina.

— Quelle idée merveilleuse !

Puis elle plissa le front.

— Vous n'ignorez pas que le père du duc a construit un pavillon de chasse. Je crains que mon mari ne soit passionné de chasse.

— Comme tout Écossais qui se respecte. Mais la chasse et la protection de la faune ne sont pas incompatibles, vous savez.

— Oui, je comprends, et je suis d'accord avec vous. La question est de savoir comment réagira mon mari. Vous devrez aborder vous-même le sujet avec lui. Mais je vous promets de faire de mon mieux pour vous aider.

Il la remercia avec chaleur et se dirigea vers le duc. D'autres hommes les rejoignirent. Les domestiques ne cessaient de remplir leurs verres de whisky. Elizabeth se prit à espérer que l'alcool mettrait son mari dans de bonnes dispositions.

Plus tard, lorsque Hamilton posa une main possessive sur son bras pour l'entraîner vers lord et lady Erskine, Beth se jeta à l'eau. Il lui fallait ruser.

— Figurez-vous qu'un inconnu s'attend à ce que vous lui cédiez des terres pour une réserve naturelle. Je lui ai répondu que c'était hors de question. Les terres des Hamilton iront à nos enfants. On ne peut les donner à quiconque !

Il la regarda d'un air moqueur.

— Maintenant que j'ai engrossé ma femelle, èlle montre les dents.

Comme prévu, il tint à lui montrer qui tenait les rênes.

— J'ai décidé de céder à la Société de zoologie plusieurs centaines d'hectares. Le clan Douglas en possède tellement qu'ils ne feront pas défaut.

Plus la soirée avançait, plus l'alcool coulait à flots. L'atmosphère s'anima. Les invités perdirent leurs inhibitions. L'orchestre jouait plus fort et plus vite. Les rires fusaient au milieu du brouhaha. De nombreux invités passeraient la nuit au château.

Elizabeth en profita pour se retirer à trois heures du matin, en même temps que les autres femmes, laissant les hommes à leur whisky.

Le lendemain, elle se leva très tôt et descendit dans la salle à manger, qui était déserte. Toutefois, le petit déjeuner était servi sous des cloches en argent. Elle prit des scones et prépara un plateau copieux qu'elle monta à Emma. Dans l'escalier, elle croisa Morton.

— Le duc compte descendre bientôt ?

Morton secoua la tête.

— Il est sans connaissance et a encore perdu la mémoire.

Elle ressentit un plaisir coupable à savoir qu'il payait le prix de ses abus.

— Au cas où il l'aurait oublié, rappelez-lui que nous avons des invités. Mais s'il n'est pas en état de quitter sa chambre, dites-lui que je m'occuperai d'eux.

Dans les deux heures qui suivirent, les invités prirent congé. Tous affirmèrent avoir passé une excellente soirée et attendaient la visite d'Elizabeth à Glasgow. Affichant un sourire serein, Beth les remercia.

Hamilton étant malade, elle voulait rendre visite aux animaux de l'étable. Au moment de s'échapper, elle croisa une nouvelle fois Morton.

— Le duc souhaite vous voir, Votre Grâce.

Le ressentiment prit le pas sur son enthousiasme.

— Il a le don de gâcher mon plaisir… Savez-vous ce qu'il me veut ?

— Il a sans doute besoin que vous l'aidiez à se souvenir de certains détails.

Elle suivit le valet, sans la moindre compassion pour son mari. En voyant un verre dans sa main tremblante, elle ressentit du dégoût et baissa les yeux pour masquer sa réaction.

— Au diable ma gueule de bois ! dit-il en avalant une rasade de whisky. Je me souviens vaguement d'une altercation entre nous, hier soir, à propos de quelques hectares de terrain. Rappelez-moi les détails de l'affaire.

Elle réfléchit rapidement et leva enfin les yeux vers lui.

— Vous avez fait don de ce terrain à la Société de zoologie pour une réserve naturelle.

— Ah oui, je me souviens. Un hectare ou deux ?

— Malgré mes réflexions égoïstes, vous vous êtes montré très généreux. Je crois qu'il s'agit de deux mille hectares.

— Deux mille ! hurla-t-il en agitant son verre. Vous devez faire erreur.

Il interrogea Morton du regard.

— Vous m'en avez parlé après la réception, Votre Grâce. Vous avez clairement affirmé que deux mille hectares de moins ne feraient pas grand-chose aux Douglas, confirma le conspirateur.

Hamilton se tourna à nouveau vers sa femme, qui affichait un sourire.

— Votre nom va entrer dans l'histoire, Votre Grâce. Jusqu'à présent, Hamilton pouvait se vanter de posséder un pavillon de chasse à Chatelherault. Dorénavant, il y aura la réserve naturelle de Cadzow. Votre générosité me rend très humble, Votre Grâce.

Son succès la rendait si heureuse qu'elle avait du mal à se contenir.

— Vous devez avoir faim. Aimeriez-vous des œufs brouillés au bacon ou des rognons ?

En le voyant pris d'une nausée, elle jubila.

Elle adressa immédiatement un message à Tom Calder pour confirmer le don généreux du duc.

En le remerciant, je vous recommande vivement de laisser croire au duc que l'idée vient de lui. Et surtout, dans mon intérêt, brûlez cette lettre.

Elle remit le message à Morton, le seul domestique en qui elle avait confiance.

Le duc mit quelques jours à se rétablir. Puis il conduisit Elizabeth à Glasgow, non pour lui faire visiter la ville, mais pour exhiber sa duchesse devant les notables. En fin d'après-midi, ils montèrent à bord d'un navire de commerce russe pour acheter des peaux de zibeline. Elizabeth avait pris soin d'apporter des sels pour supporter la puanteur des peaux. Avant de quitter le navire, elle assista à un spectacle qui l'affecta davantage encore. Dans une petite cage, deux oursons blancs étaient prisonniers. Le capitaine leur apprit qu'il s'agissait de deux ours polaires. La jeune femme en ignorait même l'existence.

— Sont-ils à vendre ? demanda-t-elle.

— En effet. Nous les maintenons en vie pour qu'ils grossissent. Leurs peaux n'en auront que plus de valeur.

— Si vous préférez la fourrure blanche, Elizabeth, le renard est plus joli, dit Hamilton.

— Non, Votre Grâce, je ne veux pas de leurs peaux. Je veux les acheter pour la réserve naturelle. Peu de gens ont déjà vu des ours polaires. Ils feraient sensation !

— Mais ils sentent mauvais, fit le duc en se pinçant les narines.

— C'est parce qu'ils sont dans une petite cage.

Quand il voulut s'éloigner, elle le retint par le bras.

— Je vous en prie, James… Je vous en supplie !

En croisant son regard implorant, il se rendit compte que c'était la première fois qu'elle l'appelait James ou qu'elle le touchait délibérément. Il se sentit détenteur du pouvoir de lui accorder une faveur ou pas, selon sa volonté.

— Je ne crois pas, dit-il en prenant plaisir à voir son désespoir.

Il l'observa longuement.

— Et puis, pourquoi pas ? C'est votre anniversaire, après tout.

Il lut la joie sur son beau visage.

— Je vous remercie de tout mon cœur, murmura-t-elle.

Le pouvoir qu'il avait sur les émotions de la jeune femme lui donnait le sentiment d'être extrêmement viril. Il décida de la renvoyer à Cadzow et de passer la nuit en ville. Il avait grand besoin des services d'une prostituée.

Finalement, son absence du château dura une semaine. Glasgow comptait beaucoup de maisons closes. À cause de la concurrence féroce, les prostituées rivalisaient d'inventivité dans la débauche.

Elizabeth avait l'intention de contacter Tom Calder pour lui parler des oursons et pour solliciter la construction d'un abri spécifique. L'absence de Hamilton la soulageait d'un grand poids. Le chef jardinier construisit un enclos pour les oursons. Elle chargea même des jeunes gens de pêcher du poisson dans la rivière. Chaque jour, elle se rendait dans les dépendances. Elle avait sympathisé avec le fauconnier et ses oiseaux de proie.

Elle s'attardait auprès des chevaux et caressait les ânes. Ils étaient plus petits que les races d'ânes qu'elle connaissait. Avec leur toison douce, ils ressemblaient à des peluches.

La chienne ne la quittait pas d'une semelle. En apprenant qu'elle n'avait pas de nom, elle en chercha un et opta pour Queenie.

— Seigneur, une vraie sauvageonne ! s'exclama Bridget en constatant que sa fille portait une robe ample et confortable.

Elizabeth retint Queenie par le collier.

— Je préparais des chandelles dans la buanderie. J'espère que tu as fait bon voyage, maman.

— Pas du tout ! On m'a arrachée à ma maison de Londres, à ma famille, à mes amis pour venir à des milliers de kilomètres veiller sur toi. Et voilà que je te trouve déguisée en souillon. Tu n'as donc aucune dignité ! Songe à ton rang ! Pas étonnant que Hamilton m'ait fait quérir. Je constate que ces domestiques écossais ont besoin d'une mise au point. Où est Emma ? Et le duc ?

— Il est à Glasgow... pour ses affaires, je suppose.

— Tu parles ! Comme tous les hommes.

Aurait-elle des doutes sur la fidélité de papa ? songea Beth. Elle est furieuse d'avoir dû le laisser à Londres où on ne peut lui faire confiance, et c'est moi qui subis les conséquences de cette colère.

Elle ramena Queenie dans la buanderie, bien décidée à calmer sa mère.

— Viens. Tu as besoin d'un peu de réconfort après ce long voyage. Je t'ai choisi une chambre magnifique avec une vue superbe. Repose-toi. Je vais t'apporter du sherry et des biscuits. Ensuite, je dirai à Emma de te faire couler un bain.

Emma déballait déjà les affaires de Bridget. Elle connaissait son exigence.

— Bienvenue au château de Cadzow, madame, dit-elle avec une révérence.

Bridget afficha un air de dédain et regarda par la fenêtre.

— Pour moi, une belle vue donne sur Hyde Park, et pas sur cette maudite nature. C'est encore pire qu'en Irlande ! Mais j'admets que ce château est plus luxueux que Castlecoote.

— J'aimais bien Castlecoote, affirma Elizabeth avec nostalgie.

— On dirait que tu n'en es jamais partie ! Va immédiatement te changer. J'ai fait de toi une dame au prix de grands sacrifices, j'ai arrangé ton mariage avec un duc, et tu me remercies en t'habillant comme une souillon !

Elizabeth obéit. Je suis peut-être une duchesse aux yeux du monde mais, face à ma mère, je redeviens une enfant. Si seulement j'avais le courage de lui résister…

Le lendemain, Hamilton était de retour. Il convoqua Elizabeth et Bridget dans la bibliothèque.

— Votre mère étant présente à Cadzow, rien ne m'empêche de retourner à Londres pour l'ouverture du Parlement. Naturellement, je serai de retour fin octobre pour l'heureux événement.

Elizabeth ne se sentit plus de joie. Elle allait pouvoir profiter de l'Écosse en toute tranquillité pendant deux mois !

— Je vous confie le bien-être de ma femme et de mon héritier à naître, madame.

— Vous recevrez un rapport écrit chaque semaine, Votre Grâce.

Elizabeth esquissa un sourire serein. Emma et moi les brûlerons, tes maudits rapports, songea-t-elle.

— Un petit détail fâcheux, Votre Grâce. J'ai vu un chien plein de puces traîner dans la cour. Il risque d'agresser Elizabeth et de faire du mal à votre enfant.

Elizabeth fulminait. La garce ! Elle sait que Queenie me donne de l'affection et elle veut m'en priver !

— Le problème est réglé, James, décréta-t-elle. J'ai ordonné à un garde-chasse de l'abattre.

Elle n'eut aucun mal à proférer ce mensonge pour battre sa mère à son propre jeu.

— Je vais devoir partir avant votre anniversaire, ma chère. Nous le célébrerons donc en avance, à Glasgow, par un grand dîner. Je vous offrirai votre capeline en hermine et j'annoncerai le don des deux oursons à la réserve naturelle… en votre nom.

— Votre générosité est sans égale, Votre Grâce.

Cette fois, elle était sincère. Ce cadeau avait plus d'importance à ses yeux que toutes les fourrures et tous les bijoux du monde.

À l'occasion de la célébration de son anniversaire, Elizabeth présenta sa mère à toutes les personnes qu'elle croisa. Elle lui avait prêté ses saphirs, qui s'harmonisaient à merveille avec sa robe bleu roi. La jeune femme avait une idée derrière la tête : elle espérait que sa mère préférerait Glasgow à Cadzow. Elle l'encouragea donc à sympathiser avec lady Erskine, une femme de son âge.

Tom Calder invita Elizabeth à danser le quadrille. Désireuse de lui parler, elle accepta volontiers.

— J'avais raison, le duc ne peut rien vous refuser. Comment vous remercier pour ce terrain obtenu ?

— Remerciez-moi en créant un abri spécifique pour deux ours polaires.

— Vous parviendrez à le convaincre d'en faire venir du Grand Nord ?

— Il les a déjà achetés sur un navire russe. Le duc compte annoncer la nouvelle en fanfare, expliqua-t-elle avec un sourire malicieux. Tom, pensez-vous qu'ils supporteront le climat écossais ?

Calder éclata de rire.

— On voit que vous n'avez jamais passé l'hiver ici ! Vous allez avoir froid, je vous le garantis ! Je veillerai à ce que les ours aient un grand bassin. Il sera gelé huit mois sur douze.

— Le duc doit regagner l'Angleterre pour l'ouverture de la saison parlementaire. Après son départ, restons en contact. Vous m'apporterez les plans de la réserve naturelle. Je meurs d'envie de les voir.

Dès les premières mesures du quadrille suivant, elle aperçut un moyen d'y échapper.

— Tom, permettez-moi de vous présenter ma mère, Bridget Gunning. Elle apprécie beaucoup les quadrilles écossais. Maman, voici Tom Calder. Et tu sais ce que l'on raconte sur les roux...

Deux jours plus tard, en faisant ses adieux à son mari, Elizabeth jubilait intérieurement. Elle était impatiente d'ôter son corset et ses jupons pour enfiler une robe en laine plus confortable. Elle irait promener Queenie au bord de la rivière en pêchant quelques truites. Ensuite, elles iraient faire un tour au pavillon de chasse de Chatelherault.

Elle parlait à Queenie comme elle l'aurait fait à une amie.

— Pendant les deux mois à venir, j'ai l'intention d'être heureuse, de profiter pleinement de chaque instant. Demain, je monterai peut être mon cheval favori. Un jour, je demanderai au fauconnier de me prêter un faucon... Comment ? Tu crois que maman s'y opposera ? J'ai passé des années dans la campagne irlandaise, à la fuir. Je suis très douée pour les mensonges.

Queenie agita gaiement la queue.

En fait de pavillon de chasse, Chatelherault était un véritable palais doté de tout le confort nécessaire. Des domestiques venaient chaque semaine faire le ménage de la cave au grenier. Si l'endroit était peu fréquenté, il était toujours prêt à recevoir des invités. À l'approche de l'automne, Elizabeth aimait observer les écureuils et admirer les couleurs chaudes des feuilles avant qu'elles ne tombent pour tapisser le sol de la forêt.

Tout le personnel de Cadzow s'attacha rapidement à la jeune femme, des domestiques au régisseur et au garde-chasse. Lorsqu'il se mit à faire plus froid, elle passa de longs moments aux cuisines, dans l'espoir de devenir un véritable cordon-bleu. De plus, sa mère évitait les cuisines comme la peste. Elizabeth et Emma tricotaient et cousaient pour l'enfant à venir. Plusieurs femmes de chambre se joignirent à elles.

Le bébé s'agitait de plus en plus. Beth lui parlait souvent. Son visage s'était arrondi et elle avait les seins lourds, bien qu'elle n'ait pris que peu de poids. Les domestiques se fiaient à la forme de son ventre pour se livrer à des prévisions quant au sexe de l'enfant.

Elle écrivit à sa sœur et à Charlie. Maria ne lui répondit jamais, au contraire de lady Charlotte :

Chère Elizabeth,

Votre lettre m'a fait grand plaisir. Je me réjouis que vous vous plaisiez en Écosse et que vous ayez repris des forces. Le petit William va bien. Il grossit à vue d'œil. Le temps passe si vite. J'ai peine à croire qu'il aura bientôt quatre mois. Vous allez être mère à votre tour. Je sais que vous serez aussi heureuse que je le suis.

J'ai un secret, et vous êtes la seule à qui j'oserai le confier. Will et moi attendons un autre enfant ! C'est arrivé en juillet. Les gens seront sans doute choqués de me savoir enceinte si peu de temps après la naissance de William, mais Will et moi sommes fous de bonheur !

Ici, on ne parle que de la guerre. Des conflits ont éclaté en Amérique et en Inde. Selon Will, une guerre entre la France et l'Angleterre est inévitable. Nous avons de la chance d'avoir épousé des politiciens, et non des militaires.

J'aimerais tant être à vos côtés pour la naissance de votre enfant. Jamais je n'oublierai votre soutien, le jour où j'ai mis William au monde. Mon deuxième doit naître en avril. Après les fêtes de Noël, je gagnerai Uppingham. Ce serait merveilleux que vous vous arrêtiez à la maison en rentrant d'Écosse. J'aurais ainsi l'occasion de faire la connaissance de votre enfant.

Tendrement,

Charlie

Si Elizabeth s'étonnait de cette deuxième grossesse, elle ne la choquait pas le moins du monde. Charlie et Will formaient un couple uni.

En relisant la lettre, le soir venu, elle s'inquiéta de ces rumeurs de guerre. L'image de John en uniforme la hantait. Il avait dit qu'il viendrait peut-être au pavillon de chasse, mais elle sentait qu'elle ne le verrait pas de sitôt.

Lors de leur rencontre, elle avait eu besoin de quelqu'un à aimer. Bientôt, elle aurait un enfant et ne se sentirait plus jamais seule.

D'instinct, elle alla chercher sa vieille cape et en sortit le bouton de cuivre, qu'elle rangea dans un tiroir. Elle se promit de ranger tous les souvenirs de John, de ne plus penser à lui.

En s'endormant, toutefois, elle serrait le bouton dans sa main. Naturellement, elle rêva de lui.

26

Le 31 octobre, le duc de Hamilton arriva à Cadzow, fulminant après une insulte proférée par le roi lors de son audience mensuelle. James ayant fait allusion à une nomination royale, le souverain avait demandé si les Douglas avaient des tendances jacobites.

Hamilton fit venir la duchesse et sa mère dans la bibliothèque. L'arbre généalogique de la famille était étalé sur la table.

— Anne, fille du roi Jacques III, mariée à James Douglas, premier lord Hamilton. Le roi Jacques IV a eu une fille naturelle qui épousa un autre James Douglas. De plus, la reine Mary Tudor, restée veuve, épousa Archibald Douglas, encore un Hamilton.

Il frappa de son doigt le document pour souligner ses propos.

— Les Hanovre n'ont jamais été rois avant d'usurper le trône de Grande-Bretagne !

L'arrivée du duc mettait fin à la tranquillité d'Elizabeth. Loin de lui faire remarquer qu'il proférait des paroles passibles de trahison envers la Couronne, elle tenta de le calmer.

— Remercions le Ciel que le roi George ne vienne jamais en Écosse, Votre Grâce.

— Il n'a pas besoin de venir ! Il est représenté par des nobles comme moi. Comment ose-t-il mépriser de la sorte mon clan ? En tant que duc de Hamilton, je suis régisseur héréditaire de Holyrood Palace !

— Vous êtes également duc de Brandon et marquis de Clydesdale. Le roi vous envie sans doute ces titres prestigieux, déclara Bridget pour l'amadouer. Votre Grâce, je pense qu'il est secrètement jaloux de votre mariage avec Elizabeth.

— Enfer et damnation, vous avez raison ! Depuis que je lui ai annoncé que j'allais avoir un héritier, il est contrarié, le bougre !

Il toisa Elizabeth, comme s'il évaluait l'avancement de sa grossesse et s'assurait qu'il restait encore un mois avant le terme.

Soudain, la jeune femme eut très froid. Dans la matinée, l'enfant s'était agité plus que de coutume, et elle avait l'impression de le porter plus bas. S'il naissait aujourd'hui, Hamilton se demanderait s'il n'avait pas été conçu avant le mariage. Elle chassa vite cette pensée. C'était impossible.

— Faites vos bagages. Emportez tout. Nous partons pour Édimbourg ! annonça Hamilton avec un sourire satisfait. L'héritier du duché de Hamilton naîtra au palais royal de Holyrood !

Elizabeth faillit céder à la panique. À Cadzow, elle était heureuse, elle se sentait chez elle, à l'aise avec le personnel. Ce trajet vers Édimbourg l'inquiétait.

— Votre Grâce, j'aurais aimé avoir mon bébé à Cadzow.

Il frappa du poing sur la table.

— Il est de l'intérêt de mon héritier de naître à Holyrood ! Le roi saura enfin à qui il a affaire. Nous ne sommes qu'à soixante kilomètres d'Édimbourg. Les sages-femmes y sont tout aussi compétentes.

Toujours avide d'ascension sociale, Bridget se garda de contredire le duc.

— Ne t'énerve pas, Elizabeth. Il te reste trois semaines, environ. Tu auras largement le temps de t'installer. Viens, nous avons du pain sur la planche.

La future mère se leva péniblement. Le cauchemar se poursuivait. Les autres décidaient à sa place de son destin. Une femme sur le point d'accoucher pour la première fois ne méritait pas d'être ainsi ballottée.

Elle posa les mains sur son ventre. L'enfant remua de plus belle. Rassure-toi, lui dit-elle en pensée. Personne ne te fera de mal.

À sa grande surprise, il se calma.

Dans la voiture, Elizabeth se réjouit pour la première fois de posséder une capeline en zibeline. Bridget et Emma avaient posé une étole sur leurs jambes, pourtant elles avaient froid. Lorsqu'elles parlaient, elles projetaient de la buée. Hamilton était parti en avant avec son valet, son secrétaire et l'un de ses régisseurs. Selon ses dires, il tenait à organiser l'arrivée de sa famille. En réalité, Elizabeth savait qu'il ne voulait pas être confiné dans une voiture avec trois femmes.

Lorsqu'une roue passa dans une ornière et secoua violemment la cabine, Emma posa sur Beth un regard alarmé.

— Vous vous sentez bien ?

Elizabeth hésita. Une douleur aiguë lui transperçait le dos. Le regard de marbre de sa mère lui indiquait qu'il valait mieux pour elle que le travail n'ait pas commencé.

— Je vais bien, Emma.

Une heure plus tard, à la tombée de la nuit, la voiture franchit les grilles du château de Holyrood. Une nuée de domestiques surgit dans la cour et s'aligna pour accueillir la duchesse. Emma descendit la première et se retourna pour porter assistance à Beth.

— Allez immédiatement vous coucher. J'espère qu'ils ont allumé du feu.

— J'ai besoin de me dégourdir les jambes, protesta Elizabeth.

Bridget apparut à son tour, prête à livrer bataille au personnel du château.

— J'imagine que vous avez préparé la suite royale pour la duchesse de Hamilton, déclara-t-elle avec assurance.

Elle ne jouait plus un rôle. Cette attitude hautaine faisait désormais partie de sa personnalité.

En parcourant les couloirs d'un pas lent, Elizabeth trouva l'atmosphère un peu oppressante. Elle se dit qu'elle se faisait des idées parce qu'elle aurait préféré rester à Cadzow. Un nouveau spasme lui transperça le dos, lui coupant le souffle. Elle refusa d'envisager qu'elle était en train d'accoucher. Les douleurs devraient se situer dans le ventre, songea-t-elle. La petite voix de sa raison lui intima de gagner ses appartements. Elle se tourna vers une femme de chambre qui la suivait discrètement.

— Je vais vous accompagner, Votre Grâce, dit-elle avec une révérence.

Il régnait dans la suite une atmosphère encore plus pesante, même si le petit salon était clair. Dans la chambre, Emma défaisait déjà ses bagages.

— J'ai une terrible douleur dans le dos qui ne cesse de revenir. Mais il est encore trop tôt, non ? s'enquit-elle, inquiète.

— Je n'ai jamais eu d'enfants, répondit Emma. Je vais vous coucher, puis j'irai chercher votre mère.

— Non ! Je suis sûre que si je m'allonge un peu, la douleur disparaîtra.

Très lentement, elle se dévêtit et se coucha. Mille pensées se bousculaient dans sa tête.

En vérité, tu aimerais que l'enfant soit de John, lui murmurait une petite voix. Pas du tout ! Mon enfant est de Hamilton ! Si c'est un garçon, il héritera du duché de Hamilton. Aucun scandale ne doit entacher son nom.

Soudain, son ventre se durcit. Une violente douleur la parcourut, au point qu'elle ne put réprimer un cri.

— Je suis désolée, fit-elle en se tournant vers Emma. Je vais m'efforcer de ne pas faire de bruit…

— Elizabeth, laissez-moi appeler votre mère. Vous ne voulez pas qu'il arrive quoi que ce soit à cet enfant, n'est-ce pas ?

Elle comprit qu'elle n'avait pas le choix. La santé de son enfant comptait plus que tout.

En apprenant que sa fille souffrait de terribles douleurs, Bridget courut prévenir le duc dans ses appartements.

— Il faut appeler une sage-femme sans tarder, Votre Grâce ! Le voyage a provoqué un accouchement prématuré !

— Au diable ce maudit cocher ! Il roule toujours trop vite. S'il arrive malheur à mon enfant, je le ferai pendre haut et court ! J'ai déjà prévenu le médecin royal. Il connaît certainement une sage-femme digne de confiance.

Hamilton se tourna vers son secrétaire.

— Allez voir ce qui le retarde.

Il s'adressa à nouveau à Bridget :

— J'ai donné des ordres pour que la nursery soit réaménagée. Morton, faites venir le régisseur et la gouvernante !

Bridget s'inclina.

— Très bien, Votre Grâce. N'oubliez pas, cependant, que la naissance d'un premier enfant peut prendre beaucoup de temps. Le travail durera une bonne partie de la nuit.

— Peu importe la durée du travail, madame, du moment que la mère et l'enfant se portent bien.

Bridget gagna le chevet de Beth.

— J'ai ordonné que ma fille soit installée dans la suite royale, dit-elle à une femme de chambre. Or je viens d'apprendre que la famille royale occupe en général les appartements d'honneur.

— Il s'agit des appartements de la reine Mary, madame.

— Vous ne parlez tout de même pas de Mary, reine d'Écosse ? fit Bridget en fronçant les sourcils.

— Absolument, madame. C'est dans cette chambre, la plus ancienne de Holyrood, que la reine Mary a donné le jour au roi Jacques.

— Très bien. Je suppose qu'il faudra s'en contenter. Faites allumer du feu dans ma chambre et faites monter un repas. Nous allons mourir de faim, si cela continue !

Cette conversation donna la chair de poule à Elizabeth. Elle se leva péniblement et s'approcha de la cheminée.

La reine Mary a connu un destin tragique, songea-t-elle. Cette tristesse se ressent dans ces pièces...

Emma posa la capeline de zibeline sur ses épaules.

— Mes douleurs sont passées. Je n'ai pas faim, Emma, mais je boirais bien un peu de vin additionné d'eau.

Deux femmes de chambre apportèrent des plateaux chargés de victuailles. Bridget emporta le sien dans sa chambre, un peu plus loin dans le couloir. Emma tendit un verre à la jeune femme.

— Voilà qui vous réchauffera un peu, en plus de vous détendre.

Elizabeth n'en avala qu'une gorgée.

— Montrez-moi l'endroit où Rizzio a été assassiné.

Les deux femmes échangèrent un regard entendu. Il était inutile de préciser que Rizzio était le secrétaire italien de la reine Mary et qu'il avait été poignardé sous ses yeux, sur ordre de son mari, Darnley. Les femmes de chambre lui firent signe. Elle les suivit dans le salon voisin. Les deux femmes désignèrent les taches de sang encore visibles sur le parquet.

Il ne pouvait s'agir de taches datant de deux siècles plus tôt. Toutefois, cet acte avait laissé son empreinte dans les appartements privés et hantait les lieux.

— Merci, murmura-t-elle tristement. Puis-je avoir encore un peu de vin ?

Elle posa la main sur son ventre. La tête du bébé venait de franchir une étape supplémentaire. Elle implora le Ciel pour que son enfant ne paie pas le prix de ses péchés.

À dix heures, le médecin se présenta enfin et examina la jeune femme. Bridget vint à sa rencontre.

— C'est le voyage qui a déclenché le travail prématurément. J'ai prévenu le duc qu'il était dangereux d'entreprendre ce déplacement à ce stade de la grossesse, mais il tenait à ce que son héritier naisse à Holyrood.

— Les Douglas font la loi, madame, répondit-il amèrement. Les contractions sont-elles espacées ?

Bridget consulta Emma.

— Toutes les heures environ, docteur. Prévoyez-vous des difficultés ?

— Il est trop tôt pour le dire. La sage-femme est en route, mais je doute que l'enfant naisse avant demain matin.

Bridget allait transmettre ces informations au duc quand elle vit arriver la sage-femme. À son tour, celle-ci examina la duchesse et confirma les propos du médecin. Il posa un flacon de laudanum sur la table de chevet.

— Je sais d'expérience que les duchesses refusent de souffrir comme de simples mortelles. Si elle se met à crier, endormez-la avant qu'elle n'attire l'attention du duc.

À minuit, Elizabeth était épuisée par ses efforts pour ne pas crier à chaque contraction. Elle ferma les yeux pour essayer de dormir un peu.

— Elizabeth ! fit une voix.

Elle ouvrit les yeux, pensant trouver Emma, mais sa fidèle femme de chambre dormait dans un fauteuil. La femme qui se tenait au pied du lit ressemblait étrangement à la reine Mary.

— Ne révélez jamais votre secret, lui souffla-t-elle. Gardez-le pour vous toute votre vie, comme j'ai gardé le mien. Promis ?

— C'est promis, murmura Elizabeth.

La vision se dissipa au moment où une nouvelle douleur s'emparait d'elle. Son cri réveilla Emma, qui se précipita pour lui prendre la main.

— Je suis là, mon petit. Vous êtes très courageuse.

Quand la douleur s'atténua, Beth se mit à rire.

— Je ne suis pas courageuse, Emma. Je suis terrorisée. J'ai peur de Hamilton… de ma mère… peur pour mon bébé… Pourvu que ce soit une fille !

— Ne dites pas cela. Le duc veut un fils, non une fille.

Elizabeth écarquilla les yeux. La douleur s'intensifiait de minute en minute, au point qu'elle ne put s'empêcher de hurler.

La sage-femme quitta son lit de camp. Une minute plus tard, elle put confirmer à Bridget que les choses sérieuses allaient commencer.

— Veuillez noter qu'elle a perdu les eaux à deux heures.

Emma changea le drap, puis versa de l'eau dans une cuvette pour éponger le front moite de la jeune femme.

Deux heures durant, Beth se tordit de douleur. Elle haleta, cria, jura. À quatre heures, la tête de l'enfant apparut. La jeune femme s'agrippa au baldaquin du lit qu'elle déchira, regrettant d'avoir refusé le laudanum.

Soudain elle fut secouée de spasmes, puis vint une impression de soulagement qui lui fit perdre conscience.

En rouvrant les yeux, elle avala la cuillerée de laudanum que lui tendait sa mère.

— Mon bébé...

— Ton bébé est né, Elizabeth. La sage-femme s'en occupe.

— Je veux le voir !

La sage-femme revint avec l'enfant langé. En regardant Elizabeth, elle confia vite le nouveau-né à Bridget et s'adressa à Emma :

— Elle saigne... Allez chercher des oreillers. Levez-lui les pieds.

Elizabeth se sentit partir, comme la reine Mary s'était évaporée quelques heures plus tôt.

— Non... Attendez !

La sage-femme lui fit avaler une autre dose de laudanum.

— Je lui en ai déjà administré ! s'exclama Bridget.

— Ce n'est pas grave. Il lui faut un repos complet pour faire cesser l'hémorragie. Quelle heure est-il ? Cinq heures ? Mieux vaut attendre une heure avant de réveiller le duc.

Elizabeth entendit la porte de sa chambre s'entrouvrir. Un pressentiment la saisit. Hamilton s'approcha du lit. Il semblait furieux. Elle voulut parler, mais en fut incapable.

— Je vous ai amenée à Holyrood pour que mon fils, mon héritier, naisse au bon endroit. Et que me donnez-vous ? Une fille ! Une fille inutile, comme vous ! Même cette maudite Charlotte Boyle a réussi à donner un fils à son mari ! Je vais être la risée de tous ! Je vous conseille, dans votre intérêt, de garder cette enfant à distance de moi. Dès que vous serez en état de voyager, nous retournerons à Londres et nous ferons une autre tentative.

Abattue, humiliée, Elizabeth ferma les yeux. Elle avait envie de mourir. Pourquoi ne l'avaient-ils pas laissée mourir ? En entendant la porte se refermer avec fracas, elle rouvrit les yeux. Elle se sentait si faible, si désespérée. Elle ne voulait plus que dormir. Elle rêvait de s'échapper de l'atmosphère oppressante de Holyrood. Elle songea à Londres, à l'avenir sombre qui l'attendait. Elle aurait tout donné pour fuir Hamilton. Les paupières lourdes, elle pensa au flacon de laudanum, sur la table de nuit. C'était peut-être la solution. Elle prit le flacon, soudain euphorique. Hamilton ne lui ferait plus jamais de mal…

— Non !

La jeune femme sursauta. Le flacon lui glissa de la main.

— Que me voulez-vous ? demanda-t-elle à l'apparition royale, au pied de son lit.

— Je veux vous insuffler du courage. Ne les laissez pas gagner, Elizabeth ! Battez-vous ! Battez-vous comme je me suis battue.

— C'est facile, pour vous. Vous êtes reine !

— Et vous, duchesse ! Votre enfant a besoin d'une mère forte et courageuse. Battez-vous contre vos ennemis, Elizabeth.

L'apparition se dissipa. Beth tenta de s'asseoir dans son lit.

Emma surgit alors et se précipita vers elle.

— Enfin, vous êtes réveillée. Dieu soit loué ! Vous avez dormi toute une journée et une nuit. Comment vous sentez-vous ?

— Où est mon bébé ?

— À la nursery, avec votre mère et un bataillon de nurses.

Elizabeth repoussa ses couvertures.

— Le docteur vous interdit de vous lever. Il est passé vous voir trois fois. Vous ne vous rappelez certainement pas…

— Non, je ne me rappelle pas le docteur. J'ai vu Hamilton. Ses paroles cruelles m'ont dévastée.

— Le duc n'est pas venu vous voir, mon petit. Vous avez certainement fait un cauchemar. On vous a administré du laudanum à forte dose.

— Je n'ai pas rêvé... Hamilton était aussi réel que Mary...

Se rendant compte de ce qu'elle disait, elle s'interrompit et secoua la tête, abasourdie.

— Mary? fit Emma, alarmée.

— La reine Mary. J'ai dû avoir des hallucinations. Elle est venue me donner du courage et est fort bien tombée. Si on cherche à me séparer de mon bébé, je ne me laisserai pas faire!

Elizabeth toucha ses seins gonflés de lait.

— Mon bébé doit avoir faim.

Elle posa les pieds à terre et chaussa ses pantoufles.

— Calmez-vous. L'enfant a une nourrice, deux nurses et votre mère. Changez plutôt de chemise de nuit. Celle-ci est tachée de sang.

— Vite, s'impatienta Elizabeth.

Emma s'affaira et posa la capeline sur les épaules de la jeune femme.

— Vous risquez de saigner à nouveau.

— Je m'en moque!

Elizabeth gagna la nursery, tout près de sa chambre.

— Je viens voir mon bébé.

Bridget tendit les bras pour l'empêcher de passer.

— C'est l'heure de la tétée. Retourne te coucher!

La jeune femme se redressa fièrement.

— Je suis la duchesse de Hamilton. Écartez-vous, madame, ou je vous frappe.

Bridget en demeura bouche bée, mais elle obéit.

Elizabeth prit l'enfant des bras de la nourrice.

— Merci d'avoir nourri mon bébé, lui dit-elle, mais je n'ai plus besoin de vos services.

Toutes les femmes présentes la dévisagèrent avec stupeur tandis qu'elle emportait le nouveau-né. Chacun savait que les nobles n'allaitaient jamais.

Elizabeth regagna sa chambre et examina le miracle qu'elle avait engendré. Le bébé plissa le visage, prêt à pleurer, mais elle le mit vite au sein. Son regard s'éclaira dès qu'il commença à téter.

— Elle est si belle, dit-elle avec bonheur.

— C'est un garçon, précisa Emma en se penchant pour ramasser la capeline.

— Un garçon ? répéta-t-elle, hésitante.

Elle plongea dans les yeux sombres aux longs cils noirs.

— J'ai un fils, murmura-t-elle.

27

Alitée, son fils endormi dans les bras, Beth se sentait plus forte que jamais. Elle avait enfin trouvé le courage de s'opposer à sa mère et – ô stupeur ! – celle-ci avait cédé. Des paroles de John Campbell lui revinrent à l'esprit :

— Quand on livre bataille, l'adversaire le plus redoutable n'est pas l'ennemi, c'est la peur. Quand on affronte sa peur, elle se rend et l'on en ressort victorieux.

C'était ce qu'elle venait de faire contre sa mère. Plus jamais elle ne se laisserait dominer. Elle songea à sa vision de la reine Mary. La reine l'avait empêchée de chercher le repos éternel. Il était grand temps qu'elle se réveille, au contraire !

Ces hallucinations n'étaient en fait qu'une manifestation de ma propre peur, se dit-elle.

Elle pensa à Hamilton, à ce cauchemar qu'elle avait fait sur son rejet de l'enfant. Comment avait-il vraiment réagi en apprenant qu'il avait un héritier ? Elle n'attendit pas longtemps pour le savoir.

— Le voici, mon petit prince ! lança-t-il en titubant. En me rendant à la nursery, j'ai trouvé une bande de poules caquetantes qui vous accusaient d'avoir enlevé mon fils !

— Ce sont elles qui me l'ont enlevé ! Elles me l'ont pris avant même que je sache s'il s'agissait d'une fille ou d'un garçon.

Hamilton lui adressa un sourire niais.

— Je n'ai jamais douté du fait que j'aurais un fils. Je suis très satisfait de vous, Elizabeth. Regardons-le.

Il souleva la couverture et se mit à dérouler les langes.

— Non ! fit Elizabeth en lui reprenant l'enfant, car il ne fallait pas qu'il le voie nu. Il fait froid. Il va tomber malade.

Bridget venait d'entrer dans la chambre.

— Il y a du feu dans la cheminée, dit-elle. Il ne risque rien.

Elizabeth la foudroya du regard.

— Tu nous déranges. Mon mari et moi aimerions rester seuls avec notre fils.

— Votre Grâce, murmura Bridget en se retirant, l'air guindé.

— Vous êtes une vraie louve pour votre petit, constata Hamilton en riant. Donnez-le-moi. Je ne lui ferai pas de mal.

Il le prit dans ses bras et se mit à le bercer.

— Il est très brun, commenta-t-il.

— Je pense qu'il aura les cheveux auburn, comme vous.

Elle n'en pensait pas un mot.

— Probablement. Il est manifeste qu'il n'aura pas vos boucles blondes…

Il souleva les langes pour examiner les membres et le sexe de son fils.

— C'est un vrai mâle !

L'enfant se mit à pleurer, de sorte que le duc le rendit à sa mère.

Elle le berça contre son cœur et parvint à calmer ses pleurs en quelques secondes.

Hamilton la contempla. Ses airs de Madone faisaient sa fierté.

— Vous méritez une récompense pour le cadeau que vous venez de m'offrir. Que désirez-vous, Elizabeth ? Des diamants ? des émeraudes ?

Elle leva les yeux vers lui.

— Je désire que son berceau soit dans ma chambre. Je désire retourner à Cadzow. Je n'aime pas l'atmosphère pesante de Holyrood.

— Il faut dire que le château a un lourd passé, admit le duc. De plus, l'abbaye est en ruine. Le baptême ne pourra y avoir lieu. Je suis allé célébrer la naissance de mon fils au château d'Édimbourg. Nous pourrions organiser le baptême là-bas. Je ferai parvenir à John Campbell un message l'informant que nous souhaitons qu'il soit le parrain.

— Non ! s'exclama-t-elle.

Avait-il des soupçons ? Serait-il en train de jouer au chat et à la souris ?

— Les Highlands se trouvent à plus de cent cinquante kilomètres et Noël approche, ajouta-t-elle. Il voudra certainement séjourner dans sa famille.

Hamilton opina.

— Pourquoi choisir un Campbell comme parrain, alors que nous pouvons avoir un Douglas... Dès que vous irez mieux, nous retournerons à Cadzow. Le baptême aura lieu pour le Nouvel An.

Elizabeth était soulagée. Non seulement Hamilton était fier de son fils, mais il les emmenait à Cadzow. Elle déposa un baiser sur le front de l'enfant.

— Je trouve qu'il devrait porter le même nom que vous : James George Douglas.

S'il porte son nom, se dit-elle, il n'y aura aucun doute sur la filiation...

— Je tiens tout de même à couvrir ma duchesse de bijoux.

Elle croisa le regard de Hamilton, un regard d'alcoolique. Si elle avait réussi à tenir la dragée haute à sa mère, il lui faudrait beaucoup de courage pour surmonter sa peur du duc. Elle se promit de ne rien précipiter.

— Dans ce cas, je vous demanderai de m'acheter des turquoises. J'ai toujours aimé ces pierres qui, dit-on, portent bonheur.

— Comme il vous plaira.

Elle baissa les yeux. Il se montrait agréable car il se réjouissait d'avoir un fils. Pourvu qu'il continue d'accéder à ses demandes...

Le lendemain, la nursery fut installée dans les appartements de Beth. Bridget était furieuse de voir son autorité remise en question. Elle n'adressait plus la parole à Beth, mais ne cessait de cracher son venin auprès d'Emma, disant qu'elle avait sacrifié sa vie mondaine à Londres pour rester auprès de son ingrate de fille.

— Vous ne devriez pas vous lever, déclara Emma. Votre accouchement ne remonte qu'à trois jours. Même lady Charlotte est restée dix jours au lit.

Assise dans un fauteuil à bascule, Beth sourit en allaitant son fils.

— J'ai l'impression d'entendre ma mère.

— Dieu m'en garde ! La liste de ses griefs s'allonge d'heure en heure.

— Londres lui manque. Maria aussi. C'est de ma faute. Le duc peut se rendre à Édimbourg, mais maman est confinée ici. Elle ne sera pas plus heureuse en regagnant Cadzow.

Le 20 décembre, James Douglas tint parole et ramena sa femme et son fils à Cadzow, en recommandant à son cocher de rouler lentement. Au château, tout le personnel célébra l'arrivée de l'héritier. Les femmes de chambre se disputèrent pour être au service de la jeune mère et de l'enfant. Hamilton choisit pour parrain et marraine deux membres du clan Douglas. L'enfant fut baptisé James George, dans la chapelle du château, événement salué par une fête fastueuse.

Deux jours plus tard, quand Hamilton fut à nouveau sobre, son secrétaire ouvrit son courrier et lui tendit quelques lettres en provenance de Londres. L'une d'elles, signée de George Coventry, attira son attention.

— Ce pauvre George n'a pas encore engrossé sa femelle. Je me demande si je ne vais pas faire le travail à sa place !

Habitué à ces remarques grivoises, le secrétaire rit poliment.

James s'interrompit soudain en découvrant la seconde partie de la lettre :

On dit que le vieux duc de Devonshire va renoncer à son poste de régisseur royal. Sur le trajet de retour du baptême de son petit-fils, à Chatsworth, il a contracté une pneumonie et ne s'en est jamais vraiment remis. Ce poste n'étant pas héréditaire, j'imagine le pugilat, lors de la prochaine audience du roi. C'est un poste très convoité, même si notre ami Will mérite amplement de prendre la relève.

— Will Cavendish ne mérite pas ce poste ! s'emporta Hamilton. Trop d'honneurs lui ont été servis sur un plateau !

— Plaît-il, Votre Grâce ?

— Préparez-moi un rapport sur Holyrood. Faites en sorte que mon rôle de régisseur héréditaire soit présenté sous son meilleur jour.

James prit un parchemin frappé de son blason et trempa sa plume dans l'encrier. Il rédigea une lettre destinée au souverain, lui annonçant la naissance de son fils et l'informant qu'il lui avait donné le prénom de Sa Majesté. Il lui adressait les salutations de la duchesse, à qui la Cour manquait terriblement. Il précisa qu'il avait laissé son premier régisseur dans la résidence londonienne du roi, dans la capitale, pour s'assurer d'une gestion raisonnable et efficace. Il se garda d'évoquer le poste de Devonshire, mais sollicita une audience privée dès son retour.

— Envoyez ceci au plus vite, avec votre rapport. Puis faites vos bagages, ordonna-t-il à son secrétaire.

Il chargea Morton de préparer ses effets. Avant de faire les bagages, celui-ci alla trouver la duchesse.

— Votre Grâce, le duc m'a ordonné de préparer un départ pour Londres.

— Merci, Morton, répondit-elle, troublée. J'apprécie votre confiance.

Elle n'avait aucune envie de regagner Londres. Ce long voyage pouvait être dangereux pour l'enfant, en plein hiver, et elle aimait Cadzow et la campagne environnante.

Emma surveillait le sommeil du bébé. Beth lui confia ses craintes.

— Il ne s'attend tout de même pas à ce que vous partiez aussi ? On ne sait jamais : allez vous coucher. Je lui dirai que vous êtes épuisée et que vous avez besoin d'un peu plus de repos.

Elizabeth était à la fois soulagée et inquiète.

— S'il a vent de nos conspirations, il vous chassera sur-le-champ.

— Je pourrai toujours remonter sur scène, répliqua-t-elle avec un clin d'œil.

— Le théâtre vous manque ? s'enquit Beth.

— Vous me demandez si je regrette le temps où j'attendais en vain, en compagnie d'un tas d'autres actrices, que quelqu'un veuille bien me donner une chance ?

— Depuis un an, j'ai souvent regretté de ne pas avoir été actrice au lieu de duchesse, avoua Beth.

Emma l'aida à enfiler sa chemise de nuit et tira les couvertures du lit.

— Vous n'avez qu'à vous dire que vous êtes les deux à la fois.

— Que diable faites-vous ? gronda Hamilton en voyant sa femme assise dans son lit, son fils dans les bras.

Elizabeth eut soudain très froid. Elle serra plus fort l'enfant contre elle et s'enfonça sous les couvertures, comme pour se protéger.

— Quand votre mère m'a informé que vous allaitiez mon fils, je l'ai prise pour une folle. Je constate que vous vous comportez en effet comme une paysanne. J'ai engagé une nourrice. Où est-elle ?

— À Édimbourg. Je n'ai pas besoin de ses services, répondit-elle à voix basse.

J'aurais dû me douter que maman se vengerait. Cela fait des semaines que j'allaite. Je m'étonne même qu'elle ne le lui ait pas dit plus tôt...

— C'est intolérable ! Vous êtes la duchesse de Hamilton, et non une vulgaire souillon. En vous comparant à une louve avec son petit, je ne croyais pas si bien dire. Vous vous conduisez comme une bête !

— Je tiens à nourrir mon enfant, dit-elle posément en maîtrisant sa colère.

— Il ne faut pas. Vous allez abîmer votre silhouette et déformer vos seins si parfaits. La saison londonienne reprend au printemps. Et je tiens à ce que vous soyez toujours aussi belle à mon bras.

Elizabeth, se dit-elle, ne réponds pas tout de suite. Tu n'es pas en position de force. Il s'en va bientôt. Attends un moment plus propice. Patience... Tout vient à point nommé.

— J'ai ordonné à Bridget d'engager une nourrice dès aujourd'hui. C'est la dernière fois que vous donnez le sein à cet enfant, c'est compris ?

— Oui, Votre Grâce.

Ce que je comprends, c'est que vous avez besoin de tout maîtriser, et que ma mère souffre de la même manie malsaine...

— Voilà qui est mieux. Je dois regagner Londres pour une audience avec le roi. Il n'est pas étonnant que vous ne soyez pas en état de voyager avec moi. L'enfant puise toutes vos forces. Remettez-vous vite, Elizabeth. Je veux vous voir à Londres au printemps. Je tiens à ce que James George ait un frère.

Elle réprima un frisson d'effroi.

Je ne veux plus de vous dans mon lit !

Une demi-heure à peine après le départ de son mari, Elizabeth se leva et s'habilla. Rayonnante, elle rit de bon cœur en chatouillant son enfant, qui gazouillait en agitant les jambes. Puis elle alla ouvrir les rideaux pour laisser entrer un peu du soleil d'hiver.

— Emma, je meurs de faim ! Tout à l'heure, j'irai faire un tour aux écuries pour dire bonjour aux chevaux et aux ânes.

Il prit son enfant et l'embrassa sur le nez.

— Allons vite à la cuisine.

Dans l'escalier, elle croisa sa mère, qui s'entretenait avec une femme robuste aux cheveux bruns et aux joues rouges.

— Elizabeth, voici Mme Douglas, la nourrice que le duc m'a demandé d'engager.

Elle se redressa, prête à en découdre.

— Merci, maman. Que ferais-je sans toi ? répliqua-t-elle d'un ton doucereux. Seriez-vous une parente du duc, madame Douglas ?

— Oh non, fit-elle en secouant la tête. Les Douglas ne manquent pas dans la région, Votre Grâce.

— Je vous en prie, pas de révérence. Suivez-moi à la cuisine, nous mangerons quelque chose.

Elizabeth s'attabla et fit signe à Emma et à la nourrice de l'imiter.

— Nell, dit-elle à la cuisinière, je meurs de faim. Ce fumet délicieux me met l'eau à la bouche.

— C'est un ragoût de mouton, expliqua-t-elle en emplissant une assiette pour chacune, avant de trancher une miche de pain.

— Avez-vous un bébé, madame Douglas ? s'enquit Beth en mangeant.

— Oui. C'est ma mère qui s'en occupe. J'essaie de la sevrer. J'aurai donc beaucoup de lait pour le petit lord.

— C'est inutile. J'ai mon propre lait. Je n'ai pas besoin d'une nourrice, mais je cherche une nurse efficace. Vous pourrez garder votre fille avec vous, si vous le souhaitez. Le berceau de Jamie se trouve dans ma chambre, car je ne supporte pas d'être séparée de lui. Mais je compte transformer la pièce voisine en nursery.

La cuisinière servit un verre de lait aux deux mères.

— J'ai mis de l'eau à chauffer pour le thé, mademoiselle Emma.

— Vous voulez dire que je pourrai amener ma fille avec moi, Votre Grâce ?

— Bien sûr. Il est cruel de séparer une mère de son enfant. Quand nous aurons fini de manger, allez donc la chercher et amenez-la à l'étage. C'est l'heure de la sieste. Voyez, il dort déjà…

Quelques instants plus tard, Beth enfila des bottes fourrées et se couvrit d'une cape pour se rendre aux écuries en chantonnant gaiement.

Elle savait qu'elle avait trois heures de liberté avant la prochaine tétée et souhaitait respirer un peu d'air frais.

— Queenie ! s'exclama-t-elle en voyant arriver la chienne. Tu m'as manqué ! Quand j'aurai vu les ânes, nous irons nous promener !

En entrant dans l'étable, elle écarquilla les yeux :

— Toi aussi, tu as eu un bébé !

Elle caressa la tête de l'ânesse et contempla son petit.

— Quand est-il né ? demanda-t-elle à un palefrenier.

— À Noël, madame. Quelle surprise ! L'hiver est une saison inhabituelle pour une naissance, mais les ânes sont des bêtes étranges.

— Tu es très mignon, dit-elle à l'ânon. Tes poils sont si doux... Je t'appellerai Chardon. Quant à toi, la maman, je te présenterai bientôt mon fils.

Elle voyait déjà un petit garçon aux boucles brunes chevauchant un âne.

— Ils s'entendront très bien.

Elizabeth partit ensuite en promenade avec Queenie. Le sol était couvert de neige. Sur la rive, elle reconnut des traces de lynx, de cerfs et de loutres. Elle les suivit jusque dans les bois. En voyant le chien, des lapins s'enfuirent.

De retour au château, la jeune femme décida de laisser entrer le chien à l'intérieur. Méfiante, Queenie renifla les objets, les oreilles dressées.

Naturellement, Bridget poussa des cris scandalisés.

— Que fait cette bête répugnante dans la maison ? Fais-la sortir immédiatement !

Elizabeth s'arrêta sur le seuil de la pièce où Bridget et Queenie se regardaient en chiens de faïence.

— Cette chienne-ci restera tant qu'elle ne fera pas de bêtises, déclara-t-elle.

— Tu me traites de chienne ? s'insurgea Bridget.

— En effet, dit Beth en ôtant sa cape. Toute ma vie, tu m'as tyrannisée, mais je n'ai plus peur de toi. Comme Queenie, je me méfierai toujours de toi, mais je ne reculerai plus. Je te conseille vivement de surveiller tes manières, car en l'absence du duc, c'est moi qui dirige cette maison.

Bridget capitula aussitôt.

— Je suis ravie que tu aies retrouvé ta fierté...

Elizabeth éclata de rire. Finalement, ce n'était pas trop difficile.

Le lendemain, le régisseur lui présenta le nouvel intendant, M. Burke, un homme discret et compétent. Elizabeth remarqua qu'il avait tendance à apparaître sans faire de bruit. Elle se demanda même s'il avait été engagé pour l'espionner. Elle fit part de ses soupçons à Emma.

— Je ne crois pas, répondit celle-ci. Ce n'est pas le duc qui l'a engagé, c'est le régisseur. Les femmes de chambre sont toutes folles de lui. Même votre mère est sous le charme.

— Et vous, Emma, il vous plaît ?

— Je dois admettre qu'il est séduisant...

Les jours passèrent paisiblement. Elizabeth n'avait jamais été aussi heureuse. Très vite, elle retrouva une santé de fer. Le mois de janvier fut glacial, mais il neigea peu. Chacun disait que le temps allait se dégrader en février et que le pire mois de l'année, en Écosse, était mars.

Quand les tempêtes de neige et le blizzard se calmèrent, Elizabeth fit des promenades quotidiennes. Parfois, elle emmenait Jamie voir les chevaux.

— Voici Chardon, ton petit âne.

Elle savait qu'il était trop jeune pour comprendre, mais elle voulait qu'il découvre ces animaux magnifiques.

Parfois, elle montait son cheval favori, suivie de Queenie, ou bien allait voir le fauconnier et ses rapaces. Au pavillon de chasse, elle admirait le paysage environnant, dont seules ses traces de pas venaient rompre la pureté.

En février, il neigea presque tous les jours. Au cours de la dernière semaine, Elizabeth commença à penser au printemps. Elle aurait voulu que l'hiver s'éternise, ce qui lui aurait permis de rester à Cadzow. Hélas, elle devrait bientôt retourner à Londres. Un jour, Hamilton reviendrait dans son lit. Pour l'heure, il était temps de commencer à sevrer Jamie, à regret.

28

Le 1er mars, Elizabeth reçut de la visite. La voiture de Tom Calder s'arrêta devant la porte. M. Burke l'invita à se réchauffer dans les cuisines du château, puis il l'introduisit dans la bibliothèque où l'attendait la duchesse de Hamilton.

— J'ai préféré venir avant le blizzard du mois de mars, qui rend les routes impraticables. J'ignorais que le duc se trouvait à Londres. Je tenais à lui montrer les plans de notre projet pour les deux mille hectares qu'il nous a si généreusement cédés.

— Mon mari sera sans doute de retour à la fin du mois, Tom. En fait, il considère qu'il s'agit surtout de mon projet.

Ce n'était qu'un mensonge sans conséquence, après tout.

Tom Calder déroula le plan sur la table.

— La majeure partie du terrain sera laissée en l'état, mais une parcelle sera accessible au public grâce à des sentiers. Les Écossais sont de grands marcheurs. En été, des bancs leur permettront de se reposer et d'admirer le paysage.

Il désigna un point représenté en bleu.

— Ici, vous aurez un abri pour vos ours polaires, près d'une source qui forme un bassin. Il y aura une grotte et des poissons en quantité.

— C'est formidable, commenta la jeune femme. Pourquoi l'avez-vous appelé Hamilton Park ? Calder Park serait plus approprié. Après tout, vous en êtes à l'origine et vous organiserez tous les travaux. Il est normal que votre travail soit reconnu à sa juste valeur.

Il fut si flatté par ces propos qu'il demeura un instant sans voix.

— Le comité a jugé plus prudent de choisir le nom de Hamilton…

— Je leur écrirai pour leur suggérer Calder Park, affirma Beth.

Hamilton n'oserait pas protester s'il était mis devant le fait accompli.

— Vous restez déjeuner, n'est-ce pas, Tom ?

Elizabeth alla trouver sa mère.

— Je crois pouvoir persuader M. Calder de te conduire à Glasgow en repartant. Ce n'est pas Londres, mais après Cadzow, tu apprécieras les boutiques et les théâtres.

Comme elle s'y attendait, Bridget sauta sur l'occasion.

— J'en ai assez de ce trou perdu en pleine campagne.

Elizabeth dissimula son sourire. Elle bénissait Calder d'être venu.

Durant quinze jours, Elizabeth passa ses journées à s'occuper de Jamie, à l'habituer à boire au biberon. Elle s'inspira des conseils des femmes du clan Douglas pour lui préparer une bouillée lactée, qu'il buvait avidement. C'était un enfant épanoui et joufflu qui semblait apprécier l'attention de toutes les femmes du château.

L'allaitement n'avait en rien altéré la beauté et la fermeté de ses seins. Nul ne devinerait son secret.

À la mi-mars, le ciel se plomba. Les tempêtes prévues s'annonçaient enfin. M. Burke affirma qu'il sentait le blizzard approcher. Les domestiques firent entrer du bois supplémentaire et fermèrent les volets de toutes les fenêtres. Durant la nuit, il se mit à neiger. Le vent se leva. Le lendemain, Beth descendit pour faire sortir Queenie.

— Ne va pas trop loin. J'ai entendu hurler les loups, cette nuit.

Elle remonta donner son premier biberon à Jamie, qu'elle confia à la nourrice avant de partir en promenade, puisque le blizzard s'était un peu calmé.

Munie de sa capeline en zibeline, elle se mit en route. Elle appela Queenie. En vain. En entendant des aboiements féroces près de l'étable, elle décida d'aller voir ce qui se passait. Si le chemin avait été déblayé, la neige commençait à tournoyer de plus en plus fort.

Elle vit Queenie faire des bonds. Un âne se mit à braire. Par la porte entrebâillée, elle aperçut la tête de l'ânesse. Le loquet de la porte s'était brisé et un palefrenier avait posé une grosse pierre pour la maintenir fermée. Hélas, cela ne suffisait pas. Le cœur battant, la jeune femme redouta qu'un prédateur n'ait réussi à entrer.

Regrettant de ne pas avoir mis de gants, elle tenta de déplacer la grosse pierre, mais ne parvint d'abord qu'à se meurtrir la peau. Quand elle réussit enfin, Queenie repoussa vite l'ânesse à l'intérieur, dans sa stalle. Il faisait sombre. Elle alluma une lampe et fouilla la bâtisse.

De retour dans la stalle de l'ânesse, elle constata que l'ânon avait disparu.

Éteignant la lampe, elle appela Queenie.

— Cherche Chardon, Queenie, cherche !

Cette fois, elle fit rouler la pierre à l'aide de son pied pour refermer la porte avec soin.

En se retournant, elle en crut à peine ses yeux. La neige tombait en biais, masquant non seulement le château mais aussi les dépendances. Toute trace de l'ânon avait été effacée, mais la chienne semblait sur une piste. Beth remonta sa capuche et se fia à l'instinct de l'animal.

Penchée en avant, elle foula la neige. Chaque fois qu'elle perdait Queenie de vue, elle l'appelait et la chienne revenait vers elle. Au départ, elle crut savoir dans quelle direction elle partait, mais elle se rendit vite compte que toute orientation était impossible.

Elle perçut les craquements sinistres de branches de pin qui cédaient sous le poids de la neige. Au bout d'un moment, elle dut se rendre à l'évidence. Mieux valait cesser les recherches et revenir sur ses pas.

— Queenie ! Viens ! On rentre à la maison !

La chienne refusa de revenir en arrière. Beth ne la distinguait pas, mais elle entendait ses aboiements furieux, comme si elle avait trouvé quelque chose. Une fois de plus, elle hésita, mais se fia à l'animal. En rejoignant

Queenie, elle tomba dans la neige, épuisée, les poumons en feu.

Après une minute de repos, elle rampa vers l'arbre sous lequel la chienne creusait frénétiquement. Dans le trou, elle reconnut la toison hirsute de Chardon, qui la regardait d'un air affolé. Si elle ne le délivrait pas, il finirait dévoré par les loups ou mourrait de froid. Elle se mit à déblayer la neige.

Un craquement puis un coup de feu la firent sursauter. Elle vit avec effroi un énorme paquet de neige tomber sur elle. Après le blanc intense, elle ne vit plus que du noir.

John Campbell se réveilla, repoussa l'édredon et quitta vivement le lit pour gagner la fenêtre, dans le plus simple appareil. N'y voyant rien, il se dit que son instinct ne l'avait pas trompé quant à l'arrivée imminente du blizzard.

Il songea aux recrues qu'il avait envoyées à Londres. Si elles avaient réussi à échapper aux intempéries, elles devaient être arrivées à destination. Puis il pensa à la lettre confidentielle que le duc de Cumberland lui avait fait parvenir à Glasgow, le priant de lui envoyer les recrues écossaises sans tarder, car le roi était sur le point de déclarer la guerre. Campbell avait confié ses soldats à ses officiers avant de regagner Argyll pour annoncer la nouvelle. Il avait très vite quitté Inveraray dans l'espoir de rattraper ses hommes. À peine avait-il parcouru quelques kilomètres que le blizzard s'était annoncé.

Contraint de trouver un refuge pour la nuit, il avait repoussé l'idée de se rendre à Cadzow. Voir Elizabeth était dangereux. En l'absence de Hamilton, surtout. Il s'était alors rappelé que le pavillon de chasse se trouvait à proximité…

Il se rendit dans le salon confortablement meublé, où trônait une immense cheminée, et attisa le feu. Puis il s'habilla chaudement pour aller s'occuper de son cheval, l'unique occupant des écuries.

En ouvrant la porte d'entrée, il eut du mal à la retenir. Baissant la tête, il se dirigea vers les écuries, où il était certain de trouver des réserves d'avoine et de foin, ainsi que des couvertures.

— Désolé de t'imposer un plaid du clan Douglas, mon vieux, mais il faut savoir s'adapter.

Démon lui répondit d'un hennissement.

John fit fondre un seau de neige pour abreuver son cheval.

— Je crois que je vais me préparer une bonne bouillie d'avoine, dit-il en lui flattant l'encolure. Nous sommes coincés ici pour les prochaines vingt-quatre heures.

Avant de regagner le pavillon, il se rendit à la lisière des bois où il avait disposé quelques pièges. Le premier était vide, mais il avait capturé un lapin dans un autre. Il regagna la maison et se rendit aux cuisines en quête de nourriture. Il trouva des lentilles, de l'orge, de la farine et de la levure. Il décida de faire griller les pattes du lapin et de préparer le râble en sauce. Il avait aussi de quoi faire du pain. Il sortit son couteau et dépeça l'animal.

Il venait de mettre la marmite sur le feu quand il entendit des grattements à la porte. Curieux, il dressa l'oreille et perçut les gémissements d'un chien.

— Bonjour, toi, fit-il en ouvrant la porte. D'où viens-tu ? Tu as senti l'odeur du feu de cheminée ?

Il le fit entrer et referma la porte, mais le chien semblait vouloir ressortir et se mit à aboyer.

— Tu pars déjà ? Il y a du lapin, pour le déjeuner.

Le chien l'observa puis aboya de plus belle, communiquant son message à sa façon.

De toute évidence, il voulait l'emmener dehors et lui montrer quelque chose. Il enfila vite son manteau.

— D'accord, voyons ce qu'il y a de si grave.

Il partit dans la tourmente et suivit le chien. En atteignant les grands pins, il regretta d'avoir laissé son couteau dans la cuisine, à cause des loups. Le comportement du chien près d'une branche cassée lui indiqua que quelque chose ou quelqu'un était enseveli sous la neige.

D'abord, il ne vit rien. En soulevant à grand-peine la lourde branche, il découvrit le corps d'une femme. Il baissa la capuche pour voir si elle était encore en vie.

— Seigneur ! Elizabeth !

Elle avait les yeux fermés, mais respirait doucement.

Le chien chercha à détourner son attention en aboyant furieusement. John vit un animal – un poulain, peut-être – allongé dans la neige. Chacun son tour, songea-t-il. Il prit Elizabeth dans ses bras et se releva péniblement, serrant son précieux fardeau, pour se diriger vers le pavillon.

Il déposa la jeune femme près du feu et courut chercher un édredon dans une chambre. Il en couvrit Elizabeth et lui tapota les joues pour la ranimer. Elle ouvrit les yeux, esquissa un sourire et referma les paupières.

Le chien devenait fou d'impatience. John savait ce qu'il attendait de lui, mais il était tiraillé.

— Très bien, j'y vais !

Il prit son couteau. L'animal constituait une proie idéale pour les prédateurs. Et s'il était blessé, il pourrait abréger ses souffrances.

Épuisée, la chienne l'accompagna et lui indiqua l'endroit précis. John creusa la neige à mains nues. Dans les bois, il crut déceler une silhouette sombre. En songeant à Elizabeth à la merci des loups, il sentit ses entrailles se nouer. La petite créature se mit à braire faiblement. C'était un ânon. Ne voyant aucune trace de sang, il le souleva et se releva, déterminé à le porter sous la neige.

Il déposa l'ânon près de la cheminée, à même le sol. La chienne se coucha près de lui, à bout de souffle. John les oublia pour porter toute son attention sur Elizabeth. Elle avait toujours les yeux fermés.

Grâce à sa capeline, ses vêtements n'étaient pas trempés, mais humides et glacés tout de même. Il lui enleva ses bottes. Elle avait les pieds gelés. En lui ôtant sa robe, il remarqua l'état de ses mains.

Seigneur, elles sont à vif. Peut-être même s'agit-il d'engelures, songea-t-il.

Il alla vite chercher de la pommade dans sa sacoche. Il déchira ses jupons en lambeaux et banda les mains enduites de pommade.

Sans ouvrir les yeux, Elizabeth se mit à murmurer. Il ne comprit qu'un seul mot, « chardon ». Sans doute cherchait-elle à lui expliquer les meurtrissures de sa peau.

— Quelle idée d'aller cueillir des chardons en cette saison, dit-il.

Il la débarrassa de ses bas trempés et lui frictionna vigoureusement les pieds pour rétablir la circulation sanguine. Puis il finit de la dévêtir. Sa peau était pâle comme de l'albâtre. Il était impossible de deviner qu'elle avait mis un enfant au monde quatre mois plus tôt. Son corps avait gardé toute sa beauté et sa fraîcheur.

— Du whisky ! Il doit bien y en avoir, chez Hamilton !

Il avisa une commode en chêne, contre le mur. Comme il s'y attendait, elle renfermait des bouteilles d'alcool. Il en rapporta une près du feu.

John en but une gorgée puis en versa quelques gouttes sur le ventre de la jeune femme pour la frictionner de plus belle. Ce faisant, il s'efforça de chasser toute pensée lubrique, sans cesser de la masser. Il la fit rouler sur le ventre et renouvela l'opération sur son dos et ses jambes.

Bientôt, il sentit qu'elle retrouvait une température normale. Il la fit asseoir et porta le goulot de la bouteille à ses lèvres. Elle retint son souffle, toussota et avala quelques gorgées d'alcool. Enfin, elle rouvrit les yeux.

— Non... ce n'est qu'un rêve... gémit-elle avec un sourire.

Elle referma les paupières.

John la porta dans le lit où il avait dormi. Il la couvrit et repoussa ses cheveux en arrière d'un geste tendre.

— C'est un rêve. Rendors-toi.

Il la quitta à regret et observa avec amusement la chienne et l'ânon blottis l'un contre l'autre, profondément endormis. Il remua son ragoût de lapin, versa du whisky dans la sauce et posa le couvercle sur la marmite pour laisser mijoter le tout.

John se déshabilla pour faire sécher ses vêtements près de la cheminée. Il étendit également les effets de la jeune femme sur le dossier d'une chaise, qu'il approcha du feu.

Nu comme un ver, il s'étira et se massa l'épaule, se réjouissant de ne pas avoir à porter un ânon tous les jours.

Il était épuisé mais heureux. En dépit des menaces de guerre, du blizzard, il n'y avait pas d'autre lieu sur terre où il aurait souhaité se trouver en cet instant.

Elizabeth l'attirait comme un aimant. Pourquoi résister ? Il regagna la chambre et contempla longuement la silhouette endormie. Le fil d'or qui les reliait était plus solide que jamais. Rien ne pouvait les séparer. Le destin ne venait-il pas de la placer sur son chemin à nouveau ? Il se glissa auprès d'elle sous les couvertures.

Il se blottit dans son dos et l'enlaça. Aussitôt, elle poussa un soupir d'aise. Même si elle était l'épouse d'un autre, cette situation lui semblait naturelle. Elle lui appartenait. Depuis toujours, et à jamais.

29

— Mon Dieu, John Campbell ! Vous m'avez enlevée !

Elizabeth se dressa sur son séant, les yeux écarquillés.

— Vous m'avez entravé les poignets pour m'empêcher de me débattre. Et vous êtes tout nu !

Déconcerté, il la dévisagea.

— Beth, je vous ai sauvée. J'ai soigné vos mains. Et vous êtes tout aussi nue que moi, répondit-il d'un ton taquin, soulagé de la voir pleine d'énergie. Je vous ai découverte en plein blizzard, assommée par une branche de pin, dans la neige. C'est un miracle que vous ne soyez pas morte de froid.

Soudain, son ton se fit plus dur.

— Je devrais vous châtier, espèce de petite imbécile ! Risquer sa vie pour un âne !

Elle remonta l'édredon comme pour se protéger.

— Je me souviens, maintenant. Chardon s'est enfui de l'étable, et j'ai eu peur qu'il ne finisse dévoré par les loups. Queenie et moi l'avons trouvé enfoui sous la neige...

— Je suppose que Queenie est la chienne, et Chardon l'ânon ?

Face au spectacle de ses seins partiellement dévoilés, il avait peine à la réprimander.

— Vous les avez trouvés ? demanda-t-elle, pleine d'espoir.

— C'est Queenie qui m'a trouvé. Elle a insisté pour que je la suive. Je vous ai d'abord ramenée au pavillon, puis je suis retourné chercher ce maudit âne. Ils sont tous les deux endormis près de la cheminée.

— Nous sommes à Chatelherault ? Depuis combien de temps ? Avons-nous... ?

— Avons-nous dormi ensemble ? dit-il en souriant. Pendant deux heures, environ.

— Comment osez-vous trahir l'hospitalité des Hamilton, monsieur ? Sortez immédiatement de mon lit ! Et cessez de prendre cet air libertin !

Il repoussa l'édredon et se leva.

— Je puis obéir à votre premier ordre, mais pas au second, répondit-il, souriant de plus belle. Non, ne me remerciez pas. J'aime beaucoup porter les femmes et les ânes en détresse dans la neige, en plein blizzard. De vous trois, c'est encore la chienne la plus intelligente.

— Apportez-moi ma robe, ordonna-t-elle, furieuse.

— Elle est mouillée.

— Alors mon jupon !

— Désolé, duchesse. Vous n'avez plus de jupon. Je m'en suis servi pour bander vos mains blessées.

Elizabeth leva les bras et, impuissante, fondit en larmes.

— Ne m'appelez pas duchesse. Vous savez combien je déteste ma condition de duchesse !

— Ne pleurez pas, Beth, dit-il en essuyant ses larmes du bout des doigts. Vous vous sentirez mieux quand vous aurez mangé, c'est promis.

Elle s'écarta de lui en hochant la tête. Elle s'en voulait de pleurer de la sorte.

Quelques minutes plus tard, John revint à son chevet avec une assiette.

— Je vais devoir vous nourrir, à cause de vos bandages. Queenie a eu sa part. Nous allons partager.

— Cela sent très bon. Je meurs de faim ! Et Chardon ?

— Je lui ai donné de l'avoine, répondit-il en portant une cuillère aux lèvres de la jeune femme.

— Je n'avais pas mangé de ragoût de lapin depuis mon départ d'Irlande, commenta-t-elle.

L'Irlande évoqua des souvenirs communs. Tous deux regrettaient cette période insouciante de leur vie. Elizabeth rougit. Partager ce repas avec John, entièrement nue, était une situation trop intime, surtout quand cet homme superbe la dévorait des yeux. Elle observa ses mains puissantes et sensuelles, songea à leurs caresses exquises sur sa peau. En ouvrant la bouche pour manger une ultime bouchée, elle ferma les yeux.

— Vous n'avez pas froid ? lui demanda-t-elle.

— Vous savez bien que non… puisque vous sentez ma chaleur, Elizabeth.

Il trempa un doigt dans la sauce et le lui fit lécher.

Elle ne put résister à la tentation, malgré le caractère provocant de ce geste. Elle rougit violemment. En vérité, elle ne pouvait rien lui refuser.

— Je vous en prie, allez chercher mes sous-vêtements. Je voudrais voir comment vont les animaux.

John revint avec ses effets. Une fois habillée, Beth se rendit compte de l'indécence de sa tenue. Elle rejeta les cheveux en arrière et afficha l'air digne d'une duchesse en robe de bal.

Toute prétention s'envola quand elle aperçut la chienne.

— Queenie ! Attention, tu vas me faire tomber… Mais oui, Queenie, je t'aime aussi…

L'animal agitait frénétiquement la queue. La jeune femme se mit à rire en lui caressant la tête.

La laissant à la joie des retrouvailles, John regagna la cuisine où il avait fait griller les cuisses de lapin. Beth le vit se pencher au-dessus des flammes. Le tablier qu'il avait noué autour de sa taille exposait ses fesses nues, spectacle qui amusa la jeune femme.

Ensuite, assis côte à côte, ils attendirent que les cuisses soient dorées à point. Elizabeth se prit à regretter la vie qu'elle aurait pu mener si le destin n'en avait pas décidé autrement.

— Si seulement j'avais accepté de venir m'installer avec vous à Sundridge… Je préfère la campagne à la vie londonienne. Je déteste les engagements officiels… Je déteste être duchesse.

— Les regrets sont inutiles, mon amour. Faites comme si vous n'étiez pas la duchesse de Hamilton. Vous êtes une excellente actrice. Vous pouvez être Elizabeth ou Titania, ou ma dame en gris.

Il effleura sa joue d'une caresse.

— Non, John. Je suis mariée avec un autre. Je ne vous appartiens pas.

— Je peux vous prouver le contraire.

Il s'agenouilla devant elle et prit son visage entre ses mains, posant sur elle un regard intense, possessif et respectueux.

— Vous êtes à moi maintenant et à jamais, souffla-t-il en l'embrassant.

Elizabeth gémit. D'abord, les baisers de John furent tendres, puis ils se firent de plus en plus ardents.

— Vos baisers sont comme des flocons de neige, commenta-t-elle. Il n'y en a pas deux semblables.

Elle avait décidé d'être à la fois Elizabeth, Titania et la dame en gris. Après tout, où était le mal ? Ce n'était qu'une illusion.

Les lèvres de John descendirent dans son cou. Son souffle chaud sur sa peau la fit frissonner de désir jusqu'au bout des seins.

Il ôta son tablier et la libéra de ses sous-vêtements. Ses lèvres s'emparèrent d'un sein, faisant naître un râle dans la gorge de la jeune femme.

— Tu as le goût du whisky, murmura-t-il.

Il lut dans ses yeux qu'elle lui appartenait corps et âme. Les flammes de la cheminée donnaient à sa peau une lueur dorée comme le miel. Il la prit par les poignets et l'allongea sur le tapis pour la couvrir de son corps.

— Enroule les jambes autour de ma taille.

Elle se rappela la sensation de son poids sur elle, de son sexe dans le sien, du rythme de ses coups de reins. Ce n'est que lorsqu'il la pénétra qu'elle se rendit compte de l'intensité de son désir pour lui. Elle voulait le goûter, le sentir, le toucher. Elle l'embrassa dans le cou. Dès qu'il entama son lent mouvement de va-et-vient, elle le mordit. La première fois, elle avait ressenti une certaine douleur mêlée au plaisir. Il ne restait plus que le plaisir pur.

Son membre lui parut brûlant et soyeux. Elle suivit son rythme sensuel. Elle se cambra dans un cri et l'attira plus profondément en elle.

Sur le point d'exploser, John revint soudain à la réalité. Il parvint à se retirer juste avant de répandre sa semence. Pantelant, il roula sur le côté, gardant la jeune femme dans ses bras.

Le visage enfoui dans le creux de son épaule, elle déposa mille baisers sur sa peau, heureuse, repue. Elle se sentait aimée, ivre de bonheur.

Quand ils se séparèrent enfin, John lui confia qu'il ne s'était jamais senti aussi bien.

— Beth, tu m'embrases d'un regard. Promets-moi que tu ne regretteras jamais de m'avoir aimé.

Ne me demande pas de promesses que je ne pourrai peut-être pas tenir, John… Elle sourit en lui tendant ses lèvres. Puis elle regarda autour d'elle en le voyant éclater de rire.

— Que se passe-t-il ?

— Queenie a dévoré les cuisses de lapin pendant que nous étions occupés à autre chose ! On peut dire qu'elle a de l'appétit !

Elizabeth fut soulagée qu'il ne songe même pas à punir la chienne. Elle rit de bon cœur, d'autant plus en constatant que Chardon s'était oublié sur le tapis persan de Hamilton. Tant pis pour lui !

— Je devrais mener l'âne aux écuries. Mon cheval lui tiendra compagnie, dit John.

— Chardon est encore un bébé… Il tète sa mère.

Elizabeth songea aussitôt à son enfant.

— Je dois retourner à Cadzow, déclara-t-elle.

— Ce soir, c'est impossible.

— Je dois retourner auprès de mon enfant. J'ai été absente toute la journée.

Il la prit par la main et l'entraîna vers la porte, qu'il ouvrit pour lui montrer le blizzard.

— Tu ne peux t'en aller ce soir. Demain, peut-être.

— Je préfère partir ce soir, insista-t-elle.

— C'est à moi d'en décider, Elizabeth.

— Pourquoi ?

— Parce que c'est comme ça.

Elle baissa les yeux pour masquer son ressentiment. Même dans le plus simple appareil, il demeurait un militaire intraitable.

— Nous devrons nous contenter de ce qui reste de ragoût et de pain. Je vais aller nourrir mon cheval. Je conduirai Chardon aux écuries pour l'installer sur une couche de foin. Je vérifierai mes pièges, on ne sait jamais. Peux-tu réchauffer le repas pendant mon absence? À moins que tes mains ne te fassent trop souffrir?

— J'y arriverai.

Je partirai dès qu'il sera endormi, songea-t-elle.

John s'habilla et vaqua à ses occupations. L'ânon apprendrait à se nourrir seul et à s'abreuver de neige fondue dans un seau. En vérifiant ses pièges, il aperçut des traces de loup et de sang. Sans doute avaient-ils dérobé quelque lapin pris au piège. Furieux, il regagna le pavillon, se disant qu'ils devraient manger de la bouillie d'avoine au petit déjeuner.

Durant son absence, Elizabeth parla à Queenie, comme elle le faisait souvent :

— Il ne m'a même pas proposé de me raccompagner au château. Il a le courage et la force d'un soldat, sans oublier son cheval. Il pourrait au moins me ramener vers mon enfant!

Pour toute réponse, Queenie aboya.

— Tu es mon amie. Pourquoi te ranges-tu de son côté?

Ses bandages entravaient ses mouvements. Irritée, elle libéra sa main gauche. Les blessures étaient à vif. Elle découvrit qu'elle était incapable de toucher la marmite sans souffrir. Mieux valait laisser son autre main bandée. Sa robe en laine était sèche. Elle s'empressa de l'enfiler.

À son retour, John déposa l'avoine dans la cuisine et alla remplir plusieurs bouilloires de neige.

— Tiens, dit-il en versant de l'eau dans une gamelle pour Queenie. Tu dois avoir soif après ce festin.

Il enleva ses bottes et sa veste. En ôtant sa culotte, il observa Elizabeth et ne put réprimer un sourire.

— Tes vêtements sont peut-être secs, mais les miens sont encore trempés.

Ses bagages étaient en route pour Londres, avec les soldats. Il possédait bien sûr une tenue de rechange dans sa sacoche, mais se garda de le dire à la jeune femme.

Cette fois encore, il la fit manger à la cuillère. Elle put tout de même tenir son pain, qu'elle trempa dans la sauce.

— Tu me sidères, Elizabeth. Tu es bien la seule dame de ma connaissance qui daigne consommer du lapin.

— Je ne suis pas une dame, répondit-elle d'un ton enjoué.

— C'est vrai. Tu es une femme.

Il versa du whisky dans deux verres et lui en tendit un.

Encouragée par son compliment, elle se confia à lui :

— Je n'ai plus peur de ma mère. J'ai enfin pris mon courage à deux mains et je me suis défendue. Elle n'a pas cédé tout de suite, mais elle a reconnu mon autorité.

Elle but quelques gorgées de whisky.

— Je m'en réjouis, approuva-t-il. Et Hamilton ?

Elle baissa les yeux. Elle s'était juré de ne révéler à personne combien elle était malheureuse. Elle avait pourtant admis qu'elle n'aimait pas sa vie de duchesse. Comment lui dire combien elle haïssait son mari ? La rivalité entre les deux hommes était assez virulente.

Son regard voilé répondit à sa question. Il connaissait Hamilton. Comment ne pas le redouter ?

— Tu regrettes de l'avoir épousé ?

— Parfois, concéda-t-elle. Mais jamais je ne regretterai d'avoir eu Jamie, mon fils, ni le fait qu'il sera un jour duc de Hamilton. La maternité m'apporte le bonheur.

— C'est normal, ma beauté, répliqua-t-il en vidant son verre d'une traite.

Il s'étira pour lui indiquer qu'il était l'heure d'aller se coucher. En apercevant sa tache de naissance sur l'aisselle, elle détourna vivement la tête. Elle ne pouvait admettre une vérité qui la hantait à tout moment, mais qui était trop difficile à affronter.

Elle l'entendit ajouter du bois dans la cheminée. Une douce chaleur naquit dans le creux de son ventre. John était sur le point de l'emmener dans ce grand lit qu'ils allaient partager.

— John... non.

— Si !

Il la souleva et la porta vers le lit.

— Tu entends les battements de mon cœur ? fit-il en posant son oreille sur sa poitrine.

Elle plongea dans son regard brun, un sourire timide au coin des lèvres, et le regarda la déshabiller avec un désir sans cesse renouvelé. Dès qu'il se coucha près d'elle,

elle oublia ses réserves. Cet homme valait tous les risques du monde. Durant une heure, ils se noyèrent dans le bonheur de simples baisers. Il murmura à son oreille des mots d'amour, pleins de promesses sensuelles pour le reste de la nuit.

N'y tenant plus, il la pénétra. Très vite, le plaisir la submergea et elle étouffa un cri rauque. Cette fois, ils connurent l'extase sans retenue puis restèrent unis longtemps, haletants, savourant chaque spasme de plaisir.

Ensuite, John la serra dans ses bras et finit par s'assoupir. Dès qu'elle sentit son souffle lent et régulier, elle se dégagea avec précaution de son étreinte et quitta le lit. Rassemblant ses vêtements épars, elle se rhabilla près du feu. Sans un bruit, elle enfila ses bottes et fit signe à Queenie de la suivre dehors. Le froid s'abattit sur elle. S'accrochant aux pierres du mur, elle se mit en route vers les écuries.

À peine avait-elle parcouru quelques mètres que la porte du pavillon s'ouvrit avec fracas. Elle vit la lanterne illuminer la neige. Les aboiements de Queenie couvraient le hurlement du vent. Elle se plaqua contre le mur, espérant ne pas être vue. En vain. Nu comme un ver, John Campbell la rattrapa, tel un rapace fondant sur sa proie. Elle plongea dans son regard implacable et sombre. Il l'entraîna sans ménagement vers la maison.

— Je serais une bien mauvaise mère si je...

— Pas un mot de plus, nom de Dieu !

Sa capeline glissa de ses épaules.

— Tu avais l'intention de me voler mon cheval. Si Queenie n'avait pas aboyé, vous seriez mortes toutes les deux. Il y a une meute de loups affamés dans les bois. Tu serais une bien mauvaise mère si tu mourais à cause de ton imprudence. Déshabille-toi et va te coucher !

Elizabeth obéit sans sourciller. Elle avait compris son erreur dès qu'elle avait mis le pied dehors.

Quelques minutes plus tard, il la rejoignit au lit. Il la prit dans ses bras pour la réchauffer de son corps.

La colère de John disparut aussi vite qu'elle était apparue pour faire place à de l'inquiétude. Il allait partir à la guerre et ne serait plus là pour la protéger. Il ne pourrait pas non plus la protéger de Hamilton, car elle était sa femme. Il lui caressa tendrement les cheveux.

— Beth, le roi va bientôt déclarer la guerre. Je vais partir pour la France et j'ai peur.

— Cela ne m'étonne pas, répondit-elle en se crispant.

— Ce n'est pas pour moi que j'ai peur !

— Moi si, John, dit-elle en le serrant plus fort contre elle. Ne meurs pas. Surtout, promets-moi de ne pas mourir !

Il posa la tête de la jeune femme sur son épaule.

— Repose-toi. Demain sera sans doute une journée difficile.

Ils se réveillèrent assez tard. Durant la nuit, le vent était tombé. Ils se rendirent à la cuisine pour préparer en riant une bouillie d'avoine fade et sans sucre. Ils finirent par la donner à Queenie, et s'amusèrent de son air dégoûté face à une telle mixture.

John emmena la chienne aux écuries pour s'occuper des animaux.

— La température monte, annonça-t-il à son retour. La neige commence à faire place à de la pluie. Je n'ai pas envie de me séparer de toi, mon amour, mais je pense que tu pourras rentrer à Cadzow aujourd'hui.

— Mon Dieu, il ne faut surtout pas que quelqu'un nous voie ensemble. Les domestiques rapportent tout à Hamilton. Nous ne sommes qu'à trois kilomètres du château.

Il se garda de discuter et alla ranger la cuisine. Puis ils changèrent les draps du lit. Voyant la mine triste de la jeune femme, John voulut la faire rire. Ils se mirent à chahuter comme des enfants insouciants, si bien qu'ils n'entendirent pas la porte s'ouvrir.

— Monsieur Burke… fit Elizabeth en se figeant.

— Votre Grâce, Dieu merci, vous avez trouvé refuge ici. C'était notre unique espoir.

Il sortit rapidement pour leur laisser le temps de se ressaisir.

Livide, Beth se mit à trembler.

— Je suis déshonorée, murmura-t-elle. Le scandale sera terrible…

— Beth, Burke travaille pour moi. Je l'ai chargé de veiller sur toi.

Elle le dévisagea, incrédule, puis poussa un soupir de soulagement.

John glissa les draps sales sous le lit.

— Il s'en chargera, expliqua-t-il à la jeune femme, qui rougit.

Lorsqu'ils sortirent de la chambre, Burke déclara :

— Je regrette d'avoir fait preuve d'incompétence dans mon travail, milord. On ne peut pas dire que j'aie protégé la duchesse.

— Elle est plutôt entêtée, répliqua John en souriant. Elle a même failli m'échapper, cette nuit. Je vous la confie. Il y a aussi un ânon, dans les écuries.

Le soleil apparut soudain, formant un arc-en-ciel.

John baisa la main de Beth.

— Il touche la terre en seulement deux points. Là où je suis, et là où tu es. *Ne obliviscaris*…

30

— Que Dieu soit loué... ainsi que M. Burke! s'exclama Emma en apercevant Elizabeth.

De retour de Glasgow dans la matinée, Bridget exprima aussitôt sa réprobation.

— Je savais bien que ta passion insensée pour les animaux finirait par te jouer des tours!

— Je suis désolée de vous avoir inquiétés. Veuillez me pardonner. Je promets d'être plus prudente, à l'avenir.

Tout le personnel se réjouit de l'issue de la mésaventure. M. Burke était considéré comme un héros.

Elizabeth prit Jamie des bras de la nourrice et le serra contre elle.

— Merci de tout cœur de vous être occupée de lui.

— Je n'étais pas seule, madame!

— Je parie que la mère de Chardon ressent le même bonheur que moi.

En songeant aux loups, elle remercia John en pensée d'avoir sauvé l'ânon.

Le répit fut de courte durée, car la température chuta brutalement, obligeant chacun à rester cloîtré. À la fin du mois de mars, toutefois, la neige fondit enfin. Le 3 avril, l'imposante voiture noire de Hamilton franchit les grilles de Cadzow.

M. Burke alerta aussitôt Elizabeth, qui en eut la gorge nouée. Rassemblant son courage, elle alla accueillir son mari. Par chance, le cocher l'informa que le duc ne l'accompagnait pas. Il lui tendit une lettre. Le remerciant d'un sourire, elle l'envoya à l'office manger un bon repas. Puis elle monta dans sa chambre pour lire la missive.

Chère Elizabeth,

Dans l'impossibilité de me rendre en Écosse, j'ai donné l'ordre à mon cocher de vous conduire à Uppingham, où je vous retrouverai. Je suis en affaire avec Will Cavendish et je sais que vous serez heureuse de rendre visite à lady Charlotte, qui vient de donner une fille à son mari. Je suis impatient de leur présenter notre fils.

Partez sans tarder. La noblesse regagne déjà Londres et nous devons organiser notre bal.

Votre mari dévoué,

James, duc de Hamilton

Elizabeth se demanda s'il s'agissait d'un calcul de la part de son époux. Si tel était le cas, il avait assurément trouvé un excellent moyen de la faire partir d'Écosse, car elle brûlait de revoir son amie.

Le lendemain, elle reçut justement une lettre de Charlotte lui annonçant la naissance de sa fille, baptisée Dorothy comme sa grand-mère. Charlie l'invitait à lui rendre visite en rentrant d'Écosse. Elizabeth ordonna à Emma et Bridget de préparer les bagages.

— Madame Douglas, j'aimerais vous emmener à Londres avec moi, mais je suppose que votre mari ne vous laissera pas partir ?

— Je n'ai pas de mari, Votre Grâce, bredouilla-t-elle en rougissant. Je sais, c'est une honte… Je vous croyais au courant. Je suis désolée, madame.

Elizabeth lui prit la main.

— Cela n'a aucune importance à mes yeux, assura-t-elle. Aimeriez-vous venir à Londres pour vous occuper de Jamie ?

— Volontiers, mais je ne peux pas laisser mon enfant, Votre Grâce.

— Comme si je pouvais séparer une mère de son enfant ! Votre fille fait déjà partie de la famille. Allez vite faire vos bagages.

Deux jours plus tard, les malles étaient solidement attachées sur le toit du véhicule. Elizabeth fit ses adieux à Queenie. Les quatre femmes et les deux enfants avaient juste assez de place dans la berline.

Au dernier moment, Beth vit avec étonnement M. Burke s'installer à côté du cocher. John Campbell est vraiment un démon, songea-t-elle.

— Vous venez d'avoir un enfant. Est-il bien raisonnable d'être déjà debout, Charlie ?

Elizabeth porta son fils à l'intérieur pour le présenter à son amie et à Dorothy Boyle.

— Je refuse de passer dix jours au lit, surtout par un temps aussi superbe. Oh, votre fils est un beau brun. Il est presque aussi grand que mon petit William ! Pas étonnant que James en soit si fier !

— James est arrivé ? demanda Beth en pâlissant.

— Oui. Hier. Il s'est enfermé dans la bibliothèque avec Will. Allez donc lui faire la surprise !

— Non ! Je ne veux pas le déranger en plein travail.

— Venez donc à la nursery, que je vous présente mes deux enfants.

— Allez-y, dit Dorothy Boyle en prenant le bras de Bridget. J'ai des mois de potins à raconter à votre pauvre mère qui a passé l'hiver au fin fond de l'Écosse !

Comment pouvait-elle être aussi hypocrite ? Elle avait une liaison avec le père de Beth, mais faisait mine d'être l'amie de sa femme. Elizabeth se força à ne plus penser à cette liaison, car sa propre conduite n'était pas irréprochable.

— Voici la nourrice de James, Mme Douglas, qui est accompagnée de sa propre fille. Elle a accepté de venir avec moi depuis Cadzow.

— Plus on est de fous, plus on rit, déclara Charlie d'un ton enjoué. Nous ne manquons pas de berceaux. Si Will et moi poursuivons sur notre lancée, nous en aurons besoin !

Elizabeth s'attarda dans la nursery, repoussant l'échéance des retrouvailles avec son mari. Finalement, Hamilton vint à sa rencontre.

— Voici mon petit prince ! dit-il en tendant les bras.

Beth lui remit son fils à regret.

— Elizabeth, ma chère, vous êtes radieuse.

Il se pencha pour l'embrasser et la considéra longuement.

— Avez-vous fait bon voyage ? s'enquit-il.

— Oui, J... James. M. Burke a tout fait pour notre confort.

— Burke vous a accompagnée ? s'étonna-t-il en fronçant les sourcils.

Hamilton veut tout maîtriser, songea-t-elle. Il va chasser Burke pour avoir outrepassé son rôle, et ce sera de ma faute.

Elle suivit le duc, qui s'entretenait avec le régisseur. Elle entendit celui-ci expliquer :

— Les routes sont encore verglacées. Mon unique priorité était la sécurité de la duchesse et de votre fils, Votre Grâce. J'ai également pris la liberté de vous apporter une caisse de whisky.

Hamilton se dérida aussitôt.

— Très bien, Burke. Je vois que vous prenez votre travail très à cœur.

Comme toujours chez les Devonshire, le dîner fut somptueux. En pensant à la nuit à venir, Beth avait, hélas, perdu tout appétit. Non seulement elle devrait partager la chambre de son mari, mais également son lit. Dans son esprit, la peur se mêlait à un sentiment de culpabilité.

Will et Hamilton étaient en grande conversation, tout comme Dorothy et Bridget. Elizabeth ne remarqua pas que Charlie ne disait presque rien.

À la fin du repas, Charlie posa sa serviette.

— Veuillez m'excuser, dit-elle. J'ai terriblement mal à la tête.

Seigneur, songea Beth, elle fait mine d'avoir mal à la tête pour que le duc et moi puissions nous retirer de bonne heure. Elle joue les Cupidon... Je vais l'étrangler.

James se leva et vint se placer derrière elle pour poser les mains sur ses épaules.

— Je vous accompagne, ma chère. Après ce long voyage, vous devez être désireuse de vous coucher.

— Je... je dois passer à la nursery.

— Allons-y tous les deux, proposa-t-il avec un sourire.

La vaste pièce comptait deux nurses et quatre berceaux. Le duc les inspecta, en quête de son fils, puis il souleva son héritier à bout de bras.

Il aime sincèrement son fils, songea Elizabeth. C'est parce qu'il le croit fait à son image... Elle repoussa vite son sentiment de culpabilité et déposa un baiser sur la tête brune de Jamie. Puis elle se tourna vers la nourrice.

— Prévenez-moi au moindre problème.

Hamilton remit l'enfant à Mme Douglas et posa une main ferme dans le dos de sa femme.

— Je vous accompagne dans la chambre.

Pleine d'appréhension, elle traîna les pieds dans l'escalier.

Dès qu'il eut refermé la porte de la chambre, Hamilton ordonna :

— Déshabillez-vous devant moi.

Elle eut une telle envie de lui résister qu'elle eut toutes les peines du monde à se maîtriser. S'il exigeait d'exercer ses droits conjugaux, elle ne le supporterait pas. Au fond d'elle-même, elle était prête à se battre. Mais elle se refusait à une violente dispute sous le toit de ses amis. Elle gagna du temps en s'installant à sa coiffeuse pour se brosser les cheveux. Dans le miroir, elle vit Hamilton s'approcher et se raidit.

Ses doigts boudinés se posèrent sur les siens et lui prirent la brosse.

— Elizabeth, je veux vous voir vous déshabiller, et tout de suite !

Indécise, elle le fixa. Fallait-il céder ou lutter ?

— Dépêchez-vous donc ! Je n'ai pas toute la nuit ! Je dois discuter de questions importantes avec Cavendish, alors déshabillez-vous ! Je veux examiner votre silhouette.

Soulagée d'apprendre qu'il n'avait pas d'intentions sexuelles, elle n'en était pas moins choquée. Cette ordure voulait constater les dégâts qu'avait provoqués un accouchement sur son corps. Elle ne savait si elle devait lui obéir. Pour cette fois, mieux valait se plier à ses exigences.

La rébellion viendrait, aussi inévitable que dans une tragédie grecque, mais au moment propice.

De peur de l'exciter si elle prenait trop de temps, elle ôta ses vêtements avec indifférence.

Dès qu'elle se retrouva nue, il fit le tour de la jeune femme, l'examinant sous tous les angles. Il observa ses seins, son ventre, ses cuisses. Elle avait l'impression d'être une jument à la foire, mais refusait de baisser les yeux.

— Vous êtes presque parfaite. Un peu plus ronde, peut-être, ce qui ne peut qu'augmenter le nombre de vos admirateurs. Puisque le fait de me donner un fils ne vous a guère abîmée, je crois que je peux envisager d'en engendrer un second.

Plutôt mourir, songea-t-elle.

Après son départ, Beth alla se coucher, mais ne trouva pas le sommeil. Quelle chance que cet examen attentif n'ait pas révélé ce qu'elle avait fait avec John. Sa culpabilité revint à la surface.

Elle dut s'assoupir, car elle se réveilla en sursaut en entendant la porte s'ouvrir, puis des voix.

Hamilton, avec l'aide de Morton, entra, ivre mort. Elle se leva et enfila un peignoir.

— Vous allez y arriver ? demanda-t-elle au valet.

— Comme toujours, Votre Grâce. Il serait encore en train de boire si Cavendish n'avait pas été appelé au chevet de sa femme, qui est souffrante.

— Lady Charlotte ? Je ferais bien d'aller voir si je peux faire quelque chose pour elle.

En arrivant dans la chambre de son amie, elle assista à une scène troublante. Charlotte vomissait dans une bassine. Will semblait fou d'inquiétude.

— Je vais faire prévenir le médecin, annonça Dorothy Boyle, mais je doute qu'il vienne avant demain matin, le bougre.

En apercevant Elizabeth, Charlie tendit la main vers elle.

— J'ai si mal à la tête… gémit-elle entre deux spasmes.

Seigneur, moi qui croyais qu'elle mentait, se dit Beth. Son amie avait la main brûlante de fièvre.

— Je vais chercher de l'eau froide pour lui éponger le front, déclara-t-elle.

— Je m'en charge, intervint Will. Restez avec elle.

Il revint avec un gant et une cuvette d'eau fraîche, qu'il tendit à Beth.

— Je vais lui chercher une autre chemise de nuit.

Jane, la femme de chambre, aida sa maîtresse à se changer, tandis que Beth lui posait une compresse sur le front.

— J'ai également mal au dos, se plaignit-elle.

— Chérie, je crois que vous vous êtes levée trop vite après l'accouchement, dit Will, anxieux. Le médecin vous administrera de quoi faire baisser la fièvre.

Charlie avait le visage rouge. La malheureuse ne garda même pas une gorgée d'eau.

— Une tisane serait préférable contre la nausée.

— Je vais dire à la cuisinière d'en préparer, annonça Will en quittant la chambre.

Dorothy Boyle réapparut.

— J'ai envoyé un valet chez le médecin avec un message urgent.

Ils s'affairèrent autour de la malade, mais le docteur ne vint qu'à l'aube. Il l'examina et lui prescrivit un remède contre la fièvre, la mine grave. Puis il voulut s'entretenir en particulier avec Will.

Ce dernier revint dans la chambre, le teint livide.

— Le médecin sera de retour dans quelques heures.

— C'est tout ce qu'il a dit ? demanda Dorothy.

Will fit signe à Dorothy et Elizabeth de s'approcher.

— Il dit que la sage-femme qui a accouché Charlie est morte de la variole, hier. Il y a d'autres cas suspects au village, mais il ne peut confirmer que Charlie l'ait attrapée.

— Dieu du ciel ! s'exclama Dorothy en se signant.

— Il m'a conseillé d'éloigner les enfants. Vous devez emmener votre fils, Elizabeth.

Pâles, Elizabeth et Will retournèrent au chevet de Charlie. Les yeux fermés, elle délirait. La gorge nouée, Beth regarda Will lui caresser le front.

— Je reste avec elle, murmura-t-il. Dorothy devra conduire les enfants à Londres.

— Je vais dire à la nourrice de préparer les effets de Jamie, répondit Beth.

Il faut que ma mère et Emma s'en aillent, songea-t-elle. James aussi. Et Mme Douglas qui est en train d'allaiter sa fille…

Elizabeth resta à distance du berceau de Jamie.

— Lady Charlotte est malade. Le docteur dit que c'est contagieux. Vous allez vite faire les bagages et partir pour Londres. Je dois réveiller ma mère et les autres. Il nous faudra deux voitures.

Emma était déjà levée et habillée.

— Charlie est sans doute contagieuse. Réveillez ma mère et aidez-la à faire les bagages. Mme Douglas s'occupe des enfants. Pourriez-vous prévenir M. Burke ?

Beth croisa Morton sur le palier.

— Suivez-moi, lui dit-il. Il faut réveiller le duc.

Dans la chambre, Hamilton ronflait. Morton le secoua jusqu'à ce qu'il ouvre un œil et lance une bordée de jurons.

— James, je suis désolée de vous déranger, mais lady Charlotte a attrapé une maladie qui risque d'être contagieuse. Le médecin nous recommande de partir pour Londres immédiatement. J'ai prévenu la nourrice.

— Contagieuse ? répéta-t-il en clignant les yeux.

— Il pense à la varicelle, mentit-elle. Les enfants sont très vulnérables à cette maladie.

— Morton ! Les bagages ! ordonna-t-il en se levant d'un bond.

Une heure plus tard, trois véhicules chargés de malles attendaient dans la cour. Deux nurses des Cavendish, tenant chacune un enfant, étaient installées dans le premier, attendant que Jane aide la comtesse de Burlington. Dorothy avait du mal à partir.

— Dès que les enfants seront à l'abri à Londres, je reviendrai m'occuper de ma fille !

Morton installa Mme Douglas et les deux nourrissons dans l'une des voitures des Hamilton. Très énervé, le duc prit sa femme par le bras pour la faire monter.

— Je vais attendre maman, protesta-t-elle. Vous savez combien elle tarde à se préparer. M. Burke prendra soin de nous. Je vous en prie, James, emmenez vite Jamie loin d'ici. Emma m'aidera à presser maman.

Elle savait que son mari ferait venir le médecin dès qu'il arriverait chez lui, pour qu'il examine son fils.

— Votre mère n'est qu'une garce autoritaire. Si elle n'est pas descendue dans dix minutes, laissez-la ici. C'est compris ?

— D'accord. Partez vite ! Je vous verrai à Londres, Votre Grâce.

Morton s'assit à côté du cocher et la voiture s'éloigna au moment même où Bridget et Emma se présentaient. Elizabeth alla rejoindre Burke qui chargeait les malles. Il aida les deux femmes à monter, puis prit le bras de Beth.

— Je reste, monsieur Burke.

— Ce ne serait pas raisonnable, Votre Grâce. C'est peut-être la variole.

— Je sais. C'est pourquoi je dois rester à son chevet.

— La variole ? s'écria Bridget. Elizabeth, monte ou reste, décide-toi ! Il ne faut pas s'attarder.

M. Burke leva les yeux au ciel.

— Je vais avoir des ennuis à cause de vous, prédit-il, la mine grave.

Elizabeth regagna ensuite la chambre de la malade.

— Ils sont partis, Will. Nous pouvons nous consacrer à Charlie, désormais.

— Vous auriez dû partir avec eux, mais je vous remercie de tout mon cœur d'être restée. Vous êtes une amie dévouée, Elizabeth.

Lorsque le médecin revint en fin d'après-midi, la fièvre de Charlie était un peu retombée, mais son visage était couvert de boutons.

— Faites en sorte qu'elle soit à l'aise, qu'elle n'ait pas trop chaud. Par mesure de sécurité, empêchez les autres d'entrer dans cette chambre. Je reviendrai demain matin.

Will alla chercher un matelas. Elizabeth et lui pourraient se reposer à tour de rôle. Après sa toilette, Charlie parla pour la première fois. Beth demeura en retrait pour la laisser avec son mari.

— Vous avez des boutons, chérie. On dirait la rougeole.

— Éloignez les enfants…

— Naturellement. Mais je ne parviens pas à éloigner Elizabeth. Elle refuse de partir.

— Elle est la sœur que je n'ai jamais eue. Je vais bientôt guérir.

Épuisée par cet effort, Charlie ferma les yeux.

Au matin, elle avait des boutons sur tout le corps. Will voulait croire qu'elle avait la rougeole, mais le médecin regarda Elizabeth et secoua la tête.

Le troisième jour, les boutons firent place à des ampoules, puis à des pustules infectées. La fièvre grimpa. Charlie se mit à délirer. Will ne se berçait plus d'illusions.

— Je ne supporte pas de la voir souffrir.

Il veilla sa femme jour et nuit, tenant sa main en lui répétant combien il l'aimait.

Beth redoutait de la laver. Les pustules allaient laisser d'affreuses cicatrices indélébiles.

Le quatrième jour, vers minuit, Charlie retrouva sa lucidité. Elle leur sourit.

— Je vous aime tant, tous les deux.

Elle poussa un long soupir, referma les yeux et cessa de respirer.

Will regarda Elizabeth, à la fois désespéré et incrédule. La gorge nouée, Beth était incapable de prononcer un mot. Elle regagna sa chambre et fut prise d'une violente nausée.

C'est ainsi que la maladie de Charlie avait commencé… Mais non, lui dit la petite voix de la raison. Tu n'es pas malade. Tu es bouleversée.

Le cœur gros, Elizabeth attendit patiemment que Will quitte la chambre de sa femme. Les larmes ruisselaient sur ses joues. Il brandit un petit sac contenant son peigne préféré.

— C'est tout ce qui me reste d'elle…

Elizabeth posa une main sur son bras, même si elle savait que rien ne pouvait le consoler.

— Non, Will. Vous avez deux enfants.

Il fondit en larmes et s'enfuit.

Elizabeth informa le personnel du décès de lady Charlotte. Puis elle emplit une cuvette d'eau chaude et alla dire au revoir à son amie la plus chère.

Elle fit la toilette de Charlie, la revêtit d'une chemise de nuit blanche.

— C'est trop injuste, Charlie. Vous deviez être la prochaine duchesse de Devonshire...

Elle alla chercher une paire de ciseaux pour couper une mèche de cheveux bruns.

Ensuite, elle rejoignit Will dans la bibliothèque, le regard vide, perdu.

— Voici un souvenir, Will. Gardez cette mèche sur vous en permanence.

Il observa la boucle brune avec respect, puis surgit de sa torpeur et songea aux formalités qui l'attendaient.

— Les funérailles auront lieu dans l'intimité. Comment vais-je consoler Dorothy ? Elle a déjà perdu deux enfants avant Charlie, vous savez.

— Nous le lui dirons ensemble.

— James sera fou de rage en apprenant que vous vous êtes exposée à la variole. Retournez vite chez vous.

— Je sais. Je partirai après le retour de Dorothy.

31

Dans la voiture que Hamilton avait envoyée pour elle, Elizabeth posa les pieds sur le siège. Le cocher avait reçu l'ordre de la ramener à Londres, même s'il devait la ligoter. Elle avait demandé au médecin si elle risquait de transmettre la maladie à son enfant, mais il avait répondu que le délai d'incubation était passé.

Épuisée et triste, elle se recroquevilla sur elle-même et tenta de dormir. Sa conscience l'en empêcha. Son chagrin et son sentiment de culpabilité étaient étroitement mêlés. Elle avait le sentiment que la mort de Charlotte était le prix à payer pour sa faute. Elle songea aux paroles de lady Macbeth, dans la pièce de Shakespeare, sur les parfums d'Orient qui ne seraient jamais à même d'adoucir la puanteur de son nom et de sa liaison adultère. Elle ne put réprimer ses larmes. Un destin cruel avait privé Charlotte d'un titre de duchesse qui lui seyait à merveille, alors qu'elle-même ne méritait pas le sien et le détestait.

Quand elle eut versé toutes les larmes de son corps, elle s'endormit. À son réveil, le chagrin la submergea de plus belle. Elle arrivait à Londres. De nouvelles épreuves l'attendaient. Elle était lasse au-delà des mots. Et surtout, elle n'avait aucune envie d'affronter Hamilton.

Elle gravit les marches du perron de la maison de Grosvenor Square, les jambes tremblantes. Les domestiques se précipitèrent pour prendre ses bagages. Le majordome lui annonça que le duc l'attendait dans la bibliothèque.

— Vous n'êtes qu'une petite garce manipulatrice et sournoise ! Vous m'avez fait croire que vous voyageriez dans la seconde voiture. C'était un mensonge délibéré et j'exige des explications !

Pour mieux souligner son autorité, le duc s'assit derrière son bureau en acajou.

— Charlie est morte.

— Morte ?

Choqué, il se releva et la dévisagea d'un air méfiant.

— De quoi est-elle morte ?

— De la variole.

— La variole ?

Il recula d'un bond, renversant sa chaise.

— Nom de Dieu, vous êtes restée à son chevet en vous exposant à une maladie mortelle. Seriez-vous folle ? Je pourrais vous faire enfermer à l'asile pour cette imprudence !

— Elle était ma meilleure amie.

— Vous parlez d'une amie ! Elle vous a exposée à la variole !

Le front moite, il sortit son mouchoir et s'épongea.

— Et maintenant, vous nous rapportez la maladie, à mon fils et à moi !

— Le médecin m'a assuré que la période d'incubation était passée, répondit Elizabeth d'un ton las.

— Vous ne vous rendez donc pas compte que vous avez risqué la mort ? Ou pire, d'être défigurée par les cicatrices ?

— La perte de la beauté d'une femme est en effet pire que de la perdre. Dites-le à votre ami William Cavendish.

— Comment osez-vous être insolente ?

Il fit quelques pas vers elle, menaçant, mais préféra éviter tout contact avec elle.

— Je vous interdis de voir Jamie pendant une semaine. Vous pourriez le contaminer.

Il prit un air dégoûté.

— Vous avez une mine effroyable. Auriez-vous oublié que vous êtes la duchesse de Hamilton ? Je vous recommande de tout mettre en œuvre pour retrouver votre beauté légendaire pour le début de la saison.

— Je suis en deuil, Votre Grâce. Puis-je disposer ?

— Hors de ma vue ! lança-t-il avec un geste de la main.

Resté seul dans la bibliothèque, Hamilton croisa les doigts. Le deuil de Will pourrait bien jouer en sa faveur. James harcelait le roi pour obtenir le poste du vieux Devonshire, mais il redoutait que le souverain ne l'accorde à William, le fils de Devonshire. Avec Cavendish en deuil et son père mourant, la situation prenait un tour favorable. Il avait désormais ses chances.

Elizabeth croisa Bridget au sommet de l'escalier.

— Maman, peux-tu venir dans ma chambre avec Emma et la nourrice ? Dis-lui de laisser Jamie à la nursery, ajouta-t-elle à regret.

En entrant dans la pièce, les trois femmes trouvèrent une Elizabeth abattue, assise sur son lit.

— Comment vont les enfants ? Pas de signe de fièvre, pas de boutons ?

— Ils sont en pleine forme, Votre Grâce, assura Mme Douglas.

— Lady Charlotte, mon amie, est morte de la variole. Son mari et sa mère sont effondrés.

— Je suis offensée que Dorothy Boyle n'ait pas jugé bon de me l'annoncer, grommela Bridget.

— Dorothy ne l'a appris qu'au moment de son arrivée à Uppingham. Les funérailles se dérouleront dans l'intimité. Il faudra envoyer des fleurs, des roses blanches.

— Vous semblez épuisée, commenta Emma en préparant le lit.

— Je vais d'abord prendre un bain. Madame Douglas, Jamie me manque, mais mon mari et moi-même jugeons préférable que je reste à distance pendant quelques jours encore. Le médecin m'a dit que la période d'incubation était passée, mais la prudence est de mise.

Deux jours de repos suffirent à rendre à la jeune femme sa beauté et son énergie. Il n'en était pas de même pour son moral. Son amie resterait à jamais dans son cœur.

Elle venait de rédiger une lettre destinée au comte et à la comtesse de Burlington, quand on frappa à la porte.

— Entrez, dit-elle.

Jack Gunning apparut.

— Beth, je suis désolé d'apprendre le deuil qui te frappe. Je sais combien tu étais liée à Charlie.

La jeune femme essuya une larme.

— Je lui parle chaque jour, répondit-elle. Une vieille habitude irlandaise, sans doute...

— Elizabeth, depuis ton mariage avec Hamilton, un gouffre nous sépare. Je regrette que ce mariage ne t'ait pas apporté le bonheur, mais je ne pouvais m'opposer à ta mère, à l'époque.

— Depuis, tu as trouvé le courage de la tromper.

Il grimaça.

— Je suis désolé que tu nous aies surpris.

— Je ne puis te condamner. Je suis mal placée pour te jeter la première pierre.

Face au sous-entendu de cette phrase, Jack écarquilla les yeux. Il n'eut pas à demander de qui il s'agissait.

— D'après les jérémiades de ta mère, j'ai l'impression que tu as trouvé du courage, toi aussi.

— Elle n'est qu'un tigre de papier, fit Elizabeth en souriant. Il a suffi que je résiste pour qu'elle se taise. Je n'ai plus peur d'elle.

— Je me réjouis de constater que tu n'es plus l'enfant timorée d'autrefois. En un an, tu es devenue une femme. Le petit James t'a fait grandir, ma beauté.

— Il est tout, pour moi. Allons le voir !

Je n'attendrai pas une minute de plus pour embrasser mon fils, songea-t-elle. Hamilton n'en saura rien. Qui le lui dira ? Ni la nourrice, ni Emma, ni Morton ou M. Burke.

— Les moments que nous partagions m'ont manqué, dit-elle à son père en l'embrassant. Et si tu me donnais une leçon d'escrime, demain ?

En voyant le duc rentrer pour le dîner, Elizabeth fut un peu surprise. Il passait peu de temps à Grosvenor Square. Elle enfila une robe ordinaire et le rejoignit dans la salle à manger.

— Bonsoir, Votre Grâce. J'ai de plus en plus d'appétit.

Il ignora ses propos.

— Pourquoi êtes-vous en gris ?

— C'est... c'est une couleur de deuil.

— Vous n'êtes pas en deuil, répliqua-t-il en se servant un whisky.

— Si, insista-t-elle.

— Alors soyez-le en privé.

Il changea aussitôt de sujet.

— Je dîne en votre compagnie pour que nous puissions parler de notre bal. Cette année, les bals masqués sont en vogue. Ce sera donc un bal masqué.

Elizabeth n'en croyait pas ses oreilles.

— Après la mort d'une amie chère, un bal serait malvenu.

— Je suis le duc de Hamilton. Rien n'est malvenu, dit-il d'un ton sans réplique. Une costumière viendra dès demain. J'aimerais vous voir déguisée en reine d'Écosse.

Elizabeth ne put réprimer un frisson d'effroi au souvenir de la vision qu'elle avait eue à Holyrood. Ce n'est pas possible, songea-t-elle, affolée.

— Vous pourrez présenter Jamie à nos invités. Nous lui ferons faire une petite couronne. Il incarnera le roi Jacques Stuart.

— Jamie incarnerait le roi Jacques enfant, tandis que vous seriez le roi Jacques adulte, sans doute ? railla-t-elle, fulminant intérieurement.

— Excellente idée ! Il est rare que la beauté et l'esprit aillent de pair, chez une femme. Coventry n'aura jamais cette chance, le pauvre.

— Maria est ma sœur, Votre Grâce, protesta Beth en relevant fièrement la tête.

— C'est difficile à croire. Elle n'a ni esprit ni morale.

— Je ne veux pas participer à cette plaisanterie !

— Asseyez-vous, dit-il en vidant son verre. J'ai les moyens de vous faire céder à tous mes caprices, madame.

Soudain, Elizabeth eut du mal à respirer. Cette ordure n'allait tout de même pas utiliser l'enfant pour parvenir à ses fins !

Ce soir-là, elle ne parvint pas à s'endormir avant d'avoir trouvé un projet pour ce bal, qui satisferait le duc sans entraver cette liberté à laquelle elle commençait à prendre goût.

Le lendemain, Elizabeth laissa la costumière prendre ses mesures pour le costume de la reine Mary.

— Il me faudra un autre costume, dit-elle ensuite en lui tendant une paire de boucles d'oreilles en rubis. Mais c'est un secret. Il s'agit d'une surprise pour mon mari. Si vous me garantissez une discrétion absolue, ces boucles d'oreilles sont à vous.

— Je comprends, Votre Grâce. De nombreuses dames aiment garder le secret sur leur costume. Vous pouvez compter sur moi.

— Parfait ! J'aimerais me déguiser en homme. En costume de satin noir, avec un gilet gris, peut-être. Quelque chose de discret, surtout. Il me faut bien sûr une perruque et des chaussures noires.

— Tout sera prêt pour le premier essayage, dans la semaine.

— Merci. Ce jour-là, je vous remettrai les rubis.

Elizabeth gagna ensuite la nursery. Elle avait décidé de passer le plus de temps possible avec son fils. Dieu seul savait si Hamilton n'allait pas éprouver un plaisir pervers à la séparer de l'enfant.

En passant devant la salle à manger, elle vit Burke en train d'astiquer l'argenterie. Elle avait tendance à l'éviter car il faisait naître en elle un sentiment de culpabilité. Mais elle redoutait que John Campbell ne se présente au bal.

— Monsieur Burke, le duc tient à organiser un bal à Grosvenor Square, malgré mon deuil. Vous étiez au courant ?

— Oui, Votre Grâce. Un bal masqué, je crois.

Elle hésita, puis se lança :

— Nous avons une connaissance commune qui ne doit surtout pas profiter de l'occasion pour venir masqué.

— C'est impossible, Votre Grâce. Cette personne se trouve en France.

Elizabeth retint son souffle. La guerre sera déclarée sous peu, songea-t-elle. Dans ce cas, la saison risque d'être écourtée.

— Merci, monsieur Burke.

Ne meurs pas, John. Surtout, ne meurs pas !

Ce soir-là, après avoir bordé Jamie, Beth se rendit dans l'aile occupée par ses parents, officiellement pour prendre sa leçon d'escrime. Elle cherchait surtout une occasion de discuter avec son père.

— As-tu entendu parler d'une déclaration de guerre ? s'enquit-elle, anxieuse.

— Cela fait plus d'un an que les combats ont repris entre la France et l'Angleterre, surtout en Inde et en Amérique. Mais la guerre est inévitable en Europe, hélas.

— Sais-tu quand cela se produira ?

— Si Newcastle n'était pas une telle lavette, il aurait déjà déclaré la guerre. Hier soir, chez White's, j'ai entendu dire que Minorque, en Méditerranée, avait été prise par la flotte française.

— Minorque appartient à l'Angleterre ?

— Oui. Le roi agira demain ou après-demain, malgré Newcastle.

— Voilà qui mettra fin aux bals et autres mondanités.

Jack éclata de rire face à la naïveté de sa fille.

— Au contraire, les festivités vont redoubler de faste. La Cour aura à cœur de prouver la supériorité de l'Angleterre sur la France, même si notre armée est en déroute… Surtout dans ce cas.

— Nous devons absolument gagner ! lança Elizabeth, la gorge nouée par l'angoisse.

Son père lui tendit une épée.

— Viens vite prendre ta leçon, pour que tu puisses te défendre contre l'ennemi !

Le lendemain, Elizabeth emmena Jamie chez sa sœur.

— Maria, tu as des boutons rouges sur le visage. Mon Dieu ! Te sens-tu bien ?

— Cesse donc de t'inquiéter. Je ne vais pas mourir comme cette imbécile de Charlie. En fait, j'ai des nausées matinales, ces derniers temps. Je crois que je suis enceinte.

— C'est merveilleux ! Mais ces boutons...

— Tu n'es pas très délicate de m'en parler. Tout le monde peut avoir une éruption de temps en temps. Je n'en connais pas l'origine, mais le traitement est simple. Il suffit de les dissimuler sous mon maquillage.

— Tu parles de cette crème blanche ? C'est peut-être cette crème qui provoque ces boutons, justement !

— Ne dis pas de bêtises. Tu as toujours de ces idées... La crème rose pâle a été baptisée Maria en mon honneur. Tu vas voir, elle fera fureur cette saison.

— Je t'ai apporté une invitation pour le bal masqué. Je trouve indécent de recevoir si peu de temps après la mort de Charlie, mais James y tient.

— Allons, Elizabeth. C'est la première fois que je t'entends critiquer le duc. Tu n'as jamais su le manipuler. Je crois que je viendrai en lady Godiva. Le gratin pourra s'en donner à cœur joie. J'espère que tu as invité le prince George.

— James invitera forcément la famille royale. Pourquoi cette question ?

— Je souhaite l'ajouter à la liste de mes conquêtes. J'ai eu un vicomte, un comte, un marquis et un duc. D'après la hiérarchie, il me manque encore un prince, et George est le seul que je connaisse.

Les affabulations de Maria sont scandaleuses ! songea Beth. Voici ce qui se produit lorsque l'on joue la comédie depuis l'âge de deux ans. On n'arrive plus à dissocier les rêves de la réalité.

Elle déposa un baiser sur la joue de son fils.

— Je dois m'en aller. Jamie commence à s'agiter. Je l'ai amené pour qu'il voie sa tante Maria, mais tu l'as à peine regardé.

— Tous les bébés se ressemblent, répondit Maria avec un geste désinvolte.

— Jusqu'à ce que tu aies le tien, répliqua Elizabeth sans s'offusquer. Tu embrasseras George de ma part. Cela fait des mois que je ne l'ai pas vu.

— Je l'embrasserai de ta part, mais moi, je ne l'embrasse jamais.

Beth secoua la tête. Sa sœur ne changerait donc jamais.

Deux jours avant le bal masqué du duc et de la duchesse de Hamilton, le roi déclara la guerre à la France. Le succès de la fête était garanti. Toute la noblesse avait envie de se changer les idées.

Le soir du bal, Elizabeth revêtit son déguisement de reine Mary, puis dit à Emma de descendre s'amuser un peu. Elle se rendit ensuite à la nursery.

— Je vous ramènerai Jamie à la première occasion, expliqua-t-elle à la nourrice. Et nous le coucherons. Il est cruel d'exhiber un bébé comme un trophée.

Tandis qu'elle l'habillait en robe de baptême, l'enfant gazouilla et tira sur une mèche rousse de sa perruque.

James franchit le seuil de la nursery, resplendissant en roi Jacques. Il posa un œil critique sur sa femme et lui ordonna de se tourner pour mieux examiner son costume. Ne trouvant rien à redire, il plaqua une main sur son sabre et s'inclina, attendant qu'Elizabeth lui réponde d'une révérence.

Beth serra les dents, refusant de s'humilier de la sorte. Elle savait qu'il ne cherchait qu'à affirmer sa domination sur elle. Elle eut envie de lui arracher les yeux, mais elle redoutait qu'il ne lui prenne Jamie à la première contrariété.

Elle fit donc la révérence et attendit que son « roi » lui dise de se relever.

Hamilton ouvrit une boîte qu'il avait apportée.

— J'ai fait confectionner cette cape en hermine pour le petit James, sans oublier sa couronne, bien sûr.

Elizabeth fulminait. Les mains tremblantes, elle affubla son fils de ce déguisement ridicule.

— Nous sommes prêts, *Votre Majesté*.

Le trio attira les regards avant même d'entrer dans la salle de bal. Les invités s'extasièrent devant l'enfant. Ravi de ces attentions, il se mit à gazouiller. L'assemblée éclata de rire.

Souris, se dit-elle. Tu es la duchesse de Hamilton.

Des domestiques en livrée circulaient dans la salle, chargés de plateaux. Les invités levèrent leur verre à la famille royale. Beth espérait que, dès qu'il aurait abusé de l'alcool, le duc se désintéresserait d'elle et de son fils.

Tout Londres semblait s'être déplacé. Toutes les pièces de la maison étaient bondées. L'arrivée de Maria, en robe chair moulante, coiffée d'une longue perruque blonde, fit sensation. Elizabeth suivit des yeux son mari qui se joignait à la foule, guettant une occasion de s'éclipser. Elle monta vite confier Jamie à sa nourrice.

Dans sa chambre, elle ôta son déguisement qu'elle cacha dans une armoire et se démaquilla. Puis elle enfila son costume d'homme très simple en satin, avec un gilet gris. Devant le miroir, elle coiffa sa perruque avec soin pour dissimuler ses cheveux dorés. Enfin, elle se munit du sabre avec lequel elle se battait contre son père depuis l'enfance.

Elle constata avec plaisir qu'elle avait tout d'un jeune homme discret. Non seulement elle allait réaliser le fantasme de Charlie, mais elle pouvait rester en deuil.

En redescendant, elle se mêla à la foule, le cœur battant. Mais nul ne parut la remarquer, de sorte qu'elle se calma rapidement. Elle s'inclina face à Newcastle, le Premier ministre, se disant qu'il aurait mieux fait de se déguiser en femme plutôt qu'en loup de mer.

Certains déguisements étaient très réussis. Elizabeth ne devinait pas qui se cachait dessous. Cependant, le hussard ne pouvait être que le prince George. Maria ne devait pas être loin. Elle aperçut effectivement lady Godiva et s'inclina.

— Qui peut être cette ravissante personne ? fit-elle d'une voix grave. Je suis certain de vous connaître.

— Bibliquement, sans doute, lança une voix sardonique derrière Elizabeth qui se figea, car il s'agissait de son mari.

Maria prit le bras du prince.

— Plaît-il ? demanda froidement Beth à Hamilton.

— Je n'ai pas à m'excuser, dit-il en levant son verre. C'est une putain. Lady Godiva, ainsi que la femme qui l'incarne.

Furieuse, Elizabeth eut envie de dégainer son sabre et de l'en transpercer.

— Et vous, un malotru, monsieur ! On n'entache pas l'honneur d'une dame par des ragots !

— Ce ne sont pas des ragots, jeune homme. J'en parle en connaissance de cause. Ces derniers temps, cette fille a écarté les jambes plus d'une fois devant moi. Maintenant, elle veut coucher avec un prince. Désolé, mais vous n'avez aucune chance.

Elizabeth regarda Hamilton s'éloigner, le rouge aux joues, le cœur battant.

32

Ce n'est qu'un mensonge éhonté ! lui dit une petite voix.

Mais elle se rappela les paroles de sa sœur :

« J'ai eu un vicomte, un comte, un marquis et un duc... »

Elle avait cru à des affabulations de sa part. En fait, elle se vantait d'avoir eu des relations intimes avec Hamilton. La jeune femme le chercha des yeux dans la salle, décidée à le confronter à son infidélité. Soudain, elle le vit entrer dans la bibliothèque avec un homme grand et mince qui ressemblait à Coventry. Pauvre George, cocufié par son meilleur ami !

Devant la porte, elle s'arrêta en entendant des éclats de voix. Hamilton et Coventry se disputaient violemment.

— Nom de Dieu, tu ferais bien de ne pas t'approcher d'elle ! criait Coventry.

— J'ai perdu tout intérêt pour elle une fois que je l'ai eue, assura Hamilton.

— Tout a commencé avec ce maudit pari, pour savoir lequel de nous deux serait le premier à coucher avec l'une des sœurs Gunning. En apprenant que je devais épouser Maria, tu t'es senti obligé d'épouser Elizabeth en secret, uniquement pour me coiffer au poteau !

— Tu as perdu ton pari, George. C'est le jeu de l'amour.

— L'amour ? Tu n'aimes que toi-même !

— L'amour est justement ton problème, pauvre idiot. Il a fait de toi une larve.

— Tu n'es qu'un débauché ! Une sœur ne te suffisait pas. Il te fallait les deux ! Et il te reste encore de l'appétit puisque tu viens d'engrosser une pauvre fille !

— Lily Clegg est une pute, tout comme ta belle Maria ! Et je t'interdis de dire un mot sur ma duchesse.

— Je suis vraiment un imbécile, dit amèrement Coventry. J'ai toujours su que tu étais ainsi, et pourtant je suis resté ton ami. Eh bien, c'est fini !

Ces révélations laissèrent Elizabeth sans voix. Ivre de colère, elle recula de quelques pas, puis monta vivement dans sa chambre pour réfléchir.

Peu à peu, elle y vit plus clair. Elle savait sans l'ombre d'un doute qu'une confrontation avec Hamilton était imminente. La rage prit le pas sur la peur. Le fait qu'il prenne leur fils en otage pour la maintenir sous sa coupe ne faisait qu'empirer les choses.

Dans la chambre de son mari, elle trouva Morton.

— C'est moi... lui dit-elle, voyant qu'il ne la reconnaissait pas. Elizabeth.

— Je ne l'aurais jamais deviné, admit-il.

— J'ai besoin de votre aide. Il faut que vous appeliez Hamilton... Dites-lui qu'on a besoin de lui à l'étage. Quand il entrera dans ma chambre, vous monterez la garde devant la porte pour que personne d'autre n'entre, pas même vous.

Elizabeth regagna ses appartements et se mit à faire les cent pas, impatiente d'en découdre, sereine.

Hamilton ne fit irruption qu'au bout d'un quart d'heure.

— Qui diable êtes-vous ? lança-t-il.

— Le frère de Lily Clegg. Je suis venu venger l'honneur de ma sœur ! répondit Beth en sortant son épée.

— Morton ! Morton ! Vite !

— Il ne viendra pas. En garde, Votre Grâce.

Fou de rage, Hamilton sortit son arme.

— Je vais vous tuer ! gronda-t-il.

— Celui qui va mourir vous salue, cita Beth avec un sourire.

Hamilton bondit. Il était plus grand, plus trapu et plus fort qu'elle, mais elle était plus prompte à réagir. Elle para chaque coup.

— On raconte que votre destin est de mourir lors d'un duel, comme votre père.

Ces paroles troublèrent le duc. Tel était l'objectif de la jeune femme. Elle vit la peur prendre le pas sur la colère. Il se mit à transpirer abondamment tandis que les lames scintillaient dans la pénombre. Beth n'avait pas peur. Elle aimait relever ce défi. Elle avait l'impression de jouer un rôle dans une pièce, au moment critique du spectacle.

Le souffle court, Hamilton était sur la défensive. Naturellement, il avait trop bu et se montrait de plus en plus maladroit. Il appela à l'aide.

Elizabeth ôta alors sa perruque et la jeta à terre. Ses cheveux blonds cascadèrent sur ses épaules. L'air abasourdi du duc lui procura une satisfaction indicible. Alors elle porta le coup de grâce et désarma son adversaire avec agilité.

Incrédule, il tomba à la renverse, sur le tapis. Beth posa la pointe de son arme sur son cou.

— C'est moi qui ai le pouvoir désormais, James.

Elle le regarda longuement dans les yeux pour qu'il prenne bien conscience de la précarité de sa situation.

— Notre couple n'existe plus qu'en apparence.

Il parut soulagé qu'elle ne le tue pas, mais elle appuya sa lame.

— Dorénavant, notre association sera la suivante. En public, je serai une duchesse de Hamilton dévouée. En privé, je prendrai mes propres décisions.

Elle s'interrompit un instant.

— Si vous violez les règles que je viens de poser, je ferai un tel scandale que votre réputation auprès du roi sera anéantie à jamais. C'est bien compris ?

Il opina vivement.

Elle se pencha au-dessus de lui, car elle n'en avait pas terminé.

— Voilà qui vous apprendra à utiliser mon enfant pour me manipuler.

Rapide comme l'éclair, elle enfonça la pointe de son épée dans l'épaule du duc, qui poussa un cri de douleur.

— Je vous ai fait mal, railla-t-elle, répétant ce qu'il lui avait dit le soir de leur mariage. Il est normal qu'un homme souffre lors d'une pénétration. Ne retenez pas vos cris.

Sur ces mots, elle rengaina son arme et ouvrit la porte.

— Morton, je crois que le duc a besoin d'un whisky et d'un médecin.

La jeune femme regagna la salle de bal. Ses cheveux l'identifièrent aux yeux de tous. Elle pria l'orchestre de se taire un instant.

— J'espère que mon déguisement masculin ne vous choque pas, déclara-t-elle. C'est ma chère amie lady Charlotte, marquise de Hartington, qui m'a inspiré cette tenue. Ce soir, je la porte en son honneur.

Les applaudissements crépitèrent.

— Maintenant que je vous ai révélé mon identité, il est juste que ceux qui le désirent ôtent également leur masque.

Elizabeth alla trouver son père et l'invita à danser.

— Tu es bien audacieuse, ma beauté. On dirait qu'un secret te rend radieuse.

— C'est vrai, papa. Ce soir, je suis devenue une femme digne de ce nom. Et si tu improvisais une salle de jeu ? Je suis sûre que la plupart de ces messieurs préfèrent jouer que danser.

— Je comptais sur Hamilton pour le faire. Où est-il ?

— Il se change. Le costume du roi Jacques ne lui allait vraiment pas. Organise une partie de cartes. Il descendra vite.

Peu avant minuit, le maître de maison rejoignit en effet ses invités. Il tenait absolument à sauver la face. Avant de lui permettre de s'éclipser vers la salle de jeu, Beth le prit par le poignet et l'attira vers la piste, une coupe de champagne à la main. Puis elle demanda le silence.

— J'aimerais porter un toast à l'hôte le plus accueillant de la capitale et au meilleur des maris ! Mesdames et messieurs, le duc de Hamilton !

Ce fut un tonnerre d'applaudissements. Le duc hocha la tête car son pansement l'empêchait de s'incliner.

Beth repéra sa mère, en grande conversation avec Peg Woffington.

— Mesdames, vous êtes superbes, ce soir. Auriez-vous vu lady Godiva ?

— Maria était en train de badiner avec le prince George, mais Coventry a insisté pour qu'ils s'en aillent. Il est si possessif!

— Je parie qu'il n'approuvait pas son déguisement de femme scandaleuse, dit Peg.

À une heure du matin, les musiciens entonnèrent une marche, puis de la musique militaire en hommage à la déclaration de guerre. À deux heures, profitant du fait que les invités tenaient encore debout, Elizabeth distribua les prix des plus beaux déguisements. Elle fit mine d'avoir longuement hésité pour l'attribution du premier prix :

— Je crois que je vais prendre le taureau par les cornes et récompenser le superbe matador. Horace Walpole ! Jamais je n'aurais imaginé vous trouver sous cette cape rouge !

Elle lui remit un trophée en argent avec un large sourire.

Horace ira crier sur les toits combien cette soirée fut un succès, songea-t-elle. Et je dois admettre qu'il n'aura pas tort.

Le lendemain, Hamilton était souffrant. Une fois de plus, il fallut appeler le Dr Bower. Elizabeth parvint à l'intercepter au moment de son départ.

— Est-il en danger, docteur ?

— Sa blessure à l'épaule n'est rien du tout. En revanche, pour ce qui est de la boisson... Il a encore la jaunisse. Je lui ai donné de quoi faire cesser les vomissements, mais, un de ces jours, il aura une hémorragie interne et tout sera fini.

Hamilton garda la chambre durant trois jours. Quand il se remit, Morton l'aida à s'habiller pour l'audience du roi. Une heure après son départ de Grosvenor Square, un valet livra un message de William Cavendish annonçant la mort de son père, le duc de Devonshire.

Elizabeth rédigea aussitôt une lettre de condoléances. Elle aurait aimé rendre visite à Will, mais il était en route pour Chatsworth. Elle confia à un domestique un message à l'intention de Hamilton, au palais de St. James, même s'il apprendrait sans doute la nouvelle lors de l'audience.

Une heure plus tard, le valet revint l'informer qu'il avait manqué Hamilton. Apparemment, le duc s'était présenté à l'audience, mais était reparti précipitamment. Il ne revint pas à Grosvenor Square. Une semaine passa sans qu'il donne signe de vie. Elizabeth demanda à son père de se renseigner discrètement. Jack découvrit plusieurs endroits où le duc s'était rendu, mais ne parvint pas à le localiser.

Finalement, Elizabeth alla chez sa sœur et demanda à George Coventry s'il savait quelque chose.

— J'ignore où il est allé, mais je sais pourquoi il a disparu. Le roi lui a refusé le poste qu'il convoitait. En apprenant la mort du vieux Devonshire, le roi a choisi son fils Will.

— Seigneur ! Il doit être fou de rage !

— Sa fierté en a pris un coup, assura Coventry non sans satisfaction. Je vais essayer de le retrouver, Elizabeth. Mais, à part chez White's, nous ne fréquentons guère les mêmes endroits. Avez-vous parlé à son cocher ?

— Il a disparu, lui aussi. Merci, George.

Deux jours plus tard, un message parvint à Grosvenor Square :

Le duc se trouve chez Dirty Gert's, à Whitefriars. Veuillez venir le récupérer.

Elizabeth montra le document à Morton et Burke, qui se mirent immédiatement en route à bord d'une voiture portant le blason des Hamilton.

L'homme qu'ils transportèrent par la porte de service de Grosvenor Square n'avait pas grand-chose à voir avec un duc. Mal rasé, sale, il empestait l'urine, le vomi et le gin, et était très malade.

— Je regrette de solliciter une tâche aussi déplaisante, messieurs, dit Beth, mais si vous voulez bien le baigner et le coucher, je vais faire venir le Dr Bower.

Elizabeth demeura dans la chambre pendant que le médecin examinait son mari. Quand il eut terminé, il s'adressa à elle, car il n'était pas certain que le duc était à même de comprendre.

— Le pire vice que l'on rencontre dans la noblesse est la boisson. Le duc est gravement intoxiqué. Ses années d'abus ont irrémédiablement endommagé son foie, d'où ses attaques répétées de jaunisse. Il ne doit plus avaler une seule goutte de whisky. S'il continue, il mourra en quelques semaines. S'il reste sobre, il guérira en partie, mais un déclin est inévitable. Assurez-vous qu'il a bien rédigé son testament, conclut-il.

— Je veillerai à ce qu'il ne boive plus, docteur.

— Le manque peut provoquer des tremblements, des angoisses, des hallucinations terribles. Il ne sera pas facile de le soigner, Votre Grâce.

Après le départ du médecin, Elizabeth répéta ces paroles à Morton et Burke.

— Débarrassez cette maison de toutes les bouteilles d'alcool. Il ne faudra jamais le laisser seul, de jour comme de nuit.

Les premières semaines se révélèrent un cauchemar. Hamilton souffrit de tous les symptômes évoqués par le Dr Bower. Il transpirait abondamment, au point qu'il fallait le baigner et changer les draps. Ses mains tremblaient, il avait peur de tout, y compris de la nourriture. Il avait des hallucinations. Des insectes l'attaquaient, rampaient sur lui. Il se mettait à crier puis à sangloter.

Elizabeth, Morton et Burke se relayaient à son chevet. Le médecin passait régulièrement. Au bout d'un mois, il constata une légère amélioration. Quand le duc ne souffrit plus de crises de manque, les domestiques l'installèrent dans un fauteuil quelques heures par jour, mais il était taciturne et morose.

Bridget apprit de Dorothy Boyle que Will Cavendish, le nouveau duc de Devonshire, était de retour après l'enterrement de son père, dans le Derbyshire. Elizabeth lui rendit aussitôt visite à Burlington Gardens.

Dandy accueillit la jeune femme avec frénésie. Elle le prit dans ses bras pour lui gratter la tête.

— Toutes mes condoléances, Will. C'est arrivé si vite

après la mort de Charlie... Comment vous sentez-vous ? Et les enfants ?

— Mes enfants sont ma seule joie. En pensant qu'ils n'auront pas connu leur mère, j'ai le cœur brisé. Dans cette maison, chaque pièce, chaque objet me fait penser à elle. Je m'en veux d'être en vie alors qu'elle est morte.

— Ne vous sentez pas coupable, Will. Charlie ne le voudrait pas.

— Le roi me propose le poste de gouverneur d'Irlande, et j'ai décidé d'accepter. J'emmènerai les enfants. Burlington Gardens renferme trop de souvenirs.

— Un séjour en Irlande est une bonne idée, répondit Beth. Le travail est un excellent remède contre le chagrin.

Elle hésita, puis décida de se confier à lui.

— James a été très malade. Le médecin dit qu'il ne doit plus jamais boire d'alcool.

— Dois-je lui rendre visite avant mon départ ? Cela risque de l'embarrasser, non ?

— En effet... Maintenant, il faut que je rentre. Puis-je voir les enfants ?

— Bien sûr. Venez. Nous les emmènerons dans le jardin... Beth, aimeriez-vous adopter Dandy ? Sans Charlie, il se morfond.

— Oh, Will, merci ! Vous savez combien je l'aime !

— Et il vous adore. Merci à vous, Beth.

Durant quelques mois, Elizabeth n'accepta aucune invitation et resta cloîtrée à Grosvenor Square. Elle s'occupait de son fils et de son mari malade. L'enfant lui apportait beaucoup de bonheur. En soignant le duc, elle se sentait un peu moins coupable.

Hamilton ne se remit que partiellement. Il restait affaibli et souffrait en permanence de l'estomac. Ses mains tremblaient, il marchait avec difficulté. Sans compter sa mémoire, qui lui faisait défaut. Son secrétaire et ses régisseurs s'adressaient désormais à Beth.

Ce fut James qui pria sa femme de convoquer le notaire pour rédiger son testament. Il tenait à assurer l'avenir de son fils et héritier. Tout lui reviendrait de droit, les titres, les propriétés. Mais il fallait trouver un tuteur jusqu'à sa majorité. William Cavendish et George Coventry étant exclus, il choisit Elizabeth.

Elle lui en fut extrêmement reconnaissante, mais se sentit plus coupable que jamais. Elle demeurait au chevet de son mari pendant des heures, à lui lire le journal, à jouer aux cartes, persuadant son père de se joindre à eux. James aimait particulièrement voir Jamie, qui prononçait ses premiers mots. Lorsqu'il dit « papa », Hamilton eut les larmes aux yeux. L'enfant fit également ses premiers pas.

— Elizabeth, pourquoi êtes-vous si bonne, alors que je me suis si mal conduit avec vous ?

Cette question l'étonna.

— Vous étiez très dominateur, James, mais toujours généreux en ce qui concerne les robes, les bijoux, le confort. Avant de vous épouser, je n'avais rien.

La véritable raison, c'est que je veux me donner bonne conscience à l'approche de votre mort, songea-t-elle. La culpabilité est encore plus difficile à vivre que la peur, car elle vous ronge.

33

Elizabeth passa une journée paisible à la maison. Elle ne se rendit compte que c'était son dix-neuvième anniversaire qu'après avoir couché Jamie. En quittant la nursery, elle croisa son père.

— Bon anniversaire, ma beauté, dit Jack en lui tendant son traditionnel horoscope.

— J'avais complètement oublié ! Merci, papa.

— Moi, je m'en suis souvenu. Ton horoscope affirme que ta vie va changer au cours de l'année à venir, et qu'un désir secret va se réaliser. Je te le souhaite, Beth.

— Hélas, c'est impossible, répondit-elle d'un ton mélancolique.

À la fin du mois d'octobre, Elizabeth était à sa fenêtre, à regarder les feuilles tomber et voler au vent sur la pelouse.

Je n'ai pas vu passer l'été que l'automne est déjà presque fini. Quand je pense que Jamie va avoir un an ! Noël va vite venir, puis le bébé de Maria.

En recevant un message de George Coventry, elle fit aussitôt préparer une voiture et se précipita chez sa mère.

— Maman, Maria a fait une fausse couche ! Il faut partir tout de suite.

Elizabeth confia Jamie à sa nourrice, lui expliquant qu'elle serait certainement absente toute la nuit.

L'apparence de Maria la bouleversa. Sa sœur était alitée, si pâle et maigre qu'elle la reconnut à peine. Bridget fondit en larmes. Désespéré, George semblait perdu. Elizabeth comprit qu'elle devait agir.

— Maman, va voir la cuisinière et demande-lui de l'eau de mélisse et du bouillon.

Elle prit George à part.

— A-t-elle vu le bébé ? s'enquit-elle.

Il secoua la tête.

— La sage-femme s'est occupée de... de tout.

— Tant mieux. Il faut faire venir un médecin.

— Je vais le chercher, répondit George, qui désirait se rendre utile.

Une fois seule avec sa sœur, Elizabeth lui épongea le front et lui prit la main.

— Tu as mal ? Non, ne parle pas. Cela te fait tousser.

Seigneur, cette toux ne me plaît guère, pensa-t-elle. On dirait la tuberculose...

Une heure plus tard, George revint, accompagné d'un médecin. Elizabeth s'entretint avec lui en privé, énonçant ses craintes. Puis elle entraîna George dans un salon et lui servit un cognac.

— Comment se déroule la guerre ? Je vis un peu coupée du monde, ces derniers temps, et je sais que les journaux ne disent pas toujours la vérité.

George parut soulagé d'oublier un instant ses soucis.

— Tous nos morts sont dus à l'incompétence de Newcastle. Il ne reste en place que parce qu'il vient de nommer William Pitt ministre de la Guerre. Pitt prend les pleins pouvoirs pour ce qui est de la guerre et des affaires étrangères. Dieu merci ! John Campbell et Argyll ont toujours soutenu Pitt quand il affirme qu'il ne faut pas s'allier avec les Hollandais et les Allemands mais faire appel à des soldats britanniques. Pitt est parfois despotique, mais il est l'homme de la situation.

— Vous avez des nouvelles de John ? s'enquit-elle, le cœur battant.

— Oui. Il a été promu colonel. Il doit vraiment avoir des tripes... Ah, voici le médecin.

— Je recommande à lady Coventry une convalescence dans un climat chaud. Il lui faut du repos, une nourriture saine pour se remettre de cette fausse couche, mais aussi de l'air pur et du soleil pour guérir sa toux. Le climat anglais est trop froid et humide en hiver. Je lui ai administré un somnifère et j'ai remis un flacon de fortifiant à sa mère. Je crois qu'un verre de porto lui ferait le plus grand bien.

— Je l'emmènerai en Italie dès qu'elle sera en état de voyager. Quand pensez-vous que nous puissions partir, docteur ?

— Une semaine à dix jours au lit devraient suffire. L'Italie est un excellent choix. La nourriture, le soleil...

Après son départ, George se tourna vers Beth :

— Vous êtes occupée avec James, mais pensez-vous que Bridget voudra bien venir avec nous ?

— Certainement, George. Allez donc lui poser la question.

À minuit, Elizabeth persuada sa mère de dormir quelques heures pour pouvoir prendre le relais quand elle-même rentrerait à Grosvenor Square. George refusa de quitter le chevet de sa femme. Beth et son beau-frère passèrent le temps en bavardant de la Cour, de politique, de la guerre. Puis elle commença les bagages de sa sœur en prévision de son départ pour l'Italie. Après le petit déjeuner, elle embrassa Maria et retourna chez elle.

Ayant veillé toute la nuit, elle avait grand besoin de sommeil. Elle se rendit d'abord dans les appartements de son mari, qui dormait encore. Morton et elle sortirent ensemble.

— S'il me demande à son réveil, dites-lui que je reviendrai après le déjeuner.

Elle ne se réveilla pas avant trois heures et s'en voulut. Elle griffonna quelques mots pour s'enquérir de sa sœur et remit le message à un valet. Puis elle alla voir son mari. Étrangement, il n'était toujours pas réveillé. Posant une main sur son épaule, elle le secoua légèrement. Pas de réaction.

— James, vous m'entendez ? fit-elle, alarmée. James ?

Elle se pencha pour vérifier qu'il respirait. Aussitôt, une odeur de whisky lui emplit les narines. Étonnée, elle recula.

— Morton, où êtes-vous ? lança-t-elle en ouvrant la porte, furieuse.

— Que se passe-t-il, Votre Grâce ? s'enquit le valet.

— Hamilton n'est pas endormi. Il a perdu connaissance parce qu'il a bu !

Morton la suivit dans la chambre et ne parvint pas non plus à réveiller son maître.

— Allez chercher le Dr Bower.

Elizabeth était folle de rage. Au retour de Morton, songea-t-elle, je réglerai le problème. Et si ce n'était pas Morton, mais Burke ? Quelqu'un lui avait fourni du whisky. Quelqu'un qui savait qu'il en boirait si on lui en proposait !

Le médecin examina le malade et se tourna vers Beth.

— Votre mari est dans le coma. Un coma éthylique. Il n'en sortira peut-être pas. Je ne peux rien faire, Votre Grâce. Il faut attendre et voir. Je reviendrai demain.

L'état de Hamilton n'évolua pas durant une semaine. En revenant à Grosvenor Square pour faire ses bagages avant de partir pour Florence, Bridget informa Beth que sa sœur se portait mieux. Elizabeth minimisa la gravité de l'état de Hamilton pour ne pas inquiéter sa mère davantage.

Le lendemain du départ des Coventry, James Douglas, duc de Hamilton, rendit l'âme. Il mourut sans avoir repris connaissance. Elizabeth était en proie à mille tourments. La colère se mêlait à la culpabilité. Elle savait que les jours de son mari étaient comptés, mais elle voulait qu'il meure de façon naturelle pour ne pas avoir à se reprocher de l'avoir détesté. Elle eut beau se répéter qu'elle ne lui avait pas fourni ce whisky, elle s'en voulait de ne pas avoir passé cette nuit-là à la maison.

Elle convoqua Morton et Burke dans la bibliothèque.

— Lequel de vous deux a fait cela ? attaqua-t-elle.

Les deux hommes ne dirent pas un mot.

— Cette solidarité masculine est parfaitement méprisable ! Puisque aucun d'entre vous n'est disposé à parler, je vous congédie. Je n'ai plus besoin de vos services !

Sur ces mots, elle sortit en claquant la porte. Dans le couloir, elle croisa Emma et Mme Douglas, qu'elle fusilla du regard, et regagna ses appartements. Elle se tint longuement à sa fenêtre, sans rien voir.

Au bout d'une heure, quelqu'un frappa à la porte. Qui osait venir troubler sa solitude ? En ouvrant, elle découvrit son père sur le seuil.

— Je peux entrer, Beth ?

— Bien sûr.

Jack effleura l'horoscope, posé sur sa table de chevet.

— L'année qui vient te fera vivre de nombreux changements, dit-il.

Et un désir secret sera réalisé...

Incrédule, elle le dévisagea.

— C'était toi ! s'exclama-t-elle. Pourquoi ?

— J'aurais dû empêcher ce mariage. Je t'aurais épargné tous ces malheurs. C'était mon devoir de père. Hamilton est responsable de sa maladie. Tu as surmonté ta peur, mais tu es passée de victime à martyre. C'est terminé, Beth.

— Non, ce n'est pas terminé. Je me sens coupable. Je le détestais, je ne supportais pas mon rôle de duchesse, et maintenant je suis heureuse ! Je ne me réjouis pas de sa mort, mais de ne pas être mariée avec lui. Je me réjouis de ne plus avoir de mari ! Est-ce que tu peux comprendre cela ?

— Très bien, ma beauté. Repose-toi, à présent. Tu vas avoir besoin de ressources durant les jours à venir.

— Peux-tu convoquer Morton et Burke ?

Les deux hommes se présentèrent à sa porte.

— Entrez, messieurs, dit-elle. Je veux vous demander humblement pardon. Votre place est ici, chez moi. J'ai besoin de m'entourer de gens loyaux.

Le mois qui suivit fut un calvaire pour la jeune femme. Le roi et la Cour au complet assistèrent aux funérailles. Elle se sentait hypocrite d'afficher son deuil. Elle ne ressentait aucun chagrin, au contraire de la douleur que lui avait infligée la mort de Charlie.

Hamilton ne l'avait jamais autorisée à posséder une robe noire. Elle avait donc teint sa robe de mariée. Ce petit acte de vengeance mettait une fin symbolique à leur union malheureuse.

Pendant des semaines, elle reçut des visites de condoléances de toutes les grandes familles, des membres du gouvernement et des collègues du Parlement. En tant que veuve d'un duc, elle devait respecter un deuil d'un an.

Jamais deux sans trois, songea-t-elle. Ayant grandi en Irlande, Beth était superstitieuse. D'abord Charlotte, puis James. Qui serait le troisième ? Pas Maria, pour l'amour du Ciel ! Elle pria pour sa sœur, puis songea à John Campbell qui se battait. Elle se dit que la première mort pouvait être considérée comme celle de son grand-père de St. Ives.

Ne meurs pas, John... Ne meurs pas !

Les réceptions mondaines ne lui manquaient guère, pas plus que les bals de Noël où chacun s'efforçait d'impressionner les autres. Elle ne fut pas non plus conviée aux événements liés au Nouvel An, à la Cour. Elle mourait d'envie de se réfugier en Écosse, mais les rigueurs de l'hiver lui imposaient d'attendre le printemps.

Elle s'entretenait avec les secrétaires et les hommes de loi de son mari pour s'assurer du bon déroulement de la succession. Jamie était désormais septième duc de Hamilton, cinquième duc de Brandon et marquis de Clydesdale.

Au printemps, elle fit préparer les bagages pour partir à Cadzow.

Mme Douglas était aussi heureuse qu'elle d'être de retour en Écosse. Beth remercia poliment le personnel pour leurs condoléances et leur rappela qu'ils devaient désormais allégeance à son fils, le nouveau duc.

— Queenie ! Comme tu m'as manqué ! Viens, allons voir les ânes ! Tu devras me promettre de ne pas faire de mal à Dandy.

Queenie bondit sur elle pour lui lécher le visage, tout en prenant soin de ne pas griffer l'enfant qu'elle tenait dans ses bras. Puis elle sautilla gaiement autour de sa maîtresse.

— Chardon est aussi grand que sa mère ! s'exclama-t-elle en posant son fils de dix-huit mois par terre. Jamie, je te présente Chardon, ton petit âne.

— Âne ! balbutia-t-il en caressant l'animal, qui lui lécha le nez.

Jamie rit de joie. Ils quittèrent les écuries, un peu échevelés mais heureux.

Après le printemps vint l'été. Elizabeth apprit à Jamie à nager dans la rivière et à monter sur un poney docile. Jamie jouait avec la fille de sa nourrice et les autres enfants de Cadzow. Quand ils s'éloignaient un peu trop, Queenie savait les rassembler. La chienne accorda à Dandy le droit de régner à l'intérieur de la maison, mais elle se chargea du parc.

Elizabeth aimait l'Écosse autant que l'Irlande. La simple évocation de Londres suffisait à la faire frémir. Les corsets, les robes de bal, les perruques hideuses appartenaient au passé. Elle portait dorénavant des robes simples et ses cheveux cascadaient librement sur ses épaules. Elle riait à gorge déployée, bien loin du savoir-vivre de la Cour. Elle n'avait accepté qu'une seule invitation : l'inauguration de la réserve naturelle de Calder Park. L'après-midi, elle couperait le ruban, et le soir, il y aurait une grande fête à Glasgow. Elle passait ses journées à voir grandir son fils. Ils chantaient, cueillaient des fleurs, parlaient aux animaux...

George et Maria étaient rentrés d'Italie au milieu de l'été. D'après une lettre de Bridget, sa sœur avait recouvré la santé.

— J'ai vingt ans aujourd'hui !

Beth repoussa les couvertures et se précipita vers la fenêtre de sa chambre par cette belle journée de septembre. Le soleil dardait ses derniers rayons avant de céder la place à l'automne.

Emma sur les talons, Jamie courut vers sa mère.

— Joyeux anniversaire, maman !

Elle le prit dans ses bras et l'embrassa en riant.

— Merci, mon chéri !

— Souffler... bougies !

Emma leva les yeux au ciel.

— Je croyais que le gâteau et les bougies étaient un secret. Il va falloir attendre ce soir.

Il courut vers Emma et prit un petit paquet dans sa main pour l'offrir à sa mère.

— Cadeau !

Ravie, Elizabeth l'ouvrit.

— Merci, Jamie ! C'est exactement ce que je voulais !

Elle tint le petit canard en bois au creux de sa main. Il s'agissait d'un jouet que Burke avait façonné pour lui.

— Après le petit déjeuner, nous irons le faire nager dans l'étang.

Burke avait fait creuser un étang à carpes, où Elizabeth avait planté des roseaux provenant de la rivière.

— C'est un jour idéal pour porter du vert. Les taches d'herbe ne se verront pas.

Emma réprouvait ses robes toutes simples en coton. Selon elle, une duchesse se devait d'être habillée en duchesse.

— Je vous en prie, Emma. Ne me tourmentez pas le jour de mon anniversaire.

— Comme si vous accordiez la moindre importance à ce que je dis !

Jamie grimpa sur le lit et se mit à sauter. Sa mère le rejoignit et roula avec lui sur le matelas. Dandy ne fut pas en reste. Emma leva les yeux au ciel face à ce chahut.

Dans la matinée, Beth et Jamie, les bras chargés de petits bateaux, de canards et de tortues en bois, descendirent à l'étang.

— Attention, prévint Beth. Si ton serpent mange mon canard, je serai très fâchée !

— Fâchée, répéta l'enfant d'un air malicieux.

Il s'assit dans l'herbe pour ôter ses chaussettes et ses bottines, déterminé à patauger.

Avec un soupir de résignation, sa mère l'imita et remonta ses jupons. Après une demi-heure de jeux, la jeune femme était trempée jusqu'à la taille.

— Bon anniversaire, Beth.

La voix grave et virile la fit frissonner de tout son être. Elle se retourna, incrédule. Son visage s'illumina.

— John ! s'exclama-t-elle en sortant de l'eau pour courir vers ses bras tendus. John ! Je n'arrive pas à y croire !

Il la fit tournoyer dans les airs.

— Il faut y croire.

Le cœur battant à tout rompre, elle reconnut son parfum qui la fit défaillir. Elle leva les yeux et reçut le baiser qu'elle n'avait jamais cessé d'attendre.

Soudain, John ressentit un coup sur la cuisse. Jamie affichait une mine réprobatrice.

— Ma maman ! s'écria-t-il, jaloux, en essayant de les séparer.

— Jamie, tout va bien, chéri...

Soudain, elle eut peur. Tout n'allait pas bien. L'enfant ressemblait bien trop à l'homme auquel il s'attaquait...

— John est mon ami.

Campbell s'accroupit face à l'enfant.

— Bonjour, Jamie. Je m'appelle John, dit-il en tendant la main.

— Non !

Jamie cracha vers lui.

Sidérée, Elizabeth éclata d'un rire nerveux qui dérida le petit garçon.

— Votre protecteur est décidément très galant, très sérieux. C'est un petit diable qui aurait besoin d'une bonne fessée.

— Je sais, répondit-elle fièrement.

Les deux chiens arrivèrent en aboyant. Ils avaient reconnu John de loin. Queenie fut la première à bondir sur lui.

Elizabeth se réjouit de cette diversion. Elle vit Emma les observer et adressa quelques mots à Jamie :

— Il faut te changer pour le déjeuner. Va voir Emma.

Il semblait récalcitrant.

— Ensuite, nous soufflerons les bougies.

Jamie hocha la tête et s'éloigna en courant.

— C'est un bel enfant, commenta John.

— George m'a dit que vous étiez colonel, déclara-t-elle, histoire de parler d'autre chose. Comment avez-vous pu venir ? La guerre est finie ?

— Hélas non, soupira-t-il d'un air désabusé. En tant que colonel, je ne mène plus mes hommes au combat, comme lorsque j'étais major. J'évolue dans les coulisses. Il s'agit surtout d'un travail d'administration. Entre autres.

Elle se hissa sur la pointe des pieds pour l'embrasser furtivement.

— Merci de ne pas vous être fait tuer.

Il la prit dans ses bras.

— Je ne peux rester à Cadzow, cette nuit. Vous seriez compromise. J'irai donc à Chatelherault. Viendrez-vous m'y retrouver ?

— Vous savez bien que oui. Quel merveilleux cadeau d'anniversaire !

— Tu n'as encore rien vu, ma beauté.

— Je viendrai dès que possible. Nous organisons une petite fête. John, j'ai tant de choses à te raconter.

Il la lâcha à regret et la regarda ramasser les bas et les chaussures gisant dans l'herbe. Il porta les jarretières à ses lèvres et les glissa dans sa poche.

— Je les garde pour te les remettre moi-même.

Elle rougit violemment. C'était la première fois depuis bien longtemps.

Le cœur battant à tout rompre, elle courut derrière son fils. Comment supporter l'attente d'être seule avec John ? De nombreuses heures la séparaient encore de la nuit. Elles lui sembleraient une éternité.

34

Dans le soleil couchant, John guettait l'arrivée de sa bien-aimée. Elle se présenta enfin, sur son cheval. Il la souleva de selle et la serra longuement dans ses bras avant de la poser à terre.

— Je croyais que tu ne viendrais jamais.

Elle leva vers lui un regard enamouré.

— Tu savais que je viendrais. Tu m'attires irrésistiblement.

Il prit les rênes du cheval et, main dans la main, le couple se dirigea vers les écuries. John installa le cheval dans une stalle, près de Démon. Comme s'il ne supportait pas la moindre distance entre eux, il reprit Beth dans ses bras et l'embrassa à perdre haleine.

— Tu sens la rose d'automne, le soleil, tu sens la femme.

— Et toi, tu sens le cuir, le foin, le cheval, répondit-elle en lui offrant ses lèvres.

— Il y a du foin en quantité, ici. C'est tentant. Qu'en dis-tu ? suggéra-t-il en arquant les sourcils.

Elle regarda l'échelle qui montait au grenier à foin.

— C'est un peu haut, non ?

Il la souleva dans ses bras, lui vola un autre baiser et l'emmena en courant vers le pavillon de chasse. À l'intérieur, il se précipita vers la chambre.

La jeune femme enfouit les doigts dans sa crinière brune et bouclée, un peu trop longue, peut-être.

— Tu n'es plus très civilisé, commenta-t-elle.

— Je plaide coupable.

— Tu n'attends pas de moi un comportement civilisé non plus, n'est-ce pas ? demanda-t-elle en fixant le lit.

— Et comment !

Elle enroula les jambes autour de sa taille et lui mordit l'oreille.

— Comme une tigresse que je suis !

— Une tigresse en chaleur.

Ils roulèrent sur le lit.

— Beth, murmura-t-il en la regardant dans les yeux, depuis la dernière fois, j'ai rêvé de toi toutes les nuits. C'était il y a si longtemps…

— Je n'ai pas osé penser à toi. Mon manque était une véritable torture. Et te voilà, en chair et en os.

Ils se déshabillèrent en riant. Dès qu'ils se retrouvèrent nus, tout amusement s'envola pour faire place à la passion. Les lèvres avides de John passèrent de ses lèvres à ses seins, son ventre plat, ses cuisses. Beth se mit à le couvrir de baisers, s'attardant sur son torse puissant.

— Surtout, ne t'approche pas de la bête, ou je vais jouir tout de suite.

Il la prit par les épaules et l'immobilisa sur le dos. Le souffle court, elle se cambra vers lui, l'invitant à explorer ses trésors cachés qu'elle n'avait offerts qu'à lui. Lui seul savait l'embraser de désir, lui seul pouvait lui donner du plaisir. Elle s'abandonna sans regret ni réserve.

Chaque coup de reins provoqua en elle un frisson de plaisir, un gémissement. Les plaintes de John se mêlèrent aux siennes, jusqu'à l'explosion finale. Dans un dernier spasme, il se déversa en elle comme un volcan crachant sa lave incandescente.

Il s'écroula sur elle de tout son poids. Le temps s'arrêta. Ils étaient seuls au monde et flottaient sur un nuage de bonheur.

— John, c'était parfait, murmura-t-elle dans son cou. Cette fois, je ne ressens aucune culpabilité.

— De la culpabilité ? répéta-t-il, comme s'il ne connaissait pas le sens de ce mot.

— La dernière fois, je me suis sentie coupable. Après la tempête, Hamilton m'a annoncé qu'il me rejoindrait à Uppingham. Le lendemain de mon arrivée là-bas, j'ai appris que Charlie avait la variole. J'ai envoyé Jamie à Londres, avec son père, en promettant de les suivre. Ce que je n'ai pas fait. Je suis restée avec Will pour soigner Charlie. J'ai interprété sa mort comme une punition pour avoir commis l'adultère avec toi.

Il la serra dans ses bras.

— Tu as fait preuve d'un grand courage. La culpabilité est un sentiment destructeur. J'espère que tu ne le connaîtras plus jamais.

— J'ai fini par comprendre que la mort de Charlie n'avait rien à voir avec mes fautes, mais ma culpabilité est revenue à la surface à la mort de Hamilton. J'ai redouté un troisième décès, le tien...

— Je mourrai en faisant l'amour, plaisanta-t-il, avant de reprendre son sérieux. Je suis désolé, pour Charlie. J'ignorais que tu étais présente lorsqu'elle est morte. Will a failli devenir fou de chagrin. Mais pourquoi t'es-tu sentie coupable à la mort de Hamilton ?

— Parce que je le détestais. Parce que je me suis réjouie de sa mort.

— Tu n'es en rien responsable. Hamilton buvait trop et cela l'a tué. Tout le monde savait que c'était inévitable. C'est une des raisons pour lesquelles ton mariage m'a rendu fou de colère.

Elle leva les yeux vers lui.

— En apprenant que ma mère avait accepté l'offre de Hamilton, je suis venue à Half-Moon Street pour te dire que je voulais vivre avec toi dans le Kent. Tu venais de partir à cause du décès de ton frère. Mais tout le monde m'a dit que tu allais épouser lady Mary Montagu.

— Il ne fallait pas les croire, Beth ! Je t'aimais de tout mon cœur. En rentrant d'Argyll, j'ai compris que la vie était trop courte pour ne pas profiter du bonheur qui s'offrait à moi. Je voulais te demander en mariage, mais tu étais déjà mariée. Quelle ironie du sort... C'est presque un péché.

— Quoi ?

— D'avoir gâché toutes ces années, répondit-il en la dévorant de ses yeux de braise.

— Nous allons devoir rattraper le temps perdu...

Il l'embrassa avec une tendresse infinie, prélude à des ébats qu'il prolongea durant des heures, après ces retrouvailles fébriles. Désormais, il était décidé à lui enseigner les subtilités de l'art d'aimer...

Enfin repus, ils sombrèrent dans un sommeil réparateur. À l'aube, ils se réveillèrent dans les bras l'un de l'autre.

— Je ne t'ai même pas demandé ce que tu faisais ici, murmura-t-elle contre son cœur.

— Je suis en route pour Argyll afin de recruter de nouveaux soldats. Cette fois, nous cherchons des marins. Je serai heureux de revoir mon père. Sa santé est fragile.

Beth le serra plus fort pour le réconforter. Ils s'assoupirent jusqu'aux premiers rayons de soleil. La jeune femme s'étira langoureusement.

— Je dois rentrer à la maison, et toi, tu dois te mettre en route, mon amour. Je regrette de ne pas te garder plus longtemps auprès de moi.

— Nous ne serons pas séparés très longtemps. Ton année de deuil est presque terminée. Dès mon arrivée à Inveraray, je m'occuperai des préparatifs de notre mariage. La seule question qui reste à régler est la date.

Elle repoussa les couvertures et se tourna vers lui.

— Je ne t'épouserai jamais, John.

Il se redressa d'un bond.

— Qu'est-ce que tu racontes ?

— J'ai détesté ma vie de femme mariée et de duchesse. Je ne veux pas être ta femme. Je veux que nous soyons amants.

— C'est hors de question. Tu es duchesse, tu ne peux avoir une liaison officielle ! Tu serais mise au ban de la société. Ton nom serait traîné dans la boue. Les nobles sont des vautours.

— Je sais ! répliqua-t-elle en enfilant ses jupons. Elizabeth Gunning n'était pas assez bien pour être l'épouse d'Argyll. La duchesse de Hamilton, en revanche, convient tout à fait, n'est-ce pas ? C'est parce que j'ai été mariée à cette ordure de Hamilton que je possède un titre. Désormais, je suis digne d'être ta femme.

— Ne dis pas de bêtises ! lança-t-il en se levant. Je veux t'épouser parce que je t'aime !

Elle le toisa longuement.

— Brun, ténébreux, mystérieux... amant de rêve. Tu es tout le contraire d'un mari. Plus jamais je ne me marierai ! Plus jamais je ne serai sous la coupe d'un homme. Essaie de me comprendre, John. Je suis libre. Je refuse de renoncer à cette liberté si précieuse.

Il la prit par les épaules.

— Tu es vraiment une petite garce entêtée ! grommela-t-il.

— Tu peux me secouer autant que tu voudras, je ne changerai pas d'avis.

— Je t'aime, dit-il, les dents serrées. Je croyais que tu m'aimais aussi.

— Je t'aime, John. Voilà pourquoi je ne prendrai pas le risque de tout gâcher par un mariage.

— Tu es vraiment la plus irritante des femmes.

— Tu as oublié « sublime ». La plus irritante mais la plus sublime, répliqua-t-elle en éclatant de rire.

Il s'écarta d'elle et s'habilla à la hâte.

— Dépêche-toi. Je te raccompagne chez toi. Emma parviendra peut-être à te faire entendre raison.

— Non ! Je suis parfaitement capable de rentrer toute seule.

Elle ne voulait pas qu'il voie Jamie. Elle agrafa vite les boutons de sa robe et secoua sa crinière blonde.

— Va donc à Argyll, John. Ou bien en enfer !

— Pas un mot de plus, madame, gronda-t-il, le regard noir. Je t'accompagne.

Sur son petit cheval, Elizabeth ne tarda pas à dépasser Démon. John la rejoignit et resta à sa hauteur, ignorant l'air fâché de la jeune femme.

Au château, ils confièrent leurs montures à un palefrenier. Elizabeth gardait un silence buté. Il la suivit dans la maison. Ils ne croisèrent que Burke qui, sur un regard éloquent de Campbell, s'éclipsa sans un mot.

— Emma ! cria John au bas des marches.

Si Jamie était endormi, son cri l'avait certainement réveillé, songea Beth, agacée. Emma apparut et descendit les marches.

— Elle refuse de m'épouser !

Le regard d'Emma s'attarda sur la jeune femme.

— Elle a passé la nuit dans mon lit, puis elle m'a renvoyé ma demande en mariage en pleine face, raconta-t-il, furieux.

Elizabeth fut choquée de l'entendre divulguer leur intimité.

— Tu crois qu'Emma ignore que nous avons passé la nuit à faire l'amour avec passion ? lui lança-t-il. Tu crois qu'elle ignore que nous avons couché ensemble lorsque nous avons disparu de Chiswick ? Emma est discrète, mais elle n'est pas aveugle !

— Maman ! Maman ! s'exclama Jamie en surgissant à moitié dévêtu, sa nourrice sur les talons.

— Ne cours pas ! Tu vas tomber ! prévint Beth.

L'enfant trébucha sur la troisième marche. Sa joie de revoir sa mère l'emporta sur la douleur et il leva les bras vers elle.

— Tu vois ! dit Beth en le serrant contre elle.

John Campbell semblait pétrifié. Il avait aperçu la marque sur l'aisselle du garçon. Il se tourna vers Emma.

— Quand est né Jamie ?

— Le 5 novembre, monsieur.

— Je croyais que c'était au Nouvel An.

— Non. Il a été baptisé au Nouvel An.

Campbell prit fermement l'enfant des bras de Beth et le tendit à sa nourrice, puis il ordonna à Emma de se retirer.

Dès qu'elle fut certaine de ne pas être entendue des deux femmes, Elizabeth s'écria en le fusillant du regard :

— Une tache de naissance ne veut rien dire ! Des milliers de gens en ont ! Son père était Hamilton. Mon fils est le septième duc de Hamilton et je t'interdis de mettre sa légitimité en doute !

— C'est mon fils, répliqua John. Il est l'héritier des Argyll.

— Tu te méprends !

— Il est né le 5 novembre, il a été conçu le soir du bal costumé, chez Charlie, quand je t'ai emmenée à Half-Moon Street !

— C'est faux ! insista-t-elle. Mon enfant est né prématurément après un voyage en voiture. Hamilton tenait à ce que son héritier naisse à Holyrood. J'ai accouché le lendemain matin. Tu n'es pas son père.

— Cesse de te mentir à toi-même. Je t'ai demandé de m'épouser. À présent, je l'exige ! J'ai l'intention d'être reconnu père de cet enfant, Elizabeth, même si tu le nies jusqu'à la fin de tes jours.

Elle redressa fièrement la tête.

— Je ne t'épouserai jamais. Je te déteste !

Il parvint à maîtriser sa colère.

— Si tel est votre dernier mot, madame, je vous dis au revoir.

Elizabeth passa le reste de la journée avec Jamie. Ils promenèrent les chiens dans les bois, ramassèrent des glands et des feuilles mortes, observèrent les écureuils en riant. La gaieté de Beth était forcée, mais elle se sentait soulagée. John avait découvert son secret et, furieux car elle refusait de l'épouser, il était parti.

C'est fini, songea-t-elle. Je l'aime, mais mon enfant passera toujours avant lui.

Ce soir-là, elle permit à Jamie de se coucher tard. Elle planta des bougies dans un reste de gâteau et il les souffla. Quand il se mit à bâiller, elle le borda et lui souhaita bonne nuit.

Dans sa chambre, elle resta assise à son secrétaire pendant qu'Emma allumait les lampes et fermait les rideaux.

— Si vous avez quelque chose à dire, allez-y, déclara-t-elle à sa loyale domestique.

— Vous avez vingt ans, répondit celle-ci en la regardant droit dans les yeux. Vous savez discerner le bien du mal. Vous n'avez pas besoin de mes conseils.

Elizabeth passa deux nuits blanches, mais son appréhension finit par se dissiper. En revanche, ses pulsions sexuelles furent plus difficiles à maîtriser. Elle prit l'invitation à l'inauguration du parc et songea à Tom Calder. C'était un bel homme qui, manifestement, était amoureux d'elle. Mais elle repoussa vite l'idée de calmer ses ardeurs en ayant une aventure avec lui. C'était ridicule !

La jeune femme choisit une robe de soirée mauve et des améthystes. Par chance, le mauve était toléré pour une femme en deuil, car l'année n'était pas tout à fait écoulée.

Emma lui tendit ses souliers à talons.

— Vous êtes certaine de ne pas avoir besoin de moi à Glasgow, ce soir ?

— Je n'en suis pas certaine, mais je préfère que vous restiez avec Jamie. Je dirai au cocher de préparer la voiture à l'aube, demain. Je promets d'être de retour pour le petit déjeuner.

— Que porterez-vous pour couper le ruban ?

— La robe en velours gris, ornée d'un col en renard. J'ai posé le chapeau assorti quelque part, je ne sais plus où...

— Ah ! Je viens de voir Jamie coiffé d'un chapeau gris. Où est-il passé, le fripon ?

Emma récupéra le chapeau, maculé de confiture.

Une fois prête, Beth s'agenouilla pour embrasser Jamie.

— Sois sage avec Emma et je te rapporterai un cadeau. Au revoir, chéri. À demain.

Par ce bel après-midi de septembre, lady Elizabeth Hamilton coupa le ruban vert, marquant l'ouverture officielle de Calder Park. Ce jour-là, tous les dignitaires de la région étaient présents. Tom Calder était ravi.

— Aimeriez-vous faire le tour du parc, Votre Grâce ? suggéra-t-il à Beth.

— J'aimerais voir les ours polaires, Tom. J'attendrai ma prochaine venue, au printemps, pour faire tout le tour. Mon fils sera assez grand pour m'accompagner.

Ayant constaté que ses ours étaient heureux, elle vit un vendeur de cerfs-volants en forme d'oiseaux divers. C'était un cadeau idéal pour Jamie.

Le soir venu, lors du bal, Beth dansa le quadrille et toutes les danses en vogue, même les écossaises. Elle était heureuse d'avoir choisi sa robe, sa coiffure. Elle laissait les hommes la courtiser, qu'ils soient mariés ou pas.

Elle ne se coucha pas avant trois heures du matin, satisfaite de sa soirée, mais dut se lever à cinq heures pour regagner Cadzow. Elle s'assoupit durant le trajet de quinze kilomètres à peine.

À cette heure matinale, Jamie était certainement endormi. Tenant le cerf-volant, elle franchit le seuil. À sa grande surprise, elle ne croisa aucun domestique.

La chambre de Jamie était vide. Seigneur, pourvu que le petit monstre n'ait pas profité de l'indulgence d'Emma ! Dans sa propre chambre, elle posa le cerf-volant et ôta sa cape. Puis elle se rendit chez Emma, s'attendant à découvrir son fils dans son lit. Elle n'y trouva que Queenie, qui semblait triste. Dandy demeurait invisible.

Ils ne pouvaient être tous partis en promenade sans la chienne, songea-t-elle en lui caressant la tête.

— Viens, ma belle. Je vais te faire sortir avant que tu ne t'oublies sur un tapis. Les autres vont être étonnés de voir que je suis déjà là !

Dans la cuisine, elle annonça à la cuisinière qu'elle mourait de faim.

— Où est donc M. Burke ? s'enquit-elle.

— Il est parti hier, avec les autres, Votre Grâce.

— Quels autres ?

— Emma et le petit duc.

— Mon fils ?

— Oui. La nourrice ne vous a rien dit ?

Elizabeth fronça les sourcils. Elle se précipita en quête de Mme Douglas, qui sortait de la nursery. En la voyant, celle-ci recula.

— Que se passe-t-il ? s'exclama Beth. Tout le monde a disparu. La cuisinière m'a dit que vous savez où ils sont passés.

— Ils sont partis, répondit-elle, abattue.

Le sang de Beth ne fit qu'un tour.

— Partis où ? Avec qui ?

— Emma et M. Burke sont partis avec l'enfant, en voiture.

— Quelle voiture ?

— Celle du colonel Campbell.

La nourrice lui tendit une enveloppe qu'elle saisit brutalement.

Elizabeth,

J'emmène mon fils à Inveraray. Il est en sécurité, ne vous inquiétez pas pour lui. Je suis impatient de vous revoir. Nous vous attendons.

John Campbell

— La crapule ! s'écria Elizabeth.

Ne sois pas trop satisfait, John Campbell, car je compte me battre jusqu'à mon dernier souffle !

Le cocher montait ses bagages.

— Nous partons pour Argyll, lui annonça-t-elle.

Dans sa chambre, elle choisit avec soin ses vêtements pour la confrontation.

Elle opta pour des robes aux tons sombres qui lui donneraient un air autoritaire, et prit ses plus somptueux bijoux. Elle n'oublia pas sa capeline en zibeline, et l'épée que son père lui avait appris à manier.

— Vous allez le regretter, lord Sundridge !

35

Il lui fallut deux journées pour atteindre Inveraray. Elle pria le cocher de s'arrêter dans une auberge de Loch Fyne, à quelques kilomètres. Elle prit une chambre pour quelques heures, le temps d'enfiler une robe élégante et de relever ses cheveux en un chignon à la dernière mode.

Lorsque la voiture pénétra dans la cour, le soleil couchant était rose et rouge. Elizabeth descendit avec élégance pour affronter John Campbell, qui l'attendait.

— Qu'est-ce qui vous a donc retardée ?

Jamais elle n'avait ressenti une telle colère.

— Espèce d'ordure !

Elle saisit le fouet du cocher et frappa John avec violence. Touché aux cuisses, il lui prit le manche en cuir des mains.

— Je vois que vous jouez une fois de plus la comédie. Dans quel rôle ? Celui d'une poissonnière ?

— Où est Jamie ?

— À cette heure-ci, il est couché, bien sûr, dit-il en lâchant le fouet. Permettez-moi de vous accueillir à Argyll. Nous pourrons certainement régler nos différends de façon civilisée.

— Civilisée ? Alors que vous n'êtes qu'un barbare des Highlands ?

— Suivez-moi, Votre Grâce, dit-il d'une voix de velours.

Elle n'avait aucune envie de lui obéir, mais elle n'avait pas le choix. Elle le suivit à l'intérieur de sa forteresse, persuadée qu'elle ne pourrait être aussi bien meublée que Cadzow – qui était de taille plus modeste, certes. Dès l'entrée, elle comprit qu'elle s'était trompée. C'était superbe.

Sur les murs figuraient blasons et armoiries, des armes de toutes sortes. Les yeux de la jeune femme se posèrent sur une dame d'une beauté saisissante, aux cheveux grisonnants, qui attendait devant l'immense cheminée.

— J'ai le plaisir de vous présenter ma mère, la duchesse d'Argyll. Mère, voici la duchesse de Hamilton.

— Bienvenue à Inveraray, Votre Grâce, dit-elle avec un sourire sincère.

— Merci, Votre Grâce, répondit dignement Elizabeth.

Elle se raidit en sentant qu'il lui enlevait sa capeline.

La mère de John observa la ravissante jeune femme qui se tenait devant elle, vêtue d'une robe pourpre si foncée qu'elle semblait noire. Elle arborait une rivière de diamants et ses cheveux blonds encadraient un visage parfait.

— Judas ! lança-t-elle gentiment à son fils. Je comprends maintenant pourquoi je n'ai jamais réussi à t'imposer lady Mary Montagu. Madame, je me retire. Je cède la place à la jeune génération.

Dès qu'ils furent seuls, John décela dans les yeux d'Elizabeth une lueur de défi. Elle n'avait pas peur de lui, ni de toute autre personne qui voudrait s'en prendre à Jamie. Elle était prête à se battre.

— Elizabeth, venez dîner avec moi. Je vous attendais.

— Je ne mangerai qu'après avoir eu la preuve que mon fils se porte bien.

— Vous pouvez le voir. La sécurité de mon fils compte par-dessus tout.

— Jamie n'est pas votre...

— Très bien, vous avez clairement exprimé votre point de vue, coupa-t-il en levant une main. Je propose une trêve. Nous discuterons de tout cela au cours du dîner.

— Une trêve ? Vous êtes un colonel. Vous êtes prêt à tout pour remporter la victoire, même par des voies détournées.

— Une bataille ne sera pas nécessaire. Une échauffourée, peut-être ? fit-il d'un ton enjoué. Allons voir Jamie.

— C'est une ruse pour m'amadouer !

Amusé par sa méfiance, il lui offrit son bras, qu'elle refusa.

— Je vous suis.

Il la conduisit dans les couloirs du château, jusqu'à un escalier de pierre qui menait dans une tourelle. Elle souleva le bas de sa robe pour ne pas trébucher sur une marche.

Il ouvrit une lourde porte en chêne et posa un index sur ses lèvres.

Elizabeth fit quelques pas dans la pièce, puis s'immobilisa en voyant son fils paisiblement endormi. Près de lui était posé son jouet favori, un âne en peluche. Elle sourit et admit pour la première fois que Jamie était le portrait craché de John Campbell.

Une porte donnait dans la pièce voisine. Emma apparut sur le seuil.

— Vous allez bien, Emma ? demanda Beth dans un souffle.

— Tout va bien, assura la jeune femme.

Elizabeth opina et retourna auprès de John, qui l'attendait à la porte. Il l'emmena ensuite à l'étage supérieur. En entrant dans la première pièce, elle se rendit compte que cette tourelle était l'antre de John. Le salon était richement meublé, dans un style très masculin, en acajou foncé, avec des tapis vert olive et des fauteuils en cuir près de la cheminée. Le lustre était en cristal vénitien et les murs étaient ornés de toiles de maîtres.

Il a un goût très sûr car sa mère le lui a inculqué dès son plus jeune âge, songea-t-elle. La duchesse d'Argyll est une grande dame de la noblesse, ce que je ne serai jamais.

Enfin seule face à son adversaire, elle se retourna, les mains sur les hanches, la tête haute. Avant qu'elle ne donne le coup d'envoi des hostilités, Burke apparut, portant un plateau chargé de victuailles, qu'il posa sur la table.

— J'ai l'impression que je suis en infériorité numérique. Monsieur Burke, je vous ai accordé ma confiance et vous m'avez trahie. Vous n'êtes qu'une vipère.

— Pardonnez-moi, Votre Grâce. J'étais tiraillé.

Elle attendit qu'il soit parti pour s'attaquer à Campbell :

— Le pouvoir et la richesse des Argyll vous donnent l'impression que vous dirigez le monde à votre guise.

— Si vous m'épousez, ce pouvoir et cette richesse seront à vous.

— Tout cela ne m'intéresse pas ! déclara-t-elle avec emphase.

— Menteuse... Vous vous présentez devant moi parée de vos plus beaux atours, des somptueux bijoux de la duchesse de Hamilton. Vous avez conscience de votre beauté. Vous savez que je suis incapable de vous résister.

— Vous ne m'aurez pas par la flatterie. Moi, je suis capable de vous résister.

— J'espère que vous vous laisserez tenter par ce repas. Asseyez-vous.

Il lui présenta une chaise et la regarda capituler devant les plats. Avant de s'installer en face d'elle, il leur servit du vin.

— Quand il n'y a pas de vin, il n'y a pas d'amour.

— Remontons jusqu'à Euripide, répondit-elle, étalant sa culture. *In vino veritas.*

— C'est une citation de Pline, corrigea-t-il en levant son verre. Allons, reconnaissez la vérité, Elizabeth. Jamie est mon fils.

— James George Douglas est le septième duc de Hamilton, cinquième duc de Brandon et marquis de Clydesdale. En tant que mère et tutrice, il est de mon devoir de veiller à ce qu'il conserve ses titres de noblesse.

— Ce ne sera pas nécessaire. Si vous m'épousez, je suis disposé à garder le secret de la filiation de Jamie, et je vous ferai un autre fils qui deviendra l'héritier d'Argyll.

Il cherche à me couper l'herbe sous le pied en me promettant que Jamie conservera ses titres, songea-t-elle. Il ne comprend donc pas que je refuse de renoncer à ma liberté !

Elle posa son verre.

— Je ne veux pas d'un autre fils.

— Moi si, répliqua-t-il en soulevant une cloche en argent qui dissimulait du gibier. Jamais je n'oublierai votre regard, la première fois que vous avez dégusté de la perdrix.

Elle afficha un air détaché.

— Les excès de la noblesse me révulsent.

— J'aurais dû commander du lapin, dit-il.

— Allez au diable !

Tandis qu'il la servait, elle observa ses mains. Ses longs doigts fins étaient si différents de ceux de Hamilton. Bien que puissantes, elles étaient capables de douceur et de sensualité. Elle leva vivement le regard… qui tomba sur sa bouche. Cette fois, elle eut du mal à détourner les yeux. Le vin commençait à l'étourdir. Il fallait qu'elle mange.

John semblait tout aussi fasciné.

— Vous ne pouvez vraiment pas vous empêcher de me fixer, lança-t-elle d'un ton sec.

— Je me retiens plus que vous ne l'imaginez. J'ai envie de vous secouer jusqu'à ce que ces maudites épingles tombent de vos cheveux. J'ai envie de vous déshabiller, de tout jeter à terre et de vous allonger sur cette table. Je veux vous toucher, vous goûter…

— Vous croyez qu'une bête insatiable a des chances de me plaire ? s'enquit-elle avec un mouvement de recul.

— Lors de notre dernière entrevue, vous ne sembliez pas vous en plaindre.

— Je voyais en vous un amant, pas un époux.

— J'entends être les deux.

— Le chemin de l'enfer est pavé de bonnes intentions, railla-t-elle en se léchant les doigts.

— Je vous en prie, laissez-moi les lécher à votre place…

— C'est à votre tour de jouer la comédie. Vous agissez comme si tout ce que je fais vous excitait. En réalité, vous essayez de me désarmer et de me plier à votre volonté. Mais je sais d'expérience que, entre un homme et une femme, tout est question de domination et de soumission.

— Vous jouez bien le jeu, dit-il, sans masquer son admiration.

— John, il faut que vous compreniez une chose : je ne joue pas.

— Moi non plus. Je suis très sérieux. Vous avez besoin d'un mari, que vous en soyez consciente ou non, et Jamie a besoin d'un père. Ses terres, sa fortune, son patrimoine doivent être gérés par un représentant de la noblesse, un homme de poigne. Argyll est digne de ce rôle.

Il se leva et s'approcha d'elle.

— Ne me touchez pas ! Gardez vos mains, si nobles soient-elles, pour vous !

— À votre guise. Mais je vous prie de respecter notre trêve, Beth. Ce soir, je vous demande de m'épouser. Demain matin, vous viendrez avec moi visiter Argyll. Ensuite, vous me donnerez votre réponse.

Elle eut envie de crier qu'elle refusait, mais parvint à hocher la tête.

Il lui montra une chambre proche de celle de son fils. En entrant, elle trouva Dandy sur son lit.

Allongée, le petit chien blotti contre elle, elle ressentit le poids de la fatigue. Après deux verres de vin, elle n'eut aucun mal à s'endormir.

Le lendemain, elle se réveilla de bonne heure. Prenant son peignoir dans sa malle, elle alla réveiller Jamie, Dandy sur les talons.

— Maman ! s'exclama-t-il en tendant les bras. Oh ! fit-il en voyant le chien lever la patte contre la colonne du lit.

— Vilain ! gronda Beth. Viens, Jamie. Nous allons le promener dehors.

Au rez-de-chaussée, ils trouvèrent une porte donnant dans un jardin. Au moment de l'ouvrir, la jeune femme se retrouva face à un homme de grande taille, au visage ridé. D'instinct, elle sut qu'il s'agissait d'Argyll.

— Dandy a fait pipi ! expliqua l'enfant.

Beth rougit de honte.

— Ce doit être ta maman ? fit le vieil homme aux yeux noirs et pétillants.

— Ma maman ! acquiesça l'enfant en s'accrochant au peignoir de Beth pour l'éloigner d'Argyll.

— Je vous demande pardon, Votre Grâce, dit-elle en baissant les yeux.

— Il ne faut jamais implorer un homme. Mais vous le savez déjà, lady Elizabeth, n'est-ce pas ?

Elle rougit. Encore un Campbell, songea-t-elle. Encore un homme plein d'esprit et de repartie. Elle s'écarta pour le laisser passer. Il s'éloigna en claudiquant.

Après la promenade de Dandy, Beth et Jamie allèrent rejoindre Emma, qui défaisait ses bagages.

— Inutile de sortir mes affaires, lui dit Beth. Nous ne resterons pas.

— Bain ! cria Jamie.

— Oui. Va chercher ton bateau. Tu peux prendre un bain, concéda Emma. La salle de bains est immense, et la baignoire assez grande pour vous deux.

— Je vais visiter le domaine avec Campbell. Je dois vite m'habiller, Emma. Si je suis en retard, je serai à mon désavantage.

Une demi-heure plus tard, vêtue de l'habit vert jade que Charlie lui avait offert, Elizabeth chevauchait en amazone au côté de John. Les sommets étaient nimbés de brouillard, et l'air embaumait la bruyère et la fougère. Les paysages étaient superbes.

— Argyll s'étend à l'infini, bien au-delà des montagnes, jusqu'à la mer et plus loin encore, dans les îles de Mull et de Kintyre. C'est là-bas que j'irai recruter mes soldats. Les hommes de nos îles sont des marins aguerris.

Argyll était à la fois imposant et magnifique, au point qu'Elizabeth se sentit un peu dépassée. John serait un jour le duc d'Argyll et régnerait sur toutes ces terres. En tant que duchesse d'Argyll, elle ne serait jamais à la hauteur des duchesses l'ayant précédée. D'ailleurs, elle n'avait pas cette ambition. Elle détestait déjà monter en amazone !

— Ce matin, j'ai rencontré votre père. Il boitait.

— Une vieille blessure de guerre qui ne le gênait pas dans sa jeunesse. Aujourd'hui, il est handicapé. Cependant, il apprécie toujours la beauté féminine. Il m'a dit que vous aviez de quoi troubler un vieillard.

— Pourquoi les hommes ne pensent-ils toujours qu'au sexe ?

John cacha son amusement.

— C'est la nature humaine. Vous faites mine d'être en colère, mais vous êtes flattée.

— Vous avez décidément réponse à tout.

— Pas tout à fait, Beth. Je n'ai pas la réponse à la question que je vous ai posée hier soir. Voulez-vous m'épouser ?

Je veux qu'il m'aime, songea-t-elle. Et je crois qu'il m'aime. Mais si je devenais sa femme, nous serions malheureux tous les deux, à la longue. Je ne puis devenir quelqu'un que je ne suis pas. Ce serait une vie sans bonheur.

Elle fit arrêter son cheval et le regarda dans les yeux.

— Ma réponse est non.

Elle décela la surprise dans son expression, puis vint la colère.

— Je ne veux pas être contraint de vous lancer un ultimatum, dit-il, le regard noir. Je ne voulais pas en arriver là, mais vous ne me laissez pas le choix. Je ne vous permettrai pas de me priver de mon fils. Si vous m'épousez, il restera duc de Hamilton et nul ne saura jamais qu'il est un enfant illégitime. Si vous vous entêtez à refuser, je prendrai Jamie et je révélerai au monde qu'il est de moi. Je ferai de lui mon héritier et il sera dépossédé de ses titres en tant que Hamilton.

Ce fut au tour d'Elizabeth d'être étonnée.

— Vous seriez capable de le déposséder de ses titres ?

— Pas moi, Beth. Ce serait vous, car la décision ne tient qu'à vous.

Soudain, la peur vint se mêler à la colère. Elle eut l'intelligence de ne rien laisser paraître, pour réfléchir à ses intérêts et à ceux de son fils. Elle avait tout à perdre à résister aux Argyll. Elle se sentait trahie.

Sans un mot, elle talonna sa monture et regagna Inveraray. Il fallait qu'elle s'échappe.

John Campbell lui accorda une longueur d'avance. En arrivant aux écuries, il eut la sagesse de ne pas l'aider à descendre de selle.

Beth monta dans sa chambre et referma la porte. Puis elle laissa éclater sa rage en projetant une botte contre un miroir. Il ne se brisa pas. La jeune femme ne savait si elle devait en rire ou en pleurer. Désabusée, elle se rendit compte qu'elle obtiendrait à peu près le même résultat en luttant contre les Argyll.

Elle recensa les nombreuses raisons pour lesquelles elle refusait de se marier. Quelques coups frappés à la porte l'interrompirent dans ses pensées. Une femme de chambre lui apportait un déjeuner. Puis vint Jamie, accompagné d'Emma.

Elizabeth chassa son dilemme pour profiter de cet instant passé avec son fils.

— Qu'as-tu fait, ce matin ?

— Les *taces,* répondit-il avec entrain, la bouche pleine.

— M. Burke lui a montré des traces d'animaux. Le petit est très attaché à M. Burke.

— Il n'est pas le seul, commenta amèrement la jeune femme, puis elle soupira. Excusez-moi, Emma. Je n'ai aucun reproche à vous faire. Ils étaient deux hommes imposants contre une femme. Je suis heureuse que vous soyez restée avec lui.

Après le repas, Beth savait qu'elle devait prendre une décision, sans doute la plus importante de sa vie.

— Et si tu allais faire la sieste, maintenant ? Emma va t'emmener dans ta chambre.

— Non ! s'exclama l'enfant. Viens jouer...

Elizabeth était tiraillée. Son fils avait le don de persuasion. Tout comme son père, songea-t-elle.

— Pas de problème. Nous allons faire un tour dehors. Viens que je t'essuie la bouche.

Ils se rendirent dans la cour. En apercevant John Campbell, assis sur un banc au soleil, en train de nettoyer ses armes, James lâcha la main de sa mère et courut vers lui. Beth faillit le retenir, mais se ravisa. Quelle meilleure épreuve que de jauger la réaction de l'Écossais face à son enfant, et inversement ?

Campbell rengaina l'épée qu'il venait d'affûter.

— Bonjour, Jamie.

Il vit que l'enfant était attiré par les armes.

— Fais attention, c'est dangereux. Tu risques de te faire mal.

Jamie essaya de sortir la lame de son fourreau.

— Comme ça, expliqua John en lui montrant le geste.

Il rengaina l'arme et la tendit à l'enfant. De ses doigts maladroits, il l'imita avec succès. En posant le doigt sur la pointe de la lame, il se blessa.

— Aïe !

Elizabeth en eut le cœur serré.

John se coupa immédiatement à son tour.

— Fais comme moi.

Il porta le doigt à sa bouche pour sucer la légère égratignure. Jamie en fit autant.

Je n'ai pas besoin d'un mari, mais Jamie a peut-être besoin d'un père... Elle les observa de loin et songea aux avantages que présentait ce mariage. Elle regarda les cheveux bruns, la mâchoire carrée, les larges épaules de l'homme qui parlait à son fils. Une chose était certaine : jamais elle n'aimerait un autre homme que lui. De plus, Jamie aurait tout à gagner de cette union.

Il est de mon devoir de placer les intérêts de mon fils avant les miens. Je me dois de lui offrir le meilleur. Si je permets à John de devenir son père, James George sera duc de Hamilton de façon incontestable.

Elle frémit en se rappelant que John était militaire. Et s'il était tué au combat ? La réponse lui vint aussitôt : si Jamie était leur fils unique, il hériterait à la fois des duchés d'Argyll et de Hamilton.

Le petit sacrifice d'épouser l'homme qu'elle aimait servait les intérêts de Jamie. Il aurait ainsi une mère et un père pleins d'affection pour lui.

Beth les rejoignit, un sourire au coin des lèvres.

Mais, en croisant le regard de John, elle se rendit compte qu'il utilisait l'enfant pour mieux la dominer. Comme Hamilton.

Elle s'empara de son fils.

— Allez en enfer, John Campbell ! Jamais je ne serai votre duchesse !

Elle regagna le château. Emma était en train de recoudre un vêtement de l'enfant.

— Faites vos bagages. Nous partons immédiatement.

Elle ouvrit un tiroir et prit les affaires de son fils qu'elle jeta dans une malle. Emma se chargea des jouets.

Quand elle fut prête, elle alla trouver Burke.

— Veuillez dire à notre cocher de préparer la voiture. Nous partons.

— Monsieur a envoyé votre voiture en réparation chez l'artisan.

— Elle n'avait pas besoin de réparation ! Où est mon cocher ?

— Je l'ignore, Votre Grâce.

Furieuse, Elizabeth entraîna Emma, Jamie et Dandy dans sa chambre et ferma la porte à clé. Il était trop tard pour agir ce jour-là. Si le cocher ne réapparaissait pas le lendemain, elle s'adresserait directement au puissant duc d'Argyll.

36

John Campbell était allongé dans son lit, les mains croisées derrière la tête. Il se maudissait d'avoir géré la situation de façon aussi désastreuse. Il était homme à ne jamais accepter la défaite, même quand celle-ci le regardait dans les yeux.

Ivre de rage, il se leva, déterminé à descendre dans la chambre de Beth pour lui faire entendre raison. Jamais il n'avait rencontré une femme aussi entêtée ! Mais elle finirait par céder, quoi qu'il lui en coûte. Il n'aurait aucun mal à la séduire. Elle se donnerait à lui. Mais il voulait plus que cela. Il voulait qu'elle se donne corps et âme.

Il se mit à arpenter sa chambre comme un lion en cage. Pourquoi refusait-elle de l'épouser ? Cela n'avait pas de sens. Ils s'étaient languis l'un de l'autre pendant des années. Désormais, plus aucun obstacle ne se dressait entre eux. Rien ne s'opposait à ce mariage. Ils avaient déjà un fils et John voulait d'autres enfants. Et il savait qu'elle l'aimait.

Il se servit un whisky. Son odeur lui rappela Hamilton. Il reposa son verre sans le boire. Alors, il comprit.

Elizabeth ne me rejette pas. Elle rejette l'idée d'épouser un noble, de devenir une nouvelle fois duchesse !

Il avait toujours su ce que valait Hamilton. C'était la raison pour laquelle il n'imaginait pas Beth avec lui. Il pensa au caractère spontané et enjoué de la jeune fille à l'époque de leur rencontre. Elle était devenue une duchesse sereine et réservée, comme une marionnette, une poupée que son mari considérait comme un objet décoratif.

Je savais qu'elle avait peur de sa mère, songea-t-il. Comment n'ai-je pas compris que sa peur de Hamilton la paralyserait ?

John serra les dents en imaginant ce qu'elle avait ressenti en découvrant qu'elle était enceinte de lui. Pour survivre, elle avait dû se convaincre qu'elle était enceinte de son mari. Et elle avait réussi, car Hamilton était très fier de son héritier.

Il alla ouvrir la fenêtre. Hamilton avait besoin de tout contrôler. Il avait dû se servir de l'enfant comme d'une arme. Il frappa du poing sur le rebord de la fenêtre. Lui aussi avait essayé d'utiliser Jamie pour parvenir à ses fins ! C'était intolérable. Et elle avait eu le courage de résister !

John rit de sa propre folie.

Elizabeth fut réveillée par un coup frappé à la porte. Elle quitta le lit qu'elle partageait avec Emma et Jamie.

— C'est Burke. Je vous apporte le petit déjeuner.

— Posez-le devant la porte, ordonna Beth, prudente.

— J'ai également un message, madame. Votre voiture et votre cocher vous attendent dans la cour.

— Monsieur Burke, dit-elle en ouvrant la porte, ai-je votre parole qu'il ne s'agit pas d'un piège ? Je suis libre de partir avec mon fils ?

— Vous avez ma parole, Votre Grâce.

Après un petit déjeuner copieux, le trio descendit les marches de la tourelle, suivi de Dandy et des domestiques qui portaient leurs bagages. En voyant sa voiture, Beth poussa un soupir. Mais elle se crispa aussitôt face à John Campbell.

— Beth, je vous demande humblement pardon, dit-il.

Il lui tendit une lettre, qu'elle laissa délibérément tomber sur les pavés. Elle ne vit pas Jamie la ramasser avant qu'Emma ne le prenne dans ses bras.

— Au revoir, papa ! s'écria l'enfant en agitant la main.

— Ce n'est pas...

Elizabeth s'interrompit et installa l'enfant sur le siège, à côté du chien. Puis elle posa un plaid aux couleurs du clan Campbell sur ses genoux. Elle foudroya Emma du regard.

— Je ne lui ai rien dit, assura celle-ci.

Lorsque la voiture s'ébranla, Elizabeth ignora John, le souffle court, comme si elle s'attendait à ce qu'il les empêche de partir au dernier moment.

À Strone, ils s'arrêtèrent pour déjeuner. Le cocher abreuva les chevaux et s'assit dans l'herbe pour manger à son tour. Laissant Jamie et Dandy s'ébattre à loisir, Elizabeth cueillit un peu de bruyère dont elle huma le parfum.

C'était trop facile, songea-t-elle.

Dans l'après-midi, le ciel se couvrit. Elle occupa Jamie en lui désignant des animaux : moutons, vaches, mais aussi cerfs et quelques renards. Comme si elle avait une prémonition, elle regardait de temps en temps en arrière. Elle aperçut un point – un cavalier, peut-être. Elle ressentit des picotements sur la nuque et s'en voulut aussitôt de ces enfantillages.

Emma somnolait. Jamie finit par s'assoupir lui aussi. Elizabeth en profita pour se retourner. Cette fois, il n'y avait pas d'erreur possible. C'était un cavalier vêtu d'une cape foncée, sur un cheval noir. Elle étouffa un juron.

Je savais que les choses se déroulaient trop bien. Allez au diable, John Campbell !

Elle se retourna toutes les dix minutes. Par chance, il ne semblait pas gagner du terrain. Une pluie fine se mit à tomber.

Le cocher s'arrêta pour lui dire deux mots.

— Arrochar se trouve à environ sept kilomètres. Il y a une bonne auberge, Votre Grâce. Souhaitez-vous y passer la nuit ?

— Non ! Je préfère continuer. Pourriez-vous accélérer un peu ? Nous atteindrons peut-être Luss ou loch Lomond ?

Dans la pénombre, Beth ne distinguait plus le cavalier, mais elle ressentait sa présence tout au fond d'elle-même. La pluie l'inciterait peut-être à s'arrêter à Arrochar.

— Pipi, dit Jamie en se réveillant.

— Tu ne peux pas te retenir un peu ?

— Non !

Elle sortit une tasse du panier de pique-nique. Emma ouvrit les yeux et changea de position.

— Emma, j'ai fait pipi dans la tasse !

— J'espère que ta maman n'attend pas de moi que j'en fasse autant.

— Je suis désolée. Nous nous arrêterons à Luss. Ce n'est plus très loin.

Beth se mordit les lèvres.

— Je crois qu'il nous suit, avoua-t-elle.

Quand ils arrivèrent à l'auberge, un employé vint chercher leurs bagages pendant que le cocher se chargeait des chevaux. Elizabeth prit trois chambres, espérant que ce seraient les dernières. À l'étage, elle s'assura qu'elles fermaient bien à clé.

Elle commanda un repas pour Emma et Jamie, puis se débarbouilla et se brossa les cheveux. Lorsqu'on les eut servis, elle tendit la clé à Emma.

— Vous vous enfermerez après mon départ. N'ouvrez à personne.

Elle descendit dans la salle et commanda du vin chaud en attendant John.

Je le connais trop bien. Ce ne sont pas la pluie et la nuit qui le décourageront...

Le vin chaud la détendit et lui donna du courage. Elle était prête, voire impatiente de l'affronter.

Le cavalier arriva une demi-heure plus tard. Il franchit le seuil et ôta sa cape trempée de pluie. Quand il repoussa en arrière ses cheveux mouillés, Beth se rendit compte que ce n'était pas John.

L'inconnu la toisa d'un air approbateur et lui sourit.

La jeune femme était désemparée, très déçue.

Pourquoi suis-je déçue ? Je devrais être soulagée, au contraire !

Elle se dit qu'elle avait envie d'en découdre. Mais elle devait admettre la vérité : elle avait été flattée de croire que John se lançait à sa poursuite pour la supplier de changer d'avis. Elle s'attarda un moment, comme si elle l'attendait encore. La pluie cessa. Des villageois arrivèrent. Perdue dans ses pensées, elle ne remarqua pas leurs regards curieux. Un joueur de cornemuse la fit soudain émerger de sa rêverie. Elle regagna sa chambre.

— Alors ? fit Emma.

— Ce n'était pas lui, répondit-elle, abattue.

— Dans ce cas, vos ennuis sont terminés, railla Emma.

— Jamie ! Il ne faut pas donner du papier à Dandy. Il va le manger et s'étouffer.

Elle ramassa l'enveloppe avec laquelle il jouait. Son prénom était inscrit dessus. En l'ouvrant, elle reconnut l'écriture de John. Les jambes tremblantes, elle s'assit pour la lire :

Elizabeth,

En vous demandant de m'épouser, je ne cherchais pas à épouser la duchesse de Hamilton, mais Elizabeth Gunning, la Titania qui a su ravir mon cœur. Au lieu d'un objet décoratif, je voulais une femme qui serait ma partenaire, sur un pied d'égalité. La qualité que j'admire le plus est le courage. Je me réjouis que vous en ayez. Vous possédez également l'intelligence et l'intégrité nécessaires pour veiller aux intérêts de votre fils. Je renonce donc à revendiquer ma paternité. Vous avez gagné le droit de mener votre vie comme bon vous semble et de prendre vos propres décisions. Je regrette amèrement de ne pas faire partie de votre avenir, mais je comprends et respecte votre décision. Je vous rends le gage d'amour que vous m'aviez donné ; ainsi, j'aurai l'impression de vous avoir rendu votre liberté.

John Campbell

Beth déchira vivement l'enveloppe contenant la boucle blonde qu'il avait coupée. La gorge nouée, elle prit connaissance du post-scriptum :

P.-S. Si vous ou votre fils avez un jour besoin d'aide, envoyez-moi le bouton de cuivre de mon uniforme.

Beth songea à la boucle de cheveux de Charlie, qu'elle avait remise à Will. Les larmes lui montèrent aux yeux.

— Charlie, vous étiez si amoureux, avec Will, et vous avez passé si peu de temps ensemble…

Bouleversée, elle leva les yeux vers Emma et se rendit compte qu'elle s'était exprimée à voix haute.

Emma se leva.

— Je vous laisse réfléchir seule. Les rires de la salle m'attirent. Je crois que je vais me joindre aux fêtards.

Quelques instants plus tard, Emma engageait la conversation avec des villageois. Plusieurs verres de vin l'incitèrent à satisfaire leur curiosité à propos de sa maîtresse.

— C'est la duchesse de Hamilton. Elle va bientôt épouser le futur duc d'Argyll, confia-t-elle en se rengorgeant.

Le lendemain à l'aube, la cour regorgeait de curieux. Elizabeth monta en voiture et prit Jamie des bras d'Emma. Les gens l'acclamèrent. Ils lui firent une haie d'honneur sur la route.

— Emma, que se passe-t-il ?

— En tout cas, ce n'est pas votre mère qui les a payés, ceux-là !

— Mais pourquoi m'acclament-ils ?

— Ils applaudissent votre excellente décision d'épouser un Écossais des Highlands...

Il faisait nuit depuis longtemps quand la voiture s'arrêta dans la cour du château d'Inveraray. Emma somnolait et Jamie dormait profondément. Elizabeth ne pouvait masquer son angoisse. Hésitante, elle ouvrit la portière et posa un pied sur la marche.

Soudain, deux bras puissants la soulevèrent.

— Chérie, je te promets de ne plus jamais croire que tout m'est dû !

— John, serre-moi fort...

Il la maintint captive de ses bras et embrassa ses cheveux.

— Dieu merci, tu es revenue. Je ne peux pas vivre sans toi.

En sentant les battements frénétiques de son cœur, elle sut qu'elle avait trouvé sa place.

— Aide-moi à porter Jamie, dit Beth en s'écartant de lui.

Il enveloppa son fils dans une couverture.

— Voulez-vous que je revienne vous porter, Emma ? s'enquit-il.

— Non merci, monsieur, mais je ne dirais pas non à M. Burke...

Une fois dans sa chambre, Beth dévêtit l'enfant et le coucha sans qu'il se réveille.

John éteignit la lampe et tendit la main à la jeune femme. Ils montèrent dans la chambre de John, qui l'entraîna vers le divan, près de la cheminée. Il lui ôta sa cape et s'agenouilla pour la débarrasser de ses bottes.

— Si j'ai pris Jamie, c'est parce que je savais que tu viendrais le chercher. Je n'ai jamais eu l'intention de le garder. Je n'aurais pas dû. Je voulais te prouver ma puissance, et je n'ai fait que te révéler ma faiblesse.

— Je veux que nous soyons toujours ta faiblesse, répondit-elle.

— Pendant que je suis à genoux, je vais te demander à nouveau de m'épouser. Mais il faut que tu saches à quoi tu t'exposes. Demain, je jette l'ancre pour l'île de Kintyre pour recruter des soldats. Ensuite je me rendrai à Mull, Morven et Tyrie. Je serai absent un mois. Et je voudrais que tu m'accompagnes. Les villages de pêcheurs sont arides et venteux, même en été. En cette fin de saison, le temps risque d'être mauvais. Les maisons de pêcheurs sont humbles et sans confort. Si je te demande de m'accompagner, c'est parce que tu sais ce qu'est la faim, de n'avoir qu'un sarrau à porter. Ils sentiront ton empathie et sauront que tu ne les méprises pas.

— Bien sûr que je viendrai !

Il leva une main pour indiquer qu'il n'avait pas terminé.

— Je suis non seulement militaire, mais aussi héritier d'Argyll. Tu seras un jour deux fois duchesse. Tu auras des obligations mondaines à la Cour. Tu devras te partager entre Londres et l'Écosse. Parfois, nous devrons donner des fêtes somptueuses, mais nous aurons aussi des moments d'intimité pour faire d'autres enfants. Veux-tu m'épouser dès ce soir ?

— Oui. Oui !

— Viens, dit-il en lui baisant la main. Allons en informer mes parents.

Elle hésita.

— Tu ne peux pas y aller seul ?

— On dirait que tu as peur…

— C'est vrai, admit-elle.

Il la fit se lever et l'enlaça d'un bras protecteur.

— J'aime te voir faire preuve de courage.

Pleine d'appréhension, elle l'accompagna dans la tourelle principale. Mary Campbell ouvrit la porte. Le duc d'Argyll était assis près du feu, la jambe posée sur un coussin. Il dirigea vers eux un regard plein d'espoir.

— J'ai demandé à Elizabeth de m'épouser, et elle a accepté.

— Félicitations, John. C'est une nouvelle formidable ! s'exclama Mary, radieuse.

— Approchez, petite, qu'on vous regarde !

John posa une main dans son dos pour l'inviter à s'approcher du vieil homme. Elle était très intimidée.

— Je crois que tu as trouvé l'âme sœur, John, conclut-il en adressant un clin d'œil à la jeune femme.

— Nous nous marions ce soir, dans la chapelle.

Sa mère parut choquée.

— Oh non ! Il faut organiser un grand mariage ! Avec tout le clan !

John secoua vigoureusement la tête.

— Même si Beth était disposée à patienter, ce n'est pas mon cas. Nous échangerons nos vœux ce soir et partirons demain.

— Les Argyll sont très dominateurs, confia Mary à Beth.

Celle-ci sourit en songeant qu'elle allait le mener par le bout du nez.

— J'essaierai de la convaincre d'organiser un grand mariage à notre retour, promit John tandis qu'ils quittaient la pièce. Je suis un Argyll. Nous avons un grand pouvoir de persuasion. Face à une femme de caractère, il faut simplement un peu plus de temps !

Le parfum de l'encens masquait l'odeur d'humidité qui flottait dans la chapelle. Les cierges projetaient une lueur dorée sur le couple. Vêtue de velours améthyste, Elizabeth tenait un bouquet de bruyère. John arborait le kilt des Campbell.

— Elizabeth, acceptez-vous de prendre cet homme pour époux, de lui obéir, le servir, de l'aimer et de l'honorer dans la santé et la maladie, jusqu'à ce que la mort vous sépare ?

— Oui, énonça-t-elle sans la moindre hésitation.

— Qui donne cette femme à cet homme ?

M. Burke s'avança en tant que témoin. John prit la parole :

— Je te prends, Elizabeth, pour épouse, pour le meilleur et pour le pire, dans la richesse et la pauvreté. Je m'engage à t'aimer et te protéger jusqu'à ce que la mort nous sépare.

À la grande surprise de la jeune femme, la bague qu'il lui glissa au doigt lui allait parfaitement. Depuis combien de temps la possédait-il ?

Le pasteur les déclara unis par les liens du mariage. Emma ne put retenir ses larmes.

Ils échangèrent un chaste baiser. En se retournant, ils virent le duc et la duchesse, au fond de la chapelle. Mary embrassa sa belle-fille.

— Me confierez-vous Jamie au moment de votre départ, demain ? demanda-t-elle.

— Bien sûr, mais c'est parfois un vrai petit diable, prévint Beth.

— Comme mon fils, quand il était petit.

— Allez, grand-mère, la taquina son mari. Il est temps d'aller se coucher.

Le jeune couple se hâta en direction de la tourelle de John. Ils jetèrent un coup d'œil dans la chambre de Jamie. Il n'avait pas bougé.

Puis John prit sa femme dans ses bras pour gravir le dernier étage.

— Je t'aime depuis toujours, lady Campbell.

— Je ne serai jamais vraiment une lady, murmura-t-elle d'une voix suave.

— Je l'espère bien, ma tigresse.

Il la posa à terre et voulut l'embrasser, mais elle se dégagea de son étreinte et courut en direction de la chambre en riant. Il prit tout son temps pour la rattraper. Il la trouva sur le lit, en train de dégrafer sa robe.

— Je veux avoir le plaisir de te dévêtir.

Elle se jeta à son cou dans un bruissement de jupons. Puis elle lui tendit ses lèvres en glissant les mains sous son kilt pour palper ses fesses rondes.

— Barbare !

Il gémit de plaisir contre ses lèvres et remercia le Ciel d'avoir une épouse aussi sublime.

— On peut dire que tu m'as fait courir, mais c'est comme ça que je t'aime.

Il la déshabilla lentement pour mieux savourer le plaisir de l'instant. Une fois nus, cependant, ils ne purent contenir leur passion dévorante…

Au terme de la deuxième étreinte, le marié rendit hommage à la beauté de la jeune femme.

— J'aime la caresse de tes cheveux sur mon torse. On dirait de la soie.

Il l'embrassa dans la nuque, puis descendit dans son dos, vers ses fesses. Il la fit se retourner et remonta le long de sa jambe, goûtant la saveur de sa peau laiteuse.

— J'aimerais pouvoir retarder l'instant jusqu'au bout de la nuit, souffla-t-il, mais tu produis sur moi un tel effet que je ne peux me contrôler.

Ils atteignirent l'extase ensemble, dans une fusion parfaite.

Ensuite, repus, ils évoquèrent leur avenir.

— Tes parents savent que Jamie est ton fils, n'est-ce pas ?

— Ils ne sont pas aveugles, chérie.

— Tu crois qu'ils regrettent qu'il soit duc de Hamilton ?

— Bien sûr que non, répondit-il en l'embrassant sur le front. J'apprendrai à Jamie le glorieux passé de son clan. Les Hamilton sont de féroces guerriers.

Elle se mordit la lèvre.

— Je ne l'ai jamais quitté plus d'une nuit…

— Cette séparation sera difficile pour vous deux, mais il va devoir apprendre à te partager. Il fait déjà ce qu'il veut de M. Burke. À notre retour, il aura ensorcelé mes parents.

— Je sais qu'il sera bien avec eux, admit-elle en lui caressant le torse.

Jamais elle ne s'était sentie aussi protégée, et pas uniquement à cause de la fortune des Argyll. Elle sentait l'amour sincère de John, qui avait su respecter ses désirs.

Beth sourit. Elle l'aimerait toute sa vie.

Découvrez les prochaines nouveautés de la collection

Aventures et Passions

Le 2 novembre
Rendez-vous nocturne
de Kimberly Logan (n° 7818)

Lorsque sa sœur disparaît, Tristan Knight, comte de Ellington, demande de l'aide à Deirdre, que l'on dit scandaleuse et fine connaisseuse des bas-fonds londoniens. Elle accepte bien qu'elle coure le risque de se retrouver face à l'homme qui a ruiné sa vie. Heureusement, Tristan est là pour la rassurer et la protéger...

Le 10 novembre
Un héritage compromettant
de Leslie LaFoy (n° 7819)

Lorsque la jeune, belle et récente veuve Seraphina Treadwell apparaît à sa porte accompagnée de trois petites filles, Carden Reeves sait que sa vie de débauche est terminée : il est désormais le septième comte de Lansdown. Rebelle et libertin, il n'a aucune expérience des enfants et le voici chargé de ses trois nièces ! Il persuade donc la ravissante miss Treadwell de rester à son service... déterminé à la séduire. Mais le coquin ne s'attendait pas à être le premier à succomber.

Le 18 novembre
Au-delà de tout soupçon
de Amanda Quick (n° 4936)

À la mort de son beau-père qui a dilapidé la fortune familiale, Charlotte Arkendale décide d'ouvrir un cabinet de détective spécialisé dans les affaires matrimoniales. Mais la profession est plutôt dangereuse. Cherchant un assistant qui puisse la protéger, elle engage Baxter St Ives. Curieux personnage, efficace, mais qui peut parfois se montrer d'une autorité et d'une arrogance qui la font enrager ! D'autant plus qu'elle n'est pas insensible à son charme...

Le 25 novembre
L'homme qui refusait d'aimer
de Sabrina Jeffries (n° 7820)

Au cours d'un voyage, Spencer Law, vicomte de Ravenswood, rencontre Abigail Mercer. En dépit de l'intérêt qu'il éprouve pour elle, il ne compte jamais la revoir. Mais à présent, elle est ici, à Londres, prétendant être sa femme ! Un heureux événement arrangé par le frère de Spencer. Pour échapper au scandale, Spencer et Abigail jouent le jeu le temps de trouver un moyen de se sortir de ce guêpier. Mais ils découvrent qu'il est difficile de jouer la comédie lorsqu'un seul regard suffit à faire naître la passion.

Ce mois-ci, retrouvez également

Amour et Destin

Des histoires d'amour riches en émotions déclinées en trois genres :

Intrigue ***Romance d'aujourd'hui*** ***Comédie***

Le 3 octobre *Romance d'aujourd'hui*

Avec l'aide de Lizzie

de Fern Michaels (n° 7802)

Au cours d'un raid, le partenaire d'Aggie, officier de police, est tué et elle est grièvement blessée. Six mois plus tard, elle n'est toujours pas prête à reprendre le service. Pourtant, elle veut à tout prix prouver que son collègue a été assassiné par des flics véreux. Elle demande alors à sa sœur jumelle, Lizzie, croupière dans un casino, de prendre sa place et de mener l'enquête. Au cœur du danger, c'est au charme de Nathan, journaliste et ami d'Aggie, qu'elle risque de succomber…

Le 10 octobre *Intrigue*

Le cœur à vif

de Julie Garwood (n° 7803)

Le père Thomas Madden entend la plus effroyable des confessions. Un inconnu lui avoue un meurtre, avant de lui apprendre froidement l'identité de sa prochaine cible : Laurant, la sœur de Thomas. Terrifié, ce dernier fait appel à son ami d'enfance, Nick Buchanan, agent spécial du FBI. Nick et Laurant formeront un couple fictif pour attiser la jalousie du coupable et faire sortir le loup des bois. Tandis que la frontière entre jeu et réalité s'amenuise, le piège se referme sur eux…

Le 24 octobre *Comédie*

À la folie… pas du tout !

de Valerie-Anne Baglietto (n° 7804)

L'agence s'appelait « La nounou idéale ». Exactement ce que cherche une mère célibataire qui travaille et élève seule une petite fille. Seulement, Kate déchante quand se présente Paloma. Cette nounou-là allait chavirer tous les mâles du quartier…
Ses craintes sont confirmées lorsque Kate voit débarquer chez elle un type à l'air furieux :
— C'est vous, Paloma ? À cause de vous, mon frère veut rompre ses fiançailles !
Il aurait fallu dissiper d'emblée ce quiproquo, mais quand on a affaire à un grand brun séduisant au faux air de Hugh Grant…

Amour et Mystère

Sous le charme d'un amour envoûtant

Le 17 octobre

La punition d'Adam Black

de Karen Marie Moning (n° 7809)

Le prince des Tuatha Dé Danaan, Adam Black, est allé trop loin. La reine des fées lui ôte son immortalité et l'exil dans le monde des mortels, où aucun humain ne peut le voir. Aucun humain sauf Gabrielle O'Callaghan, qui, comme toutes les femmes de sa famille, est capable de voir les fées. Adam, terrifié, demande de l'aide à la jeune femme afin que la reine lève sa punition. Ni l'un ni l'autre ne savent que le plus vieil ennemi d'Adam est déjà à sa recherche pour le tuer.

Passion intense

Quand l'amour vous plonge dans un monde de sensualité

Le 17 octobre

Les maîtresses audacieuses

de Bertrice Small et Thea Devine (n° 7524)
La princesse Zuleika préfère se donner au barbare Amir Khan plutôt que d'épouser son cousin qui convoite le trône. Immédiatement, Amir tombe sous le charme de cette audacieuse jeune femme dont le marché lui promet des moments de passion intense...
Lorsque miss Regina Olney découvre que son père a chargé Jeremy de l'éloigner de ce coureur de Marcus Raulton, elle est folle de rage. Pour narguer son père, elle décide de conquérir Raulton, et pour acquérir le savoir-faire nécessaire, elle demande à Jeremy de l'initier à l'art d'aimer...